LA DANSE DE LA VIE

Du même auteur

La Dimension cachée
Seuil, 1971

Au-delà de la culture
Seuil, 1979

Le Langage silencieux
Seuil, 1984

EDWARD T. HALL

LA DANSE
DE LA VIE

TEMPS CULTUREL, TEMPS VÉCU

TRADUIT DE L'AMÉRICAIN
PAR ANNE-LISE HACKER

ÉDITIONS DU SEUIL
*27, rue Jacob, Paris VI*e

ISBN 2-02-006760-9

Titre original : *The Dance of Life*
Éditeur original : Anchor Press / Doubleday, New York
© original : 1983, Edward T. Hall

© ÉDITIONS DU SEUIL, POUR LA TRADUCTION FRANÇAISE,
MARS 1984

Ce livre est dédié à
Mildred Reed Hall

Avant-propos

On n'écrit jamais un livre sans le concours actif et la participation d'un grand nombre de personnes. Certaines sont connues et aisément identifiées parce que présentes, et activement impliquées; leur contribution est évidente, et notre reconnaissance immédiate. Il est un autre groupe, cependant, dont la contribution reste à jamais dissimulée. Je pense à ceux sur les épaules desquels l'auteur « s'appuie » pour formuler sa pensée : ses ancêtres spirituels, et aussi ces pionniers et innovateurs qui se sont efforcés de faire progresser notre compréhension du comportement humain depuis des siècles. J'adresse donc d'abord ma reconnaissance à ces savants, connus et inconnus, reconnus ou non, vivants ou morts qui ont tellement contribué à l'élaboration de ma pensée, par tout ce qu'ils m'ont permis de comprendre et de découvrir. Sans les leurs, mes écrits ne seraient rien.

On peut aussi, bien sûr, désigner certains individus en particulier, ainsi que le travail qu'ils ont accompli. Mais ici encore, l'évaluation de leur contribution se trouve d'une certaine manière minimisée. En choisissant les uns, on exclut inévitablement les autres. Un bon directeur de publication participe autant que l'auteur au façonnement d'un livre. Une remarque fortuite d'un ami ou d'un lecteur fournit parfois le lien recherché entre des fils de pensée disparates que l'auteur essaie de réunir. Je suis, pour ma part, humblement et profondément reconnaissant à tous ceux autour de moi qui m'ont aidé et sans lesquels je n'aurais pu mener à bien la rédaction de ce livre.

William Whitehead a lu le manuscrit original; ses conseils

9

et son avis m'ont été très utiles alors que ce texte était encore en cours d'élaboration. Je suis particulièrement reconnaissant à mon directeur de publication de chez Doubleday, Sally Arteseros, pour son soutien enthousiaste, sa patience et sa précieuse expérience professionnelle. Mon agent, Carl Brandt, a contribué à mon travail de deux manières toujours importantes pour un auteur : il a représenté pour moi l'avis du public. Il m'a donné ainsi un point de vue impartial, et par là stimulant pour ce que j'écrivais. Il m'a de plus encouragé pendant les périodes difficiles qu'on ne peut jamais éviter. Ma compagne et épouse, Mildred Reed Hall à qui je dédie ce livre, m'a assisté dans de trop nombreux aspects de mon travail pour que je puisse tous les mentionner. Sa participation à la conception et à la rédaction de mon travail, ses critiques, et le soutien qu'elle m'a apporté m'ont été particulièrement précieux. Susan Rundstrom a dactylographié plusieurs versions de mon manuscrit, et je n'aurais pu me passer de son aide si efficace. Pat D'Andrea a lu et critiqué mon manuscrit, et préparé l'index – tâche ingrate et ennuyeuse dont l'utilité future d'un livre dépend en grande partie. Mes collègues, Lawrence Wylie et William Condon, m'ont apporté conseils, encouragement et stimulation intellectuelle. Ma collègue Barbara Tedlock fut non seulement assez aimable pour mettre à ma disposition une version non encore publiée de son livre Time and the Highland Maya, mais aussi d'accepter d'en discuter d'une manière suffisamment détaillée pour que je puisse profiter pleinement de sa perspective originale sur la culture quiché. A ceux que j'ai mentionnés, et aux autres que je n'ai pas nommés, je tiens à exprimer ma profonde reconnaissance et toute ma gratitude.

Santa Fe, Nouveau-Mexique,
le 4 mai 1982

Introduction

Le sujet de ce livre est le temps considéré comme élément culturel : comment le temps est-il consciemment et inconsciemment exprimé, utilisé et structuré dans des cultures différentes? Le temps est un des systèmes fondamentaux de toute culture. Et la culture joue un rôle si important pour la compréhension du temps comme système culturel qu'il est pratiquement impossible de le séparer des différents niveaux de culture dans lesquels il s'inscrit; en particulier du niveau de culture primaire, dont je parlerai plus longuement.

La Danse de la vie vient s'ajouter à une série de livres sur les êtres humains, la culture et le comportement. Il traite de la plus intime de toutes les expériences : comment les individus sont liés les uns aux autres et pourtant isolés par d'invisibles tissus de rythmes et par des murs de temps cachés. Le temps est traité comme un langage, comme principe organisateur de toute activité, à la fois facteur de synthèse et d'intégration et moyen d'établir des priorités et d'ordonner le matériau que nous fournit l'expérience; comme mécanisme de contrôle rétroactif sur le cours des événements qui se sont produits, étalon permettant de juger la compétence, l'effort, la réussite; et enfin comme système de messages particuliers révélant la manière dont des individus se perçoivent mutuellement, indiquant s'ils peuvent s'accorder.

Le temps est un système fondamental de la vie culturelle, sociale et personnelle des individus. En fait, rien ne se produit en dehors d'un cadre de temps donné. Chaque culture a ses propres cadres temporels à l'intérieur desquels fonctionnent des modèles qui lui sont particuliers : ce qui constitue un

11

facteur de complication des rapports interculturels. Ainsi, pour pouvoir effectivement communiquer à l'étranger, il est aussi nécessaire de connaître le langage du temps que le langage parlé du pays où on se trouve. Plusieurs chapitres de ce livre traitent de la façon dont Américains et Japonais se renvoient mutuellement l'image de ce qu'ils sont; et à l'intérieur de cette image, les principaux tissus temporels constituent la base à partir de laquelle tout le reste se construit. D'autres chapitres sont consacrés aux rapports entre pays d'Europe de l'Ouest, d'une part, et entre Latino-Américains, Anglo-Américains et Américains indigènes d'autre part.

Un des objets de ce livre est de considérer comment les êtres humains vivent dans un seul monde de communication, mais le divisent en deux parties : les mots et le comportement, le verbal et le non-verbal. Les mots représentent une petite partie de ce monde et soulignent les aspects unidirectionnels de la communication tels qu'ils s'expriment, par exemple, dans les procès, les relations antagonistes ou les discours par lesquels chacun se justifie, alors que le comportement en représente la plus grande partie : il souligne la manière dont les individus se perçoivent, eux-mêmes et mutuellement, les moyens d'éviter la confrontation, et la logique inhérente et propre à chaque individu. Les mots sont le moyen de communication des hommes d'affaires, des hommes politiques et des dirigeants qui gouvernent notre monde, et tous exercent en fait un pouvoir. Les mots deviennent ainsi l'instrument du pouvoir. La part non verbale du système de communication, celle du comportement, est le patrimoine de tout individu, et constitue un fond culturel qui le guide dans toutes les situations qu'il rencontre dans la vie. L'ensemble de cette action réciproque, fait de sagesse populaire, de sentiment, est généralement ignoré ou déprécié par ceux qui nous dirigent. La question se pose alors : comment est-il possible de préserver un monde stable si l'on ignore l'action en retour de ce qui représente pourtant la majeure partie de la communication?

Afin d'éclairer les idées que nous avons avancées jusqu'ici, il est nécessaire de préciser le sens du mot culture auquel sont attachées beaucoup de conceptions fausses, folkloriques même. Certains pensent que la culture est une invention des anthropologues : ce qu'elle n'est précisément pas. De même que les géologues n'ont pas inventé le concept de stratigraphie, ni Darwin celui d'évolution. La culture n'est pas davantage un concept que la terre, l'air ou l'eau ne le sont. Tout cela, y compris l'évolution, existe tout à fait indépendamment de nos croyances. La culture a aussi, bien sûr, des aspects culturels – par exemple, nos systèmes de croyance sur la nature de la culture, analogues aux systèmes de croyance sur l'univers. Mais, croire simplement à quelque chose n'est pas si insignifiant, et des croyances complètement fausses sont parfois, en fait, à l'origine de malentendus, voire pire.

Affirmer que le temps et la culture sont indissociables dans certaines circonstances m'opposera à de nombreux spécialistes occidentaux des sciences humaines qui, comme les philosophes précoperniciens, considèrent les modèles scientifiques, philosophiques occidentaux, et par là aussi, les modèles newtoniens applicables à toutes les cultures. Le temps est pour eux une constante dans l'analyse de la culture; ils jugent aussi la science et la pensée occidentales plus élaborées que d'autres systèmes de pensée. Cette position est résumée par Leonard Doob [1], de l'université de Yale, qui a beaucoup écrit sur le temps envisagé dans un contexte transculturel. Doob pense le temps comme un absolu, ignorant ainsi les fructueuses recherches anthropologiques sur le temps menées par les africanistes, E. E. Evans-Pritchard chez les Nuer, et Paul Bohannan chez les Tiv. Doob prétend que le système temporel d'une culture est indépendant des « autres développements culturels ». Je pense, au contraire, qu'un système temporel est totalement dépendant, non seulement de la manière dont une culture se développe, mais aussi de celle dont les membres de cette culture perçoivent leur environnement. L'anthropologue anglais E. R. Leach [2] a une conception des rapports du temps et de la culture encore différente; il écrit : « Nous créons le temps en créant des intervalles dans la vie. Tant que nous n'avons pas fait cela, il n'existe pas de temps qui puisse être mesuré. » L'ancienne conception newtonienne du temps comme absolu est implicite à cette approche. On le

13

verra, faire dépendre l'existence du temps de mesures n'est valable que pour un, ou au plus deux, des nombreux types de temps qui existent, et cela exclut de prendre en considération celui des peuples comme les Hopi et les Sioux qui n'ont pas même un mot dans leur vocabulaire pour désigner le temps. Ils connaissent cependant le temps : chez les Hopi, les prêtres du soleil font des observations très précises des solstices et établissent un calendrier des cérémonies religieuses. Il est inutile d'insister sur ce point, et nous noterons simplement que la conception du temps de Leach mène non seulement à une extrême simplification, mais aussi élimine certains des aspects les plus intéressants et fondamentaux du temps comme dimension culturelle.

Mon but, dans ce livre, est d'utiliser le temps comme un moyen permettant de mieux comprendre une culture, et non l'inverse. En fait, je ne suis pas sûr que cette deuxième perspective soit même possible, ou peut-être seulement dans un sens restreint – chose qui a des conséquences profondes pour notre conception de la culture, et pour l'humanité en général. Il faut ici introduire une considération essentielle parce qu'impliquée dans la plus grande partie des développements qui suivent : il existe un niveau de culture sous-jacent, caché, et très structuré, un ensemble de règles de comportement et de pensée non dites, implicites, qui contrôlent tout ce que nous faisons. Cette grammaire culturelle cachée détermine la manière dont les individus perçoivent leur environnement, définissent leurs valeurs, et établissent leur cadence et leurs rythmes de vie fondamentaux. Nous sommes, pour la plupart, totalement inconscients, ou seulement superficiellement conscients de ce processus. J'appelle l'ensemble de ces paradigmes cachés : niveau de culture primaire. Niveau de culture primaire, culture profonde, ou niveau de culture fondamental (j'emploie tous ces termes comme équivalents), peuvent être comparés au « hardware * » d'un système infor-

* Les astérisques renvoient aux notes du traducteur. Les mots « hardware » et « software » appartiennent au jargon des ingénieurs américains. Ils sont composés, sur un mode humoristique, avec les adjectifs « hard » (dur), « soft » (doux) et le suffixe « ware » qui désigne toutes sortes

matique. Alors que la culture consciente, explicite, manifeste, celle dont on parle et qu'on décrit, est analogue au « software » d'un tel système, c'est-à-dire les programmes d'un ordinateur. Cette analogie avec des éléments informatiques suppose une simplification extrême mais suffit pour le moment; et en la menant un peu plus loin, on dira que la plupart des relations interculturelles sont vécues comme s'il n'existait que de légères différences au niveau du « software », et aucune au niveau du « hardware ». Comme si seule la culture explicite et manifeste concentrait toutes les différences, et les niveaux de culture primaires de plusieurs cultures étaient identiques : « Au fond, les gens sont tous pareils. » Traiter les membres de cultures différentes comme s'ils étaient tous déterminés de la même manière, cela peut aller de l'humoristique au tragique, et même au destructif, en passant par le pénible.

Le niveau de culture primaire est composé de données fondamentales qui structurent notre mode de pensée et nous fournissent des ensembles d'hypothèses de base pour arriver à la « vérité ». Je compris ceci récemment en parlant des Japonais avec un ami, homme brillant et extraordinairement fin. Je me rendis compte que je ne parvenais pas à le comprendre, non plus qu'il ne comprenait l'essentiel de ce que je lui disais. Il développait sa pensée à partir d'un ensemble d'hypothèses – que nous partagions, mais sur lequel il ne s'était non plus jamais interrogé –, et je décrivais en l'occurrence une culture fondée sur un ensemble d'axiomes complètement différents. Pour comprendre de tels présupposés il aurait fallu qu'il réorganisât son mode de pensée. D'une certaine manière, je lui imposais subitement un nouveau langage, avec une grammaire complètement différente de la sienne. Cela impliquait qu'il renonce, pour le moment au moins, à son arsenal intellectuel, et peu de gens sont prêts à risquer une opération aussi radicale.

---

d'ustensiles, notamment de quincaillerie. Ces termes sont passés dans l'usage des professionnels en français. Hardware désigne le matériel informatique (circuits, rubans magnétiques, etc.) par opposition au software (les programmes).

Une des principales caractéristiques du niveau de culture primaire est sa résistance particulière aux tentatives de manipulation visant à le modifier de l'extérieur. Les règles propres à ce niveau de culture ne peuvent être enfreintes ou transformées sans que les individus soient tout à fait conscients du fait que quelque chose d'anormal s'est passé. En revanche, elles restent identiques ou se modifient en fonction d'une dynamique interne qui leur est propre. Contrairement aux lois et aux dogmes religieux ou politiques, on ne peut changer ces règles par décret, ou les imposer à d'autres contre leur volonté, parce qu'elles sont déjà intériorisées.

On observe au moins trois niveaux différents de fonctionnement d'une culture : 1° le niveau conscient et technique dans lequel les mots et les symboles ayant valeur spécifique jouent un rôle particulièrement important; 2° le niveau caché, privé, réservé à un nombre restreint d'individus, et dont les étrangers sont exclus; 3° le niveau sous-jacent, inconscient et implicite de la culture primaire. Le langage est très important aux deux premiers niveaux, et seulement secondaire au troisième. Cela n'implique pas que le niveau primaire soit entièrement non verbal mais seulement que ses règles n'y ont seulement pas encore été formulées en mots. Ainsi, de nombreuses cultures en apparence tout à fait similaires se révèlent souvent extraordinairement différentes quand on les étudie plus précisément.

Ce sont ces différences sous-jacentes que je me suis proposé d'examiner en retournant à l'étude du temps, après presque vingt ans consacrés à la proxémique (la manière dont on utilise l'espace en tant qu'artefact culturel, système organisateur, et système de communication).

Bien des fois dans ma vie, la chance et le destin ont œuvré en ma faveur, par exemple, quand je me consacrai à l'étude de la proxémie. Et si je n'avais passé des années à explorer, avec plus ou moins de difficultés, le domaine peu fréquenté mais riche de la culture primaire de l'espace, je ne me serais probablement pas sorti intellectuellement indemne de la tentative de comprendre l'abondante littérature sur le temps. Contrairement à l'ornithologue N. E. Howard [3] qui, pour l'étude de la territorialité, a découvert des nouvelles perspectives et voies d'approche, je sentis le monde du temps, en quelque sorte, se refermer sur moi. Il existait, bien sûr, un fonds important et riche de données sur les horloges biologiques, mais elles étaient, dans une certaine mesure, différentes des données biologiques sur les phénomènes grégaires : ce fonds fournissait de tout autres résultats que ceux obtenus par les éthologistes sur la territorialité. On n'a jamais constaté de morts en masse dues à une excessive pression du temps (y en a-t-il eu?). De plus, les biologistes et éthologistes ont accompli un travail tout à fait extraordinaire en observant le comportement territorial spatial d'autres formes de vie que la nôtre, mais ils ne sont pas parvenus à fournir un matériau comparable sur le temps. Par contre, s'il existe un produit des mots, représentatif de la pensée occidentale, c'est bien le corpus des études consacrées au temps. Et si on considère, en fait, ce domaine non pas comme un ensemble d'investigations sur la nature du temps, mais comme une étude de la pensée occidentale, on commence alors à comprendre de quoi il s'agit.

Derrière ces tentatives extrêmement structurées pour définir la nature du temps, se cache un fonds solide d'hypothèses qui n'ont en fait jamais été mises en question ou vérifiées : la plupart sont simplement des artefacts de notre propre niveau implicite de culture primaire.

Les êtres humains ont maintenant atteint un point à partir duquel ils peuvent difficilement s'offrir le luxe d'ignorer la réalité des multiples mondes culturels différents dans lesquels ils vivent. Paradoxalement, l'étude des contrastes culturels peut être, pour les Occidentaux, favorable à une prise de conscience accrue. Ce sera là un des propos de ce livre. Aussi longtemps que les êtres humains et les sociétés qu'ils forment ne reconnaissent que la culture apparente, et évitent de considérer la culture primaire sous-jacente, il n'en résultera qu'explosions imprévisibles et violence. Je pense qu'une des nombreuses voies possibles pour résoudre ce problème passe par la découverte de nous-mêmes : et on ne peut parvenir à cette découverte qu'en connaissant vraiment les autres et leurs différences.

17

Le monde contemporain est dominé par deux grandes traditions totalement différentes; et si Robert Ornstein [4] et Tadanobu Tsunoda [5] ont raison, elles impliquent chacune une zone différente du cerveau. Je ne fais pas là référence au capitalisme et au marxisme, ou à des grands systèmes politiques comme le totalitarisme et la démocratie. Je pense d'une part à la logique linéaire et projetée sur l'extérieur, que les philosophes grecs commencèrent à développer au Ve siècle avant notre ère, et qui a atteint son plus haut degré d'élaboration avec les philosophies et la science occidentales contemporaines; et, d'autre part, aux philosophies bouddhistes associées à une discipline exigeante et tournées vers l'intérieur, parmi lesquelles le zen occupe une place très importante. Chacune de ces traditions est engagée dans un processus profond qui modèle l'homme, et à travers l'homme, la nature. Aussi, bien qu'elles se développent de manières radicalement différentes, elles ont beaucoup à apprendre l'une de l'autre, et elles gagneraient à apprendre l'une de l'autre.

Dans son livre *The Tao of Physics,* Fritjof Capra tente, avec mérite, de traiter ce sujet à travers l'étude de la physique, de la philosophie et des mathématiques; ce travail peut certainement être utile à ceux qui puisent leurs idées dans le domaine des sciences physiques. Mon approche est cependant quelque peu différente, et bien que je respecte beaucoup la puissance des théories des sciences physiques pour la connaissance du monde matériel qu'elles ont apportée à l'humanité, et les progrès qu'ont permis la science et la technique, je ne peux m'empêcher de penser que la vie même, et en particulier la vie de l'espèce humaine, est la valeur suprême en fonction de laquelle on devrait tout mesurer. Sans les êtres humains, la technique n'est rien. Et si un jour les problèmes mondiaux peuvent être résolus, ce sera par l'humanité, et non par les machines qui ne font que nous aider. La technologie est l'aboutissement nécessaire de la tendance des êtres humains à se développer à l'extérieur de leur corps. Les résultats, à cet égard, sont impressionnants; mais il est temps maintenant pour l'humanité de prêter de nouveau attention aux êtres humains et aux institutions sociales sans lesquelles la technique ne pourrait se développer. En portant notre attention sur l'extériorité, nous nous sommes détournés de notre véritable objectif : la compréhension et la maîtrise de la vie même. Or, c'est précisément là le lieu où les deux grandes traditions philosophiques, avec toutes leurs différences, révèlent de plus en plus la richesse de leur sens.

Notre propos serait de faciliter les rapports humains, et pour cela, de commencer à nous interroger sur notre passé; de tenter de nous défaire de l'emprise de la culture, et ainsi, de ne plus être dominés par ce passé, de faire face au futur à l'aide de moyens nouveaux et mieux adaptés. Je ne prétends pas qu'on puisse atteindre ces objectifs aisément. Au contraire, l'humanité devra probablement franchir davantage d'obstacles qu'elle n'en a rencontré jusqu'à présent. Paradoxalement, les efforts personnels pour comprendre les particularités d'une culture et celles des individus ne sont pas nécessairement difficiles. Mais le changement de comportement, et l'intégration de nouveaux modèles qui mènent à une plus grande connaissance de nous-mêmes, exigent bien davantage de nous. En ce sens, les maîtres du zen ont raison.

I

LE TEMPS COMME CULTURE

1

Les différents types de temps

Tout ne peut se plier à une simple description linéaire, le temps, par exemple. L'erreur la plus grave, concernant le temps, est de le considérer comme une réalité simple. Loin d'être une constante immuable, comme le supposait Newton, le temps est un agrégat de concepts, de phénomènes et de rythmes recouvrant une très large réalité. Ainsi, mettre en ordre cette réalité représente une « tâche hérissée de difficultés », selon les termes de l'africaniste E. E. Evans-Pritchard [1]. Au niveau d'une micro-analyse, on peut dire qu'il existe autant de types de temps différents que d'êtres humains sur cette terre. Mais nous, Occidentaux, considérons le temps comme une entité unique – conception fausse, qui ne correspond à aucune réalité.

On peut philosopher sans fin sur la « nature » du temps. Et si un tel exercice paraît séduisant, parfois même éclairant, j'ai cependant considéré plus fécond de choisir une autre approche : étudier d'abord le comportement, ensuite les discours. A observer ce que les gens font réellement (par rapport à ce qu'ils écrivent et affirment quand ils élaborent des théories), on découvre rapidement un large écart entre le temps tel qu'il est vécu, et le temps tel qu'il est conçu. Quand nous faisons des choses très différentes (comme écrire des livres, jouer, organiser des activités, voyager, avoir faim, dormir, rêver, réfléchir, célébrer des cérémonies), nous exprimons, inconsciemment et parfois consciemment, différentes catégories de temps et nous y participons : par exemple, il y a un temps sacré et un temps profane, un temps physique et un temps suprasensible. Il est aussi clair que le temps au sens

23

technique défini par Einstein – autrement dit, le temps des physiciens – se distingue du temps des ingénieurs et des techniciens. Si les ingénieurs doivent être aussi précis que possible, ils n'ont cependant pas, dans des circonstances ordinaires, à prendre en considération la relativité du temps d'Einstein, le fait que la vitesse à laquelle il s'écoule est fonction de celle de la lumière. Il y a, d'autre part, les rythmes biologiques dont on entend tellement parler, qui parfois se dérèglent, par exemple, quand on voyage en avion. Quiconque a déjà fait l'expérience des troubles liés aux décalages horaires est particulièrement bien placé pour savoir qu'il existe un conflit entre les deux systèmes de temps suivants : le système des horloges biologiques, et celui des horloges du pays où on se trouve, lorsqu'il est suffisamment éloigné pour appartenir à une autre zone horaire. Un individu se trouvant dans une capitale européenne alors qu'il vient des Mountains States * ou de la côte ouest des États-Unis, se voit, avec désarroi, accablé de fatigue au beau milieu de la journée, au moment où justement il devrait être en forme pour participer à une réunion ou une conférence. En effet, en fonction de rythmes profondément ancrés en lui, le corps de cet individu est en fait resté éveillé toute la nuit, et son horloge à lui marque alors six ou sept heures du matin! Indifférent au rythme des horloges de la nouvelle zone horaire où il se trouve, son corps crie : « Il est l'heure d'aller se coucher et de dormir. »

En d'autres termes, on peut démontrer qu'au niveau profond de la culture, comme au niveau superficiel de la culture manifeste, la plupart d'entre nous qui vivons dans le monde industrialisé, utilisons et distinguons entre six et huit (des neuf) types de temps qu'il est possible d'identifier. Nous disposons là des fondements d'une taxinomie populaire. Et les taxinomies populaires ont davantage à nous apprendre qu'on ne le suppose généralement : elles reflètent sans doute de façon plus véridique la manière dont les gens pensent et agissent à un niveau implicite (primaire) que les systèmes de classifica-

* Aux États-Unis, les huits États que traversent les Montagnes Rocheuses.

tion avancés par les philosophes et spécialistes des sciences humaines. On distingue habituellement les temps sacré, profane, métaphysique, physique, biologique, et le temps des horloges, mais nous ne savons pratiquement rien sur la manière dont ils s'organisent pour former un ensemble cohérent, ni comment chaque type de temps influe sur notre vie. De plus, il existe deux catégories de temps dont les Euro-Américains * ne sont que partiellement conscients. Nous sommes tous liés les uns aux autres par un tissu de rythmes innombrables : ceux qui, par exemple, influent sur les rapports des parents avec leurs enfants, comme sur les rapports des individus chez eux ou dans leur travail. A ces rythmes, s'ajoutent des modèles culturels recouvrant une réalité plus vaste, dont certains s'opposent complètement, et qui, comme l'huile et l'eau, ne se mélangent pas.

Comment maintenant procéder à une classification rationnelle de ces différents types de temps, de manière à faire apparaître leurs relations mutuelles en un système cohérent? J'ai choisi de représenter symboliquement l'ensemble de ces relations par un mandala. Il s'agit d'un des plus anciens moyens de classification jamais utilisé : un mandala a généralement la forme d'un cercle ou d'un carré, et son fonctionnement est comparable à celui d'une matrice utilisée en algèbre. Le but essentiel est ici de représenter de manière complète et non linéaire les relations existant entre un certain nombre d'idées.

Les mandalas sont particulièrement utiles quand les relations considérées sont paradoxales, au sens où elles se complètent et se contredisent à la fois; ou encore, quand il s'agit de considérer des paires ou ensembles de faits dissemblables dont on saisit intuitivement la relation, mais sans les avoir encore associés, reliés ou combinés en un seul système. Après avoir envisagé divers moyens de combinaison, j'ai jugé que le mandala permettait l'approche la plus appropriée. Les relations mises ainsi en évidence doivent se conformer le plus possible aux relations existant réellement, telles qu'on les

* Voir glossaire.

observe dans la réalité. D'où l'importance de parvenir à établir des combinaisons adéquates. J'ai ainsi élaboré peu à peu un mandala qui comprend maintenant quatre paires complémentaires, comme le montre le diagramme qui suit.

Mais avant d'y venir, je voudrais ajouter quelques remarques sur la représentation symbolique en général, et sur ce mandala en particulier. On devrait considérer les symboles comme des outils ou des instruments, et toujours clairement les distinguer des phénomènes qu'ils symbolisent. Les mots et les symboles mathématiques mettent particulièrement en évidence comment de tels instruments se prêtent à des manipulations auxquelles on ne peut soumettre les phénomènes eux-mêmes.

Selon Albert Einstein, le temps est seulement ce qu'indique une horloge, et une horloge peut être n'importe quoi – la dérive d'un continent, un estomac vers midi, un chronomètre, un calendrier de cérémonies religieuses, une liste d'instructions ou un programme de production. L'horloge qu'on utilise est réglée sur différentes relations propres à notre vie personnelle. Ainsi, chaque division du mandala correspond à un type d'horloge radicalement différent des autres. Dans cette perspective, et en prenant en considération les différentes catégories de temps, il est important de noter qu'on ne peut appliquer les règles de compréhension propres à l'une d'elles (à un type d'horloge) à une autre catégorie. Il est inutile d'essayer de comprendre le temps physique (scientifique) dans les mêmes termes que son contraire, le temps métaphysique, et vice versa, ou d'appliquer les règles du temps sacré au temps profane. Les catégories de temps sont aussi différentes que des univers avec leurs lois propres. Le mandala met en évidence leurs natures particulières, ainsi que leurs relations mutuelles.

J'essaierai, en considérant chaque type de temps, de donner au lecteur suffisamment de détails pour qu'il puisse saisir ce qu'inclut chaque titre figurant sur le mandala, et se faire une idée du mode de mesure de temps que nous examinons. Les relations structurelles existant entre ces différents modes de mesure et les possibilités de les associer sont envisagées dans l'appendice 1.

Carte du temps

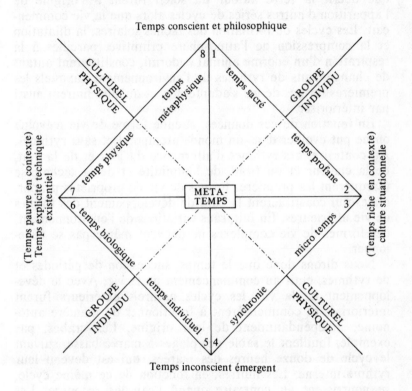

Note : Pour considérer des systèmes complémentaires, il est nécessaire de mentionner le méta-temps, niveau auquel se situent les concepts intégrant toutes ces dimensions de temps.

Temps biologique

Avant que la vie n'apparaisse sur la terre – il y a entre deux et quatre milliards d'années –, l'alternance du jour et de la nuit due à la rotation de notre minuscule planète autour du soleil, fut l'un des nombreux cycles constitutifs de l'environnement dans lequel la vie se développa. Les flux et reflux des marées, l'alternance des saisons en fonction de l'orbite que décrit la terre autour du soleil furent à l'origine de l'apparition d'autres séries de cycles alors que la vie commençait. Les cycles de formation des taches solaires, la dilatation et la compression de l'atmosphère primitive, pareilles à la respiration d'un énorme animal endormi, constituèrent autant de changements de rythmes de l'environnement auxquels les premières formes de vie s'adaptèrent, et qu'elles finirent aussi par intérioriser.

En fonction de ces données, aucune forme de vie n'évolua ou ne put évoluer dans un monde atemporel et sans rythmes. Au contraire, ces rythmes d'alternance du jour et de la nuit, de la chaleur et du froid, de l'humidité et de la sécheresse marquèrent les premières formes de vie de propriétés primordiales qui constituèrent la base de développement des formes de vie ultérieures. En fait, sans variations de l'environnement, des formes de vie complexes ne peuvent même pas se développer.

Nous dirons donc que le temps, succession de périodes et de rythmes, était au commencement de la vie. Avec le développement de la vie, les cycles naturels extérieurs furent intériorisés et commencèrent à fonctionner de manière autonome, indépendamment de leur origine. Les crabes, par exemple, fouillent le sable des plages à marée basse, suivant le cycle de douze heures des marées, qui est devenu leur rythme interne. Les huîtres, en fonction de ce même cycle, se nourrissent au contraire quand l'eau les recouvre. Les grunions de Californie pondent et frayent leurs œufs pendant les quelque trente minutes que dure une marée haute. Même pour les très simples particules organiques de la vase, on a déterminé jusqu'à six cycles contrôlant les différentes séquences de leur développement. Beaucoup plus haut dans l'échelle de l'évolution, les poules pondent davantage en été, quand les jours sont plus longs. Et l'on observe chez les êtres humains des variations des taux hormonaux du sang.

Sans interférence avec des éléments extérieurs, ces cycles biologiques restent généralement accordés avec les rythmes naturels et les cycles propres à l'environnement des organismes vivants. Les processus internes sont en harmonie avec le monde extérieur. Et bien qu'il existe deux types de mécanismes temporels, l'un physique, l'autre biologique, ils fonctionnent comme un tout homogène.

On a consacré, ces dernières années, de très nombreuses études à la manière dont différents organismes intègrent, en fonction de rythmes et de cycles, des activités aussi bien à l'intérieur qu'à l'extérieur de leur corps : dormir, manger, s'accoupler, fouiller, chasser, jouer, apprendre, naître, et même mourir, impliquent tous l'intervention de rythmes externes à l'organisme, c'est-à-dire la régulation d'une activité en fonction d'événements se produisant à l'extérieur du corps. Une telle régulation dépend d'un extraordinaire ensemble de mécanismes internes capables de mesurer le temps, qui préservent l'harmonie des êtres vivants entre eux, et avec leur environnement. Ce sujet est si important qu'on y consacre plus de mille articles scientifiques par an.

Rester en harmonie avec les rythmes propres à l'environnement est souvent considéré comme allant de soi, parce que faisant partie intégrante de la vie quotidienne, et échappant en grande partie à un contrôle conscient. Mais rien ne peut se développer sainement si ce n'est de manière uniforme, contrôlée par le temps; par exemple, le développement anarchique de cellules caractérise la formation d'un cancer. Des hommes ont passé des semaines dans des grottes pour déterminer si leurs rythmes corporels étaient liés au lever et au coucher du soleil, ou au contraire indépendants, essayant ainsi de vérifier laquelle des deux théories de la synchronisation biologique correspond effectivement à la manière dont s'établissent les cycles biologiques. Des mécanismes internes de programmation temporelle interviennent chez le jeune homme qui n'a pas encore « connu » de jeunes filles, et qui ressent, un beau matin, une excitation nouvelle lui parcourir le corps, tout étonné de remarquer combien sa jeune voisine est devenue subitement jolie. Ces mécanismes profondément ancrés dans son système glandulaire l'animent alors. De tels processus de synchronisation existaient déjà il

29

y a des millions d'années, quand les premiers mammifères se différencièrent des reptiles.

Quiconque a voyagé en avion d'est en ouest ou d'ouest en est pendant plus de trois ou quatre heures et a ressenti les troubles dus aux décalages horaires, a pu se rendre compte de la dépendance de nos rythmes corporels du cycle de rotation de vingt-quatre heures de notre planète. On suppose aussi que les futurs voyageurs de l'espace auront de graves problèmes, non seulement à cause de l'absence de pesanteur, mais aussi du bouleversement de centaines de biorythmes qui règlent le fonctionnement d'un corps. Le professeur Frank A. Brown de l'université de Northwestern affirme que voyager trop loin des frontières de notre planète mènera l'humanité au chaos physiologique [2].

L'étude des horloges biologiques s'applique aussi bien aux organismes vivants qu'aux fossiles datant du dévonien (il y a entre 350 et 400 millions d'années), alors qu'une année comptait plutôt 400 jours que 365. Pour ce qui concerne le comportement, les Japonais ont fait des expériences sur les biorythmes, et ont enregistré les variations périodiques de l'énergie humaine, de l'activité intellectuelle, et de la sociabilité. Ils ont constaté que la fréquence des accidents de bus diminuait si les conducteurs redoublaient de prudence pendant une certaine « phase critique ». Mais on n'a pas déterminé si la réduction du nombre d'accidents avait été obtenue simplement en conseillant aux conducteurs d'être prudents à certains moments, ou si des rythmes particuliers avaient été précisément identifiés. On observe cependant une étroite relation entre les biorythmes et le temps individuel, dans la mesure où on suppose qu'ils sont particuliers à chaque individu.

Temps individuel

L'étude du temps individuel porte principalement sur la perception du temps (voir chapitre 8). Les psychologues étudiant comment les individus perçoivent le cours du temps dans différents contextes, cadres, états émotionnels ou psychologiques, concentrent leur attention sur le temps individuel. Qui n'a jamais trouvé le temps « long » ou fait l'expérience du temps qui « fuit »? Bien que le temps biologique soit relativement fixe et régulier, et le temps individuel plus subjectif, il semble pourtant que l'environnement et des facteurs physiologiques contribuent aussi à expliquer les considérables variations entre les divers modes de perception du temps. Le ralentissement de l'activité électrique du cerveau et des rythmes cardiaque et respiratoire des individus pendant un moment de méditation, leur donne parfois l'impression que « le temps s'arrête ».

Temps physique

Enfermés toute la journée, bien à l'abri dans des cocons de verre et d'acier où tout est étudié en fonction de nos besoins physiques, nous n'avons plus aucune raison de tenir à jour des cartes précises sur le déplacement du soleil du sud au nord, puis du nord au sud. De nos jours, le 21 juin et le 22 décembre passent inaperçus.

A l'époque préindustrielle, les peuples des latitudes médianes du monde entier observèrent la trajectoire du soleil sur la ligne de l'horizon, et enregistrèrent minutieusement son déplacement jusqu'aux points les plus au nord (le jour le plus long pour les habitants de l'hémisphère nord), puis jusqu'aux points les plus au sud (le jour le plus court pour les habitants de l'hémisphère nord); ils portèrent avec précision les données observées sur des cartes et établirent définitivement des points de repère associés à des lignes d'observation fixes. Ils purent ainsi calculer, pour les dix ans qui étaient à venir, la date de toutes les cérémonies importantes, et déterminer l'époque des semis et des récoltes. Dans le seul Sud-Ouest américain, on a découvert de tels « observatoires » par centaines.

Après avoir observé que le soleil se déplace, et que tout est lié à ce déplacement, les premiers hommes tentèrent d'en reproduire le modèle – de l'enregistrer et le fixer dans l'espace afin de commencer à compter les jours. A cet égard, nous ne saurons jamais si cette découverte fut faite en un point du globe et propagée, ou simultanément en divers endroits de la planète. Il semble cependant évident que la détermination des solstices ait été liée à la pratique d'observations précises. Dans son livre intitulé *Zuñi Mythology,* Ruth Benedict décrit ce processus : « Le soleil lui dit... rends-toi chaque matin aux abords de la ville, et adore-moi... à la fin de l'année, quand j'arrive au sud, observe-moi bien; et au milieu de l'année, quand j'atteins le point le plus à droite, observe-moi bien... La première année... il observa bien le soleil, mais ses calculs avaient trente jours d'avance. L'année suivante, ses calculs avaient vingt jours d'avance... l'année suivante, deux jours de retard. Au bout de huit ans, il fut capable de mesurer précisément la durée de la trajectoire du soleil [3]. »

De telles observations effectuées en des centaines, ou même des milliers de points de la planète ont certainement contribué à l'édification de la science moderne, et fourni à l'humanité les premiers indices tangibles de l'existence d'ordre dans l'univers. En effet, ces observations, faites des centaines de fois, fournissaient toujours des résultats uniformes.

Quelques-uns des plus grands esprits de notre planète se sont particulièrement intéressés au temps physique. Isaac Newton considérait le temps comme un absolu – un des absolus fondamentaux de l'univers. Avec ses disciples, il conçut le temps comme fixe et immuable; autrement dit, le temps pouvait servir d'étalon pour situer les événements. Mais Newton se trompait, Albert Einstein le montra clairement. De son bureau d'agent en brevets d'invention à Berne (Suisse), le professeur Einstein prouva par d'irréfutables arguments que le temps était relatif, et calcula que si une horloge approchait la vitesse de la lumière, l'horloge elle-même ralentirait. Il affirma aussi qu'un astronaute voyageant dans l'espace à grande vitesse, et revenant sur terre un siècle plus tard, constaterait que tous ceux qu'il connaissait sont morts, alors qu'il aurait pour sa part seulement vieilli de quelques années. Il ne s'agit pas là simplement d'une théorie, mais d'un phénomène physique d'une portée considérable pour l'humanité.

Fred Hoyle et d'autres astronomes ont étudié le décalage

vers le rouge dans le spectre de galaxies qui s'éloignent, et ont ainsi estimé l'âge de l'univers à environ quinze milliards d'années, alors que les corps les plus éloignés du système solaire sont à neuf milliards d'années-lumière de la terre. Comprendre la signification de ces nombres d'années, ou tenter de les ramener à l'échelle humaine est en fait impossible. Rien dans l'expérience d'un individu ne peut leur être comparé. Aujourd'hui, le temps absolu de Newton est simplement passé dans le domaine courant. Aucun ingénieur ne pourrait de nos jours se passer du temps newtonien : il s'agit là d'un exemple de l'interdiction d'appliquer les règles d'un système temporel à un autre. A l'autre extrémité de l'échelle des grandeurs physiques, on trouve des unités de temps courtes, importantes pour mesurer la dérive des continents ou les ondes radioélectriques, mais sans grande signification pour la vie de l'homme de la rue. Une horloge comme celle du laboratoire de physique appliquée de l'université Johns Hopkins, à Laurel dans le Maryland, mesure le temps jusqu'au trillionième de seconde, ou encore, le temps que mettrait un rayon de lumière se propageant à la vitesse de 300 000 km/seconde pour parcourir une distance égale à l'épaisseur d'une carte à jouer.

Du spectre électromagnétique, le système sensoriel humain ne peut percevoir qu'une petite fraction de sa partie visible. Il en est de même pour le temps : l'être humain ne perçoit qu'une minuscule fraction de l'ensemble des fréquences de temps dont nos instruments nous permettront de déterminer la présence dans l'univers. Il nous est en fait difficile d'imaginer à quel point le temps de l'espèce humaine sur terre est court, comparé à la totalité du temps.

Fait peut-être encore plus frappant que l'effet d'une durée de quinze milliards d'années aboutissant à la conscience humaine : les physiciens ne considèrent plus le principe d'unidirectionnalité du temps comme sacro-saint. Dans le domaine de la physique, dont dépendent nos constructions intellectuelles, on admet encore que le temps est irréversible, et si les machines à explorer le temps de H. G. Wells prêtent à de merveilleuses spéculations, elles ne sont cependant réelles que pour l'imagination. Néanmoins, si on considère la structure particulière de la matière, le temps n'est pas limitable à une seule direction; il peut s'écouler dans deux directions, en avant et en arrière. Et on ne sait pas ce qu'un tel phénomène signifiera dans l'avenir – la possibilité de rajeunir, peut-être?

Temps métaphysique

Aucune théorie physique du temps généralement admise ne rend compte du temps métaphysique. Les deux types de temps, métaphysique et physique, constituent pourtant un couple intéressant. Et bien que Newton ait, semble-t-il, été plus qu'un adepte occasionnel des sciences occultes, rares sont les savants du XXe siècle qui reconnaissent l'intérêt de préoccupations de cet ordre.

Si on laisse la physique pour considérer les fondements de la culture et la vie quotidienne des individus, on trouve le domaine du métaphysique non seulement vivant et bien portant, mais florissant. Pour ceux qui en ont fait l'expérience, le métaphysique a toujours été intime et personnel. Et l'impossibilité d'assimiler le physique au métaphysique n'est cependant pas une raison pour exclure cette extraordinaire dimension de l'ensemble de l'expérience humaine dans toutes les cultures. Il faut ici rappeler qu'on ne peut appliquer à un autre système les règles ou la méthode d'investigation adaptées à un système temporel particulier, même s'ils sont proches. On doit se contenter de constater leurs différences, comme on constate les différences qui existent entre les mots et les choses.

J. B. Priestley, un des chercheurs qui se sont tout particulièrement consacrés à l'étude du temps métaphysique, fit appel au public de la télévision britannique qui lui fournit des centaines d'exemples d'expériences d'individus ayant transcendé à la fois le temps et l'espace [4]. Mais il ne faut pas nécessairement avoir lu Priestley pour faire l'expérience de distorsions temporelles : la plupart d'entre nous ont parfois l'impression de « déjà vu », que je ne saurais expliquer. Cependant, comme beaucoup l'ont observé, un bon nombre des expériences de ce type, y compris les exemples de Priestley, ne sont non seulement pas concluantes en elles-mêmes, mais aussi caractérisées par une absence totale de contexte : il est donc difficile, voire impossible de les situer dans un contexte temporel ou spatial. On ne peut cependant écarter toutes les expériences décrites par Priestley; certaines sont assez représentatives de la manière dont ces phénomènes se produisent – en l'occurrence en Grande-Bretagne. Un nombre important de cas, parmi ceux qui lui ont été communiqués par son public, ne sont pas du tout inintéressants, et on ne peut les écarter comme témoignages démentiels. Les quelques exemples qui ont été publiés sont bien documentés. Aussi, dans ces cas précis, les contextes étaient suffisamment explicites et détaillés pour que les individus aient pu réagir efficacement et éviter des catastrophes, en se fondant sur leurs expériences non rationnelles. On n'a pas expliqué ces phénomènes, et je n'essaierai même pas de le faire maintenant. Il reste que, dans le monde entier, indépendamment de leur contexte culturel ou de leur situation sociale, des individus continuent à signaler ces expériences assez extraordinaires. Je refuse, pour ma part, de les écarter simplement parce qu'elles ne se trouvent pas correspondre à nos propres paradigmes. Le suprasensible joue un rôle important dans la vie de gens qui se sentent rassurés de savoir qu'il existe.

Je ne m'étendrai pas ici davantage sur ce sujet. Mais, en tant qu'observateur étudiant le comportement humain, je tiens à affirmer, aucune preuve contraire n'étant établie, que l'on doit considérer les phénomènes suprasensibles comme un type d'expériences parmi toutes celles que font les êtres humains, et les prendre autant au sérieux que n'importe quel autre phénomène humain. Il existe aussi beaucoup de manifestations propres à notre espèce qui ne font pas partie du domaine suprasensible mais sont tout aussi remarquables et beaucoup moins bien connues. J'évoquerai plus loin quelques-uns de ces phénomènes. Je pense enfin qu'il serait vain et peu perspicace de notre part de traiter le suprasensible en l'isolant du vécu des individus pour lesquels cette dimension existe.

Micro-temps

Récemment identifié et encore peu reconnu, le « micro-temps » est le système temporel propre au niveau de culture primaire dont il constitue un produit. Ses règles sont presque toutes appliquées sans que les individus en aient conscience. Il est spécifique à une culture, autrement dit : à chaque culture son micro-temps. Monochronie et polychronie (voir chapitre 3 et glossaire) sont deux des plus importantes formes de micro-temps. Bien que le système monochrone fonctionne dans la plupart des pays et cultures d'Europe du Nord, il varie cependant en fonction des cultures et des régions. La signification qu'accordent les Américains aux différentes formes d'attente quand ils sont au travail, est un autre exemple de fonctionnement de ce système. Le micro-temps est un des fondements essentiels de la culture. Son étude constitue pour une grande partie la matière de ce livre.

Synchronie

La synchronie est une découverte encore plus récente que celle du micro-temps. L'expression « être synchrone » dérive du vocabulaire des médias et remonte au début des « images parlantes », quand il fallut synchroniser la bande sonore avec l'enregistrement visuel sur le film. Depuis, des analyses de films image par image montrant des relations interindividuelles dans la vie courante, ont révélé comment, au cours de ces relations, les individus synchronisent leurs mouvements de manière tout à fait étonnante. De même, un des premiers contacts qu'ont les nouveau-nés avec la vie, consiste à synchroniser leurs mouvements avec la voix humaine. Les individus qui ne sont pas synchrones avec un groupe dérangent et ne s'adaptent pas. Chacun bouge selon des rythmes différents. Aux États-Unis, chaque ville, grande ou petite, a son propre rythme. Chaque culture aussi a son propre rythme. Et alors qu'il fallut des milliers d'années aux Blancs pour découvrir la synchronie, les Apaches mescalero connaissent sa signification depuis des siècles. Les chapitres 9 et 10 sont consacrés à la synchronie.

Temps sacré

Les peuples modernes dont le patrimoine culturel est européen ou nord-américain ont quelques difficultés à comprendre le temps sacré ou temps mythique, parce qu'il est imaginaire, englobant (on est *à l'intérieur* de ce temps). Ce type de temps est réversible et susceptible de se répéter, il n'évolue pas. Dans le temps mythique, on ne vieillit pas, parce que ce temps est magique. Comme dans un conte, on ne le suppose pas identique au temps ordinaire d'une horloge, et tout le monde sait qu'il ne l'est pas. L'erreur consiste à essayer de les assimiler, ou agir comme s'il était nécessaire d'établir une relation fixe entre le sacré et le profane. Quand les Indiens d'Amérique participent à des cérémonies, ils sont à la fois dans la cérémonie et dans le temps de la cérémonie, au sens où ils cessent alors de vivre dans le temps ordinaire. Pour certains, c'est le temps sacré qui rend la vie supportable.

En entrant dans le temps sacré, les individus réaffirment et reconnaissent leur propre divinité, mais en revendiquant la conscience, ils reconnaissent le divin dans la vie. Mircea Eliade, dans son livre intitulé *le Sacré et le Profane,* considère qu'il s'agit là d'une manière d'imiter Dieu *(imitatio dei).* Je ne pense pas que ce soit le cas : j'y vois une manière de définir la conscience [5].

Temps profane

Issu du temps sacré du Moyen-Orient, qui, à son tour, devint le temps physique, le temps profane domine maintenant la vie quotidienne et les aspects explicites de la vie, ceux dont on parle, ceux que l'on formule. En Occident, le temps profane indique les minutes et les heures, les jours de la semaine, les mois de l'année, les décennies, les siècles – tout le système explicite et considéré comme allant de soi que notre civilisation a élaboré. Ce système dépend du sacré de sorte que celui-ci déteint un peu sur lui : ainsi s'expliquerait le fait qu'on ne tolère généralement pas de changements dans son système de temps. On dut, par exemple, rééquilibrer le calendrier julien, sensiblement transformé par la computation des années bissextiles. Plus tard, le pape Grégoire XIII tenta de le modifier en lui ôtant dix jours. Les populations répondirent par des émeutes, réclamant à corps et à cri : « Rendez-nous nos dix jours. » Il y a d'autres exemples encore, plus contemporains : le public réagit presque aussi violemment quand le président Franklin D. Roosevelt voulut changer la date du Thanksgiving *, pour qu'il ne soit plus si proche de Noël.

Méta-temps

Le méta-temps comprend tout ce que les philosophes, les anthropologues, les psychologues et les autres ont dit et écrit à propos du temps : les innombrables théories, discussions et considérations sur la nature du temps. Il ne s'agit pas ici du temps au sens propre du terme, mais d'une entité abstraite, construite à partir des différents phénomènes temporels. La confusion ou le manque de cohérence entre les différentes théories élaborées sur le temps sont en grande partie dus à la multiplicité des points de vue individuels sur un type de temps (le temps métaphysique, par exemple) en fonction d'un autre type (le temps physique), ou à la confusion du méta-temps avec la réalité.

*

* Aux États-Unis, le Thanksgiving Day, jour de l'action de grâces, est célébré le quatrième jeudi de novembre.

2

Courants différents de temps

> La vérité ne se révèle que lorsqu'on
> renonce à toute idée préconçue.
>
> Shoseki [1]

La première fois que je visitai les villages hopi, en 1931, je n'eus pas besoin de H. G. Wells ni de sa machine à explorer le temps pour me retrouver dans une autre époque, un autre monde qui planait là, comme un mirage au-dessus des mesas. Bientôt, je m'y trouvai plongé. Même à proximité de ces plateaux, il était difficile de distinguer les maisons du grès patiné des falaises verticales qui s'éboulaient. Les mesas et les cours d'eau, les distances et les routes sinuaient ces villages dans un monde à part, où un mode de vie et une culture hérités du passé étaient préservés. Ici et là, les Blancs s'étaient ménagés quelques îlots (comme des icebergs dans l'océan Arctique), mais contrairement aux icebergs, ces îlots avaient de plus en plus d'impact sur le monde des Indiens, et l'infiltraient peu à peu.

Voyager dans cette région posait alors des problèmes aux touristes, dont beaucoup piquaient des crises de rage quand il arrivait que le temps s'arrête; et cela se produisait souvent. Plantés au bord d'un cours d'eau en crue, furieux de ne pouvoir le traverser, ils rongeaient leur frein. Leurs voitures immobilisées, ils devaient attendre que l'eau descende (ce qui pouvait durer entre cinq et trente-cinq heures). Je n'avais jamais réalisé, avant d'avoir travaillé dans cette réserve, que les ponts étaient un facteur temporel. Aujourd'hui, bien sûr, sur la mesa tout s'est mis au service du temps. Le monde des

Blancs domine maintenant, et on peut traverser la réserve d'un bout à l'autre sur des routes revêtues et des ponts. Une excursion pour découvrir les paysages et qui menait jusqu'au cœur du pays, pour ne pas dire d'une autre époque, prenait généralement une semaine : on la boucle maintenant en quelques heures.

Je n'aurais jamais imaginé, après avoir visité les réserves hopi et navajo en 1931, y revenir moins d'un an plus tard, cette fois pour y passer une grande partie des cinq années qui suivirent. Tout commença avec un télégramme de John Collier – délégué aux Affaires indiennes – qui m'offrait de participer à un nouveau programme dont l'objectif était d'entreprendre quelque chose de positif avec, et pour, les Indiens américains. Comme le hasard fait bien les choses, je fus affecté à la réserve navajo-hopi, et travaillai là d'abord en tant qu'administrateur d'un camp pour les deux tribus, puis comme responsable de la construction de barrages et du revêtement de routes. Je fis pour la première fois, dans ce contexte, l'expérience des véritables heurts qui opposent des cultures les unes aux autres, et des difficultés d'aller au-delà des apparences pour atteindre la trame qui détermine le comportement et la manière de penser de chaque groupe culturel. Puis, étant parvenu à comprendre cette trame, je me rendis compte combien elle signifiait peu de chose pour l'Américain blanc moyen dont le métier, dans cette réserve, était pourtant de travailler avec mes amis, les Américains indigènes.

Je sus bientôt que j'avais affaire à au moins quatre systèmes temporels différents : le temps hopi, le temps navajo, le temps bureaucratique gouvernemental, et le temps des autres Blancs (pour la plupart des commerçants travaillant avec les Indiens), qui vivaient dans la réserve. Il y avait aussi le temps des touristes de l'Est des États-Unis, le temps des banquiers (quand des factures n'étaient pas payées), et beaucoup d'autres variantes du système temporel des Blancs. Et quelles différences entre tous ces systèmes temporels! Il semblait tout à fait impossible de les accorder. Aussi, bien que jeune et naïf, j'étais stupéfait et perplexe du peu d'importance qu'on attachait à ces différences. On les ignorait si bien que chacun pouvait s'en tenir à son propre système.

Pour les Navajo, le futur était aussi incertain qu'irréel; c'est pourquoi la perspective de profits « futurs » ne les intéressait ni ne les motivait – alors que beaucoup de nos projets gouvernementaux étaient précisément fondés sur cette perspective. On établissait et vendait aux Indiens des projets de réduction des troupeaux de moutons et du bétail en fonction des profits qu'ils apporteraient dans l'avenir, « quand le pâturage, pour le moment épuisé, reprendrait » : d'ici une vingtaine d'années. Les Navajo prenaient ceci pour une plaisanterie ridicule – c'était, en fait, un exemple supplémentaire de la perfidie des Blancs.

Les bureaucrates du gouvernement présumaient, à tort, que toute entreprise technique, comme la construction d'un barrage, d'une route, d'un édifice, ou détourner l'obstacle d'une limite territoriale se résumait à cela : un problème technique dont il n'y avait qu'à trouver la solution technique appropriée. Il n'était pas toujours facile pour nous de penser que d'autres données puissent alors entrer en jeu.

Depuis le début, les bureaucrates ne pouvaient voir, et ne voyaient pas le problème sous cet angle : ils finirent ainsi par accumuler erreur après erreur. Et comment blâmer les ingénieurs qui avaient passé leur enfance en Oklahoma, et qu'on envoyait maintenant, leur effectif ayant été réduit à Washington, dans cette réserve, pour des missions d'urgence à court terme. Ces hommes bien intentionnés ne connaissaient pas davantage les Hopi que la région. Ainsi, des barrages furent implantés sur des zones drainées qui paraissaient appropriées, sans consulter les Hopi ou s'informer du microclimat de la région, ou encore de l'appartenance de ces territoires à différents clans. Les Indiens expliquaient comment on pouvait prévoir qu'un terrain drainé serait arrosé par la pluie et des eaux de ruissellement, alors qu'un autre (seulement cinq kilomètres plus à l'est) restait toujours sec, et ils savaient précisément quels bassins produiraient des écoulements. Ils étaient aussi tout à fait conscients des conséquences sociales et politiques qu'aurait la construction d'un barrage, quel que soit l'emplacement de la réserve choisi.

L'impact religieux d'un tel choix n'était pas non plus pris en considération. Construirait-on le barrage à proximité de tombeaux ou d'aires sacrées appartenant à des clans? En fait, le directeur de la réserve – celui qui, comme le capitaine d'un bateau, commandait et organisait – me menaça un jour de me renvoyer et de « me flanquer à la porte de la réserve » pour avoir osé suggérer qu'il serait opportun de consulter les Hopi. Finalement, dans de nombreux cas, le choix de tel ou tel emplacement pour les barrages ne fit qu'exacerber les querelles existant entre les clans et entre les villages. Un clan pouvait, en principe, revendiquer l'utilisation exclusive d'un barrage construit par le gouvernement sur un territoire lui appartenant, mais en fait destiné à être utilisé par tous les Hopi; permettre l'accès au barrage à d'autres clans pour l'abreuvage de leur bétail créerait un précédent et servirait de prétexte à de futures prétentions sur ce territoire. Ces débuts difficiles influencèrent inévitablement l'attitude des Hopi à l'égard de la construction de barrages, leur manière de l'envisager. Enfin, que deux tribus radicalement différentes vivent dans la même réserve, les Hopi et les Navajo, ne simplifiait pas l'affaire; et d'autres complications s'ajoutaient.

Les deux principales différences entre les Hopi et les Navajo ayant une influence directe sur le travail étaient évidentes. D'abord, les Navajo préféraient travailler un mois entier (une période de travail de vingt jours sans week-ends), et une relation presque organique liait les hommes [2] de cette tribu à leur travail. Ils mettaient beaucoup de fierté à l'exécuter, et s'investissaient profondément dans la construction de chaque barrage. Ils voulaient, avant tout, que le travail soit bien fait. Les Hopi, à cet égard, manifestaient rarement une telle ardeur; ils considéraient le travail tout à fait différemment. Quant à l'organisation du travail, les Hopi, contrairement aux Navajo, non seulement acceptaient, mais en fait préféraient partager leur temps de travail qui, même court, était bien assez long pour qu'on le divise, et qu'on embauche ainsi un plus grand nombre d'hommes de leur village. Autre aspect négligé par les constructeurs des barrages : les Hopi tenaient absolument à consacrer chaque jour un certain temps à la culture de leurs champs. Ils se sentaient mal à l'aise et insatisfaits s'ils n'accomplissaient pas ce rituel. Aussi, le travail qu'ils exécutaient pour le gouvernement interférait avec leurs routines, et les empêchait de cultiver leurs champs. En fait, le gouvernement aurait pu employer chaque jour une nouvelle équipe si cela avait été conciliable avec les exigences comptables. Mais à cette époque, les ordinateurs n'étaient pas même encore l'ombre d'une idée dans l'esprit de John von Neuman. Tout était fait à la main, et des mains très expertes en plus. Mais, établir des bulletins de salaire avec des noms indiens compliqués et dans une langue inconnue, alors que beaucoup d'Indiens portaient deux noms ou plus (un nom blanc, et un nom indien), le manque de familiarité avec les Indiens eux-mêmes, tout ceci posait davantage de problèmes que n'en pouvait résoudre la maigre équipe d'employés de bureau.

La construction de chaque barrage demandait de mille à trois mille jours de main-d'œuvre; il était alors théoriquement possible d'employer chaque homme hopi de la réserve pendant la période de quatre-vingt-dix jours nécessaire pour l'exécution d'un projet donné. Mais les Hopi ne se souciaient pas du fait qu'en divisant le temps comme ils le souhaitaient, personne n'aurait même le temps d'apprendre à faire le travail correctement, non plus que repousser sans cesse l'achèvement de chaque projet n'avait pour eux d'importance. Ces discussions sans fin et ces chamailleries n'étaient pour les Blancs qu'une preuve supplémentaire de l'irascibilité des Hopi, et une brique à ajouter au mur de stéréotypes concernant les Indiens. Il ne venait pas à l'idée de la plupart des employés du service du personnel qu'ils avaient affaire à une mentalité différente, supposant tout un ensemble de définitions et de points de vue pour eux étrangers et exotiques. Il leur paraissait simplement inacceptable de vouloir envisager des problèmes de ce type, qui, pour eux, devaient être traités logiquement.

Le temps des Hopi influençait les Blancs de la région de manière si extraordinaire que même le meilleur auteur de science-fiction ne pourrait l'imaginer. Beaucoup des conceptions fondamentales constitutives de notre système n'existaient pas en fait dans la culture hopi. Et on s'apercevait peu à peu que les Hopi vivaient dans un monde très différent.

Les Occidentaux pensent en général qu'une fois commencé, un projet sera réalisé plus ou moins rapidement, sans trop d'arrêts. Nous, Américains, sommes conditionnés à réaliser ce que les psychologues appellent des « tâches accomplies ». On n'a pas le droit de ne pas terminer un travail : ne pas mener à bien une tâche entreprise a quelque chose d'immoral, cela rend le travail inutile, et menace l'intégrité de nos structures sociales. Une route qui s'arrête soudain en pleine campagne indique que quelque chose n'a vraiment pas tourné rond, que quelqu'un « a fait une gaffe ». Ma perplexité augmenta encore quand je réalisai que les Hopi ignoraient ce souci essentiel d'achèvement que nous avions, et qu'aucune espèce de calendrier n'accompagnait dans leur esprit la réalisation de constructions courantes; contrairement à leurs cérémonies qui, elles, étaient parfaitement ordonnées dans le temps. Une des caractéristiques les plus frappantes et les plus surprenantes des villages hopi était à cette époque la prolifération de maisons inachevées dans le paysage. Les murs étaient construits sur des assises de pierre et de mortier (de magnifiques murs, résistants, solides, soignés, qui montraient combien les gens y avaient attaché d'importance, et combien ils y avaient investi de temps et d'effort). Les cadres des fenêtres étaient posés – avec ou sans vitres – mais le toit n'était pas terminé. Des poutres de sapins et de pins de forêts éloignées, déjà coupées, écorcées, et soigneusement entassées à côté de la maison, attendaient d'être utilisées pour la construction de la charpente du toit. Tout était prêt – il suffisait encore d'environ trois semaines de travail pour deux ou trois hommes – mais la maison restait ainsi inachevée pendant des années. Les questions des Blancs qui voulaient savoir quand elle serait terminée étaient absurdes pour les Hopi. Ils semblaient n'avoir aucun programme pour l'accomplissement de leur projet, ils ne semblaient pas craindre non plus que l'interruption du travail n'entrave le cours des choses. Il n'existait apparemment pas de rapport entre le projet exécuté, et un calendrier pour son exécution; ce que nous, Blancs, considérions comme allant de soi. Toutefois, le modèle culturel sous-jacent qui expliquait l'arrêt de la construction de ces maisons avait un impact étonnant sur le travail d'aménagement entrepris dans la région, comme je le décrirai plus loin.

En réponse aux demandes des Hopi visant à obtenir des changements d'équipe plus fréquents, le gouvernement adopta le compromis d'en changer toutes les deux semaines. Mais cela ne fit que doubler la quantité des travaux d'écriture à effectuer, et le nombre de chèques à établir. Cependant, le vrai problème commença quand vint le moment de diviser le nombre de jours de main-d'œuvre nécessaires pour l'exécution du travail (le coût de la main-d'œuvre) par le nombre de mètres cube que représente un barrage achevé. A cette époque, un travail similaire, pour la réalisation de projets de construction normale, coûtait entre 60 et 75 cents le mètre cube de terre remuée. Selon nos ingénieurs, les barrages construits par les équipes hopi coûtaient entre 4,50 et 5 dollars le mètre cube – autrement dit, de six à dix fois le coût normal. Les Hopi ne travaillaient évidemment pas aussi dur qu'ils auraient dû le faire; c'était au moins ce que l'on en déduisait. Quand ceci fut signalé au contremaître de l'équipe, la réponse des Hopi fut ferme et négative. Furieux des critiques formulées par les Blancs, ils se plaignirent amèrement du fait qu'on les harcelait. Le programme allait à vau-l'eau, non que les Hopi n'aient pu ou n'aient pas travaillé, mais parce que personne n'avait voulu se donner la peine de leur fournir les explications nécessaires sur le travail qu'ils effectuaient.

Alors que nous expliquons le comportement des Hopi, il faut aborder un autre aspect de ce problème complexe. Fondamentalement, on peut distinguer dans le monde deux types de cultures : pour les unes, le temps guérit, et pour les autres, au contraire, il ne guérit pas. Les Blancs appartiennent au premier, les Hopi, au second. L'expérience des Hopi avec les Blancs – d'abord les Espagnols, puis les Américains blancs venus de l'Est à la fin du XIXe et au début du XXe siècle – est une de ces histoires tristes que l'on trouve dans les archives du colonialisme. Les prêtres espagnols les asservirent, et notre gouvernement ne fit guère mieux. Les Indiens étaient considérés comme des sauvages et des barbares qu'il fallait transformer en hommes blancs aussi vite que possible. Leurs cérémonies sacrées étaient perturbées et même interdites. On faisait tout pour détruire le tissu des coutumes hopi, mais les attaques contre leur religion laissèrent dans leur mémoire le plus amer ressentiment. On emprisonna les chefs religieux, arrachés à leurs familles qui ignoraient ce qui était arrivé aux pères, aux maris, qui ignoraient quand ils rentreraient et si seulement ils le pourraient; si bien que les femmes se remariaient, ne sachant pas que leur mari reviendrait. Et voici un autre exemple : dans un village, hommes, femmes et enfants furent exactement traités comme des moutons car on les trempa dans des abreuvoirs pleins de « Black Leaf 40 », un fort concentré de nicotine pure, sous prétexte qu'ils avaient des poux!

Voilà une histoire dont personne ne saurait être fier. Mais, nous vivons dans une culture où « le temps guérit ». Ainsi, les Blancs de l'Agence indienne de Keams Canyon ou bien ignoraient complètement le passé, ou bien prétendaient qu'il s'agissait là d'« histoire ancienne », et que les Hopi d'alors ne pouvaient être tellement sensibles à des événements survenus à une époque où aucun d'eux n'était encore né. En fait, les Hopi n'avaient pas oublié, et pour eux, le passé prévalait sur le présent. Or, notre gouvernement ne s'intéressait pas à la vie des villages hopi. Il n'en avait pas la moindre idée : la plus grande partie de ce qui se passait sur les mesas n'existait tout simplement pas dans l'esprit des Blancs parce que les employés ne restaient dans les villages que le temps qu'ils devaient y passer. En fait, il existait une règle non explicite, selon laquelle il valait mieux ne pas trop se mêler à la vie des Indiens. (J'eus plus tard l'occasion de remarquer que les membres des missions d'aide technique et diplomatique aux pays du tiers monde avaient la même attitude.) Tenus à l'écart de l'espace, du temps et de la culture des Blancs, les Hopi enrageaient. Les injustices passées les rongeaient; leur souvenir ne s'atténuait pas, mais au contraire était de plus en plus vivace bien qu'ils aient oublié les circonstances dans lesquelles elles s'étaient produites. Puis, intervint le gouvernement des États-Unis avec son « Plan d'urgence pour l'aménagement des réserves », qui assaillit les Hopi avec des considérations absurdes et ridicules (pour eux) : par exemple, combien faut-il de jours pour achever la construction d'un barrage, comme si ce dernier impliquait, par sa nature même, un programme, comparable au processus de maturation d'un mouton ou au mûrissement du maïs. Les Hopi n'y virent qu'un exemple de plus de la volonté de l'homme blanc de compliquer la vie. Dans l'esprit des Hopi, les barrages ne posaient pas davantage de problèmes que leurs maisons inachevées.

Le drame fut que le gouvernement, avec les meilleures intentions, essayait vraiment de faire quelque chose pour les Hopi : leur donner du travail dans une période de crise, et de plus, du travail destiné à améliorer l'état de leur région. On injecta de l'argent dans leur économie, on construisit des barrages et des routes, on multiplia les points d'eau; mais le rythme des programmes de construction et le choix des emplacements des barrages qui ne respectait pas les frontières traditionnelles dont le gouvernement ne connaissait même pas l'existence, n'aboutirent qu'à raviver d'anciennes rivalités. En somme, nous ne savions pas ce qu'était un niveau de culture primaire.

Ces nouvelles « injustices » étaient dues cette fois à la naïveté du gouvernement qui pensait que les Hopi voudraient profiter autant que possible des subventions accordées. Cela dépendait d'eux, pensait-on; qu'ils construisent deux ou vingt barrages, les fonds attribués restaient les mêmes. Il devint bientôt évident que notre désaccord s'expliquait par l'opposition entre ces deux systèmes de logique. De plus, nous ne disposions pas d'un terrain commun identifiable sur lequel nous retrouver.

Se posaient à nous des problèmes d'ordre essentiellement spatial ou temporel, ou les deux à la fois. Mais à qui pouvais-je bien en parler? A l'exception d'un marchand indien (un ami, nommé Lorenzo Hubbell) qui m'apprit la plus grande partie de ce que je savais à l'époque sur les Hopi et les

Navajo, personne ne semblait avoir la moindre idée de l'origine des difficultés, ni même dans de nombreux cas, du fait qu'il existait une quelconque difficulté. Ce dont les Blancs faisaient l'expérience était considéré comme normalement lié au fait de travailler avec des Indiens américains. Et quand j'essayais d'expliquer les réactions des Hopi, je me heurtais généralement au manque d'intérêt ou à une façon de tout mettre sur le compte de l'irascibilité des Indiens, qui se traduisait par : « Les Hopi se plaignent toujours. » Le drame est que la même incompréhension existe aujourd'hui encore. Malgré les progrès accomplis à beaucoup d'égards, l'animosité entre les deux cultures semble plutôt avoir augmenté que diminué. Le fossé culturel est aujourd'hui aussi large et profond qu'il l'a toujours été. Et il faut reconnaître que de nombreux obstacles, profondément ancrés, jalonnent la voie vers la compréhension : les différences dans la structure des deux langues en est un.

Considérons ici comment la langue des Hopi influence leur manière de penser. Les réflexions qui suivent s'inspirent directement des travaux d'un éminent pionnier de la linguistique, Benjamin Lee Whorf, linguiste et ingénieur chimiste, dont la théorie est une description non seulement scientifique, mais encore circonstanciée [3].

Dans toutes les langues occidentales, le temps est traité comme un flux continu composé d'un passé, un présent et un futur. Nous avons réussi, en quelque sorte, à concrétiser ou extérioriser la manière dont nous nous représentons le passage du temps. Nous pouvons ainsi avoir l'impression de maîtriser le temps, de le contrôler, le passer, le gagner ou le gaspiller. Aussi, le processus du « temps qui passe » nous semble réel et tangible parce que nous pouvons lui attacher une valeur numérique. Alors que dans la langue hopi, les verbes ne se conjuguent ni au passé, ni au présent, ni au futur. Ils n'ont pas de temps, mais indiquent la validité d'une affirmation – la nature de la relation entre celui qui parle et sa connaissance, ou son expérience de ce dont il parle. Quand un Hopi dit : « Il a plu cette nuit », l'auditeur sait comment cet interlocuteur hopi a su qu'il avait plu : ou il était dehors et la pluie l'a mouillé, ou il a regardé dehors et il a vu qu'il pleuvait, ou bien quelqu'un est entré chez lui et lui a dit qu'il pleuvait, ou encore, il a constaté, en se réveillant le matin, que le sol était mouillé, et il en a déduit qu'il avait plu.

Dans les langues occidentales, des termes associés à la notion de temps, comme « été » et « hiver », sont des noms, et ceci leur donne une qualité matérielle dans la mesure où on peut les traiter comme n'importe quel autre nom, les compter et les mettre au pluriel. Autrement dit, ils ont le même statut que des objets. Alors que pour les Hopi, les saisons « sont » plutôt des adjectifs (l'adjectif en est le plus proche équivalent dans les langues occidentales). Les Hopi ne peuvent dire de l'été qu'il est chaud, parce que l'été est la qualité « chaud », exactement comme une pomme a la qualité « rouge ». « Été » et « chaud » ne font qu'un! L'été est un état : chaud. Rien dans le terme « été » n'implique la notion de temps, ou l'idée que du temps a passé – au sens où on l'entend dans les langues occidentales.

Il est clair, par ailleurs, que l'accent que nous mettons sur le fait de gagner du temps va de pair avec sa quantification et son statut de nom, impliquant une valorisation particulière de la vitesse, comme le démontre souvent notre comportement.

Vivre, comme les Hopi, dans un éternel présent, et vivre le « maintenant » à se préparer à des cérémonies, ne donne pas l'impression que le temps soit un implacable tyran, ni qu'il soit assimilé à l'argent et au progrès, comme il l'est en Occident. Pour les Occidentaux, le temps est susceptible de s'additionner, ce qui les empêcha d'oublier qu'il s'écoule. Ceci peut d'ailleurs être pénible. Pour les Hopi, au contraire, l'expérience du temps est plus naturelle – comme la respiration, elle est un élément rythmique de la vie. Ainsi, les Hopi, à ma connaissance, ne se sont jamais préoccupés de philosopher sur « l'expérience » du temps, ou la nature du temps.

Aux États-Unis, la philosophie est une des pierres angulaires sur lesquelles tout l'édifice intellectuel est construit. La science en est une autre, et la technologie, une troisième. La religion, cependant, n'a plus l'importance qu'elle a eue autrefois, et se trouve maintenant, depuis un certain temps, séparée de la vie quotidienne, isolée dans un domaine qui lui est propre.

Il n'en est rien pour les Hopi. Au contraire, la religion est au cœur de leur vie. Les cérémonies religieuses remplissent de nombreuses fonctions qui, dans les cultures américaine et européenne, constituent des entités distinctes, complètement séparées du domaine du sacré : par exemple, élever les enfants, faire pleuvoir et favoriser la fertilité des cultures génératrices de vie et les aider à se développer; rester en harmonie avec la nature, ou encore maintenir les relations entre les individus; enfin initier les enfants au monde des adultes. En fait, la religion est non seulement au centre de l'organisation sociale, mais aussi du gouvernement qui fait partie intégrante de la vie cérémonielle des Hopi.

L'année hopi est divisée en deux moitiés séparées par les solstices. Les Kachinas, personnages masqués [4], sont en quelque sorte des dieux ou esprits de la nature, ou même l'incarnation de thèmes dominants de la vie des Hopi. Ils vivent avec les gens pendant une moitié de l'année, et passent les six autres mois chez eux, dans les montagnes de San Francisco (au nord de Flagstaff, en Arizona). Chaque homme, chaque femme et chaque enfant est initié au culte kachina et participe aux cérémonies kachinas. L'année commence avec les rites du solstice d'hiver, époque à laquelle se prépare l'année à venir. Fixer la date exacte du solstice d'hiver est extrêmement important; il appartient au prêtre du soleil de déterminer précisément le moment où le soleil a terminé son voyage vers le sud et commence à retourner vers le nord.

A vivre avec les Hopi, en leur parlant de leurs danses et en observant comment elles étaient accomplies, je me trouvais souvent enveloppé d'une espèce de temps et d'espace particuliers dont je ne faisais l'expérience que si la danse avait « réussi ». Dans ce cas, toute conscience de la réalité extérieure, de l'univers environnant, s'efface. Le monde s'effondre : il est alors tout entier dans ce seul événement. Plus rien n'existe, que les gens, la foule dans la kiva, et les danseurs [5]. Si j'ai pu ressentir cela, moi, un jeune Blanc, imaginez alors ce que cela doit être pour les Hopi!

Quand ils parlent, et qu'aujourd'hui ils écrivent à propos du temps, les Hopi l'associent aux danses rituelles qui ont lieu au cours de l'année. « C'était juste avant Wowochim. » « C'est arrivé pendant Soyal. » Wowochim est la cérémonie d'initiation tribale qui se déroule en novembre. Soyal, qui succède à Wowochim, est associée au solstice d'hiver; il s'agit d'une importante cérémonie à laquelle participe le clan du soleil en l'honneur du dieu du soleil (le dieu le plus puissant et important, celui qui gouverne la vie [6]). La cérémonie célèbre ou marque son départ de sa demeure australe, et le commencement de son voyage vers sa demeure septentrionale, où il passe l'été.

Associer des phénomènes à des danses sacrées donne, à ceux-ci, une force et un pouvoir secrets. La vie, en fait, s'organise autour d'elles, et pour les membres des clans et sociétés secrètes qui les accomplissent, ces danses ont la priorité sur tout le reste : le travail, les obligations familiales, la vie sexuelle, les sentiments et engagements personnels. Rien n'était plus important à leurs yeux; et pour ceux que l'on initiait, rien n'était effectivement plus important, surtout autrefois. De plus un autre aspect différencie le temps des cultures américaines et européennes du temps hopi : pour les premières, la cérémonie publique est le moment où tout se passe, alors que dans la tradition hopi, le moment public de la cérémonie est précédé par plusieurs jours de préparation dans la kiva, suivi de plusieurs jours de rituels kiva.

La cérémonie de mariage hopi constitue une autre variante du modèle culturel hopi. Dans les cultures occidentales, le mariage marque une séparation nette entre deux états. Qui n'a pas entendu ce commentaire d'une jeune femme aussitôt après ses vœux de mariage : « C'est comme ça, je suis maintenant Mme Walter A. Nash. Quelques minutes plus tôt, j'étais encore tout à fait Jane Moore, célibataire, et maintenant je suis une femme mariée! » De telles remarques sont très courantes et signifient que, même dans notre type de culture, les gens trouvent surprenant que des changements tellement importants puissent intervenir en l'espace de quelques minutes. On peut supposer, après ce développement, que la célébration du mariage hopi dure un peu plus longtemps, et c'est effectivement le cas. La description des mariages hopi [7] par l'artiste de la seconde mesa Fred Kabotie et par Sun Chief Don Talayesva ne comprend pas moins de vingt-six événements célébrés au cours de l'année. Les Hopi ne passent pas d'un état à un autre du jour au lendemain. Et il est ici important de noter que de telles différences ne se réduisent pas à de simples conventions, mais qu'elles sont l'expression de profondes différences structurelles entre les deux types de culture. Dans les cultures occidentales, on s'attend à ce que les choses arrivent rapidement une fois que des décisions sont prises. Par conséquent, nous accordons peu d'importance à la matière dont est fait le tissu de la vie d'un individu, ou à la lente accumulation de karma dans les multiples actions que nous accomplissons chaque jour.

Vivre et travailler dans les réserves hopi et navajo au début des années 30 fut une expérience extraordinaire. Elles constituaient deux sociétés exotiques, aux traditions relativement intactes, différentes l'une de l'autre, mais aussi toutes les deux ensemble différentes de la nôtre. A cela s'ajoutaient la particularité de l'environnement, des conditions de vie matérielles, et d'un mode de vie, en retard de cinquante ans sur le reste du pays. Les pluies, l'été, la neige, l'hiver et la boue associées au manque de routes contribuaient à créer une situation particulière, comportant ses propres règles. Ce n'est pas nous qui déterminions ces règles, c'était la région et les saisons. Quand il neigeait ou pleuvait, tout s'arrêtait (sauf les chevaux et les chariots évidemment adaptés à la boue). Quelqu'un de sensé ne se serait jamais hasardé à traverser les cours d'eau, même petits, quand ils étaient en crue. Trop de carcasses rouillées de voitures et de camions gisaient sur le lit sablonneux du Dinnebito, de l'Oraibi, du Polacca et du Weepo. La solution généralement adoptée – même par les Blancs –, face à un cours d'eau en crue, consistait simplement à attendre que l'eau descende. On ne traversait le fond sablonneux de ces cours d'eau (de plus de quatre cents mètres de large et de douze mètres de profondeur) que lorsqu'il était sec. Il restait sec parfois pendant des mois, puis un jour, un grondement venant du nord devenait de plus en plus fort, jusqu'à l'instant où un mur d'eau poussant devant lui des broussailles et des arbres apparaissait au détour du lit de la rivière. Le sable sec se transformait alors en torrent sombre et bouillonnant en l'espace de quelques minutes. La masse d'une trombe d'eau qui était tombée à plus de quatre-vingts kilomètres en amont alimentait ainsi ces cours d'eau pendant des heures, et même des jours. On s'expliquait alors comment des phénomènes qui s'étaient produits à plusieurs kilomètres pouvaient être à l'origine de la perte d'un bon véhicule, enlisé dans ce qui, quelques minutes plus tôt, était encore du sable sec. On apprenait aussi à observer ce qui se passait dans toutes les directions, mais particulièrement en amont, parce que les principaux cours d'eau coulaient à peu près du nord-est vers le sud-ouest. Des nuages orageux sur Black Mesa annonçaient parfois des inondations à Oraibi cinq heures plus tard. Il était important de connaître ces données et beaucoup d'autres encore, afin d'éviter de rester planté sur la berge d'un cours d'eau, du mauvais côté, à attendre pendant des jours que les routes soient de nouveau praticables. J'appris finalement qu'on ne gagnait rien à résister à l'environnement, et qu'il valait mieux, au contraire, s'y adapter, s'y fondre : mais les Blancs y parviennent difficilement.

Je fis, une autre fois, une expérience similaire, dans des circonstances inattendues, avec mes chevaux. J'avais toujours eu des chevaux, déjà dans les écoles que je fréquentais : ils étaient devenus partie intégrante de ma vie. Le problème était le suivant : mes chevaux se trouvaient à Santa Fe, au Nouveau-Mexique, et je voulais les amener à la réserve. Les faire transporter en camion n'était pas pratique et trop coûteux; je décidai donc de les amener moi-même, accompagné d'un autre cavalier. Cette expérience fut de celles qui ont laissé une marque indélébile dans ma « psyché ». Nos deux chevaux sellés, et accompagnés d'un cheval de charge, nous partîmes de Santa Fe, traversâmes les monts Jemez, puis la Continental Divide* à l'endroit où elle coupe Chaco Canyon; nous dépas-

* La ligne de partage des eaux dans les Montagnes Rocheuses.

sâmes Crown Point et Gallup, en montant vers Window Rock,
à travers les fraîches forêts du plateau de Fort Defiance; nous
descendîmes alors jusqu'à Ganado, et de là nous nous diri-
geâmes plein ouest à travers les plaines dénudées et les mesas
couvertes d'armoise pour joindre Jeddito, Keams Canyon,
Polacca, Toreva, Chimopovi et Oraibi, après une pause pour
rendre visite à Lorenzo Hubbell, au nord de Pinyon, qui est
en quelque sorte un centre de la vie spirituelle hopi.

Nous parcourions chaque jour, en moyenne, entre vingt et
vingt-cinq kilomètres. Davantage aurait fatigué et même épuisé
les mustangs que nous montions. En dévalant les pentes
couvertes de sapins des monts Jemez, et en traversant ensuite
les plaines arides vers l'ouest, j'observais la même montagne
de différents points de vue pendant trois jours, comme si elle
tournait lentement au fur et à mesure que nous nous dépla-
cions. Une telle expérience laisse des impressions très différentes de celles qu'on peut avoir en roulant à toute vitesse
sur une autoroute pendant une ou deux heures. Les chevaux,
l'environnement et le temps donnaient l'allure; la nature nous
dominait et nous n'avions que peu de contrôle sur la vitesse
à laquelle nous avancions.

Une autre fois, à l'occasion d'un voyage à cheval de cinq
ou six cents kilomètres, je me rendis compte qu'il me faudrait
au moins trois jours pour m'adapter à un nouveau rythme, et
à la cadence plus tranquille du pas du cheval. Je commençai
alors à faire partie de l'environnement, et mon état d'esprit
changea entièrement. Je remarquai aussi que les cow-boys,
qui contribuèrent à mon éducation quand j'étais un jeune
garçon, parlaient à un rythme différent de celui des autres
Blancs. Leur rythme n'accélérait ni ne ralentissait pour s'accorder avec celui des gens qui les entouraient. Ils constituaient
un groupe, ayant son rythme propre, adapté à leur personnalité, à leur humeur, et à la situation. En cas d'urgence,
lorsque, par exemple, le cheval que je montais et le cheval
de charge que je guidais, glissèrent sur le sentier de montagne
et se retrouvèrent plus bas sur une corniche, les mots fusèrent,
aussi vifs que l'éclair : « Nom de dieu, retire-moi cette putain
de corde du pommeau ou tu vas te retrouver en morceaux si

le cheval se cabre. » Mais ils ne voulaient pas être bousculés au cours d'une conversation, et imposaient donc leur rythme. Les citadins, qui croyaient tout savoir, et les touristes cherchaient des réponses rapides à leurs questions, et talonnaient verbalement ces hommes des grands espaces en essayant, en quelque sorte, de les « mettre au pas ». Ils ne s'étaient jamais rendu compte du fait que leur rythme citadin n'était pas en harmonie avec leur corps, et que le simple débit des mots pouvait, à la longue, modeler le tempérament des individus; exactement comme les cours d'eau de ces régions de l'ouest érodent le sol malléable du fond des vallées qu'ils parcourent.

Le temps culturel de réaction – c'est-à-dire le temps nécessaire aux membres d'une culture pour réagir à une menace, un défi, une offense ou une injustice – varie beaucoup. Comme pour des pièges, ou des mines placées pour exploser à un moment donné, l'intervalle de temps nécessaire à la réaction peut aller de plusieurs jours à plusieurs années quand il s'agit d'événements importants. Quand ils se trouvent dans une situation où ils doivent réagir, les Blancs américains ont tendance à le faire assez précipitamment, alors que pour les Américains indigènes la mise en route est beaucoup plus lente : ils ont besoin d'un certain temps avant de passer à l'action. La révolte des Pueblo en 1680, par exemple, chassa les Espagnols du Sud-Ouest; ils ne revinrent pas avant 1692. Certains Indiens, contrairement à d'autres, permirent aux prêtres de reconstruire leurs églises, ainsi les Indiens d'Awatovi, le plus à l'est des villages hopi où les Espagnols avaient établi une mission florissante, laissèrent les prêtres revenir : les autres Hopi se vengèrent six ans plus tard, détruisirent Awatovi et tuèrent ses habitants.

Les Blancs pensent généralement qu'il ne se passe rien, quand rien n'arrive ouvertement. Mais, dans beaucoup de cultures, les gens réfléchissent longuement avant de se décider, ou ils attendent qu'un consensus s'établisse. Ce à quoi nous ferions bien de prêter davantage attention.

3

Monochronie et polychronie

Lorenzo Hubbell, marchand pour les Navajo et les Hopi, était au trois quarts espagnol, et pour un quart originaire de Nouvelle-Angleterre; mais culturellement, il était profondément espagnol. La première fois que je le rencontrai, dans les années 30, à l'occasion de transactions commerciales gouvernementales liées à mon travail, je me sentis embarrassé et un peu intimidé parce qu'il n'avait pas un bureau ordinaire où on pouvait parler en privé, mais une grande pièce en angle, faisant partie de sa maison attenante au comptoir, et dans laquelle il traitait ses affaires. Les affaires, cela signifiait aussi bien recevoir la visite d'employés et d'amis, que s'entretenir avec des Indiens venus le voir et qui, la plupart du temps, voulaient emprunter de l'argent, ou faire le commerce de moutons; c'était aussi effectuer une quantité de transactions de routine avec des commerçants et d'autres Indiens qui n'étaient pas là pour voir Lorenzo en particulier, mais seulement pour conclure des affaires. Il passait des coups de fil à son magasin, à Winslow en Arizona, à des acheteurs de bétail, à son frère Roman, à Ganado, aussi en Arizona : tout ceci, et d'autres choses encore (dont le contenu était parfois très personnel), se passait en public, au vu et su de tout ce petit monde. Si on voulait apprendre ce qu'était la vie d'un marchand indien, ou s'informer sur les tenants et aboutissants de la gestion d'un petit empire commercial (Lorenzo avait une douzaine de comptoirs disséminés dans tout le Nord de l'Arizona), on n'avait qu'à s'asseoir dans le bureau de Lorenzo pendant environ un mois et observer ce qui s'y passait. On finissait par démêler cet enchevêtrement d'éléments, comme je le fis pendant les cinq années où je vécus et travaillai dans cette réserve.

J'étais préparé au fait que les Indiens agissent différemment des individus de culture américano-européenne, pour avoir passé une partie de mon enfance dans le haut Rio Grande, avec les Indiens Pueblo pour amis. De telles différences étaient considérées comme allant de soi. Mais tous ces gens, et leur manière confuse de traiter simultanément les multiples aspects d'une affaire, m'impressionnaient. Il n'y avait rien à faire, c'était un autre monde. Mais, dans ce cas, bien que les Hispano – comme les Anglo-Américains – aient été de souche européenne, ils traitaient, les uns et les autres, le temps de manières radicalement différentes.

Il ne me fallut pas longtemps pour m'habituer à l'ambiance de travail de Lorenzo. Il se passait tellement de choses dans son « bureau » que j'avais du mal à m'en arracher. Je dus bien sûr me soumettre à mes propres horaires de travail, mais le magasin de Hubbell exerçait sur moi une véritable attraction, comme un puissant aimant, et je ne manquais jamais une occasion de rendre visite à Lorenzo. Je traversais Oraibi, m'arrêtais à la hauteur de son magasin, je garais ma camionnette, et je passais par la porte latérale pour gagner son bureau. Ces visites étaient absolument nécessaires : la vie pouvait devenir dangereuse. Le « salon » du désert de Lorenzo était plus instructif qu'un journal, dont nous manquions par ailleurs.

Initié à la manière de travailler de Lorenzo, j'eus par la suite l'occasion d'observer un tel engagement mutuel entre individus chez les Espagnols du Nouveau-Mexique. Je trouvai aussi les mêmes modèles de comportement et d'action en Amérique latine et dans le monde arabe. A observer les réactions de mes compatriotes au système qui consiste à traiter plusieurs choses à la fois, je constatai combien il influence le mode de circulation de l'information, la texture des réseaux qui lient les individus les uns aux autres, et de nombreuses autres importantes caractéristiques sociales et culturelles d'une société. Je compris que ce modèle culturel impliquait davantage qu'on ne peut le supposer d'abord.

Des années passées parmi les membres d'autres cultures que la mienne m'ont appris que les sociétés complexes organisent le temps d'au moins deux manières différentes : les événements sont organisés en tant qu'unités séparées – une chose à la fois –, ce qui caractérise l'Europe du Nord; ou au contraire dans le modèle méditerranéen : les individus sont engagés dans plusieurs événements, situations ou relations à la fois. Ces deux systèmes d'organisation sont logiquement et empiriquement tout à fait distincts. Comme l'huile et l'eau, ils ne se mélangent pas. Et chacun a ses avantages et ses inconvénients. J'ai appelé « polychrone » le système qui consiste à faire plusieurs choses à la fois, et « monochrone [1] » le système européen du Nord qui consiste, au contraire, à ne faire qu'une chose à la fois. Dans un système polychrone, l'accent est mis sur l'engagement des individus et l'accomplissement du contrat, plutôt que sur l'adhésion à un horaire préétabli. Les rendez-vous ne sont pas pris au sérieux, et par conséquent, souvent négligés ou annulés. Le temps, dans le système polychrone, est traité de façon moins concrète que dans le système monochrone. Les individus polychrones perçoivent rarement le temps comme « perdu », et le considèrent comme un point plutôt qu'un ruban ou une route, mais ce point est souvent sacré. Un Arabe dira : « Je vous verrai avant une heure », ou : « Je vous verrai après deux jours ». Dans le premier cas, il veut dire qu'il ne s'écoulera pas plus d'une heure avant qu'il ne vous voie, et dans le second, au moins deux jours. Ces engagements sont pris tout à fait au sérieux tant que l'on reste dans une structure polychrone.

Au début des années 60, un jour que je me trouvai à Patras, en Grèce, au cœur de la « civilisation » polychrone, mon propre système de temps me fut en quelque sorte jeté à la figure, dans des circonstances plutôt ridicules, mais tout de même amusantes. Le réceptionniste grec d'un hôtel, impatient et pressé de m'installer dans des lieux qui étaient loin d'être luxueux, me pressait de conclure l'affaire pour pouvoir continuer sa sieste. Je n'arrivais pas à décider si je devais me contenter de ce qui était peut-être ma dernière chance, ou essayer un autre hôtel un peu plus loin, qui avait l'air encore

moins engageant, si c'était possible. Tout à coup, il s'écria :
« Décidez-vous, enfin, le temps c'est de l'argent! » Qu'auriez-
vous répondu à cela, à une heure du jour où littéralement il
ne se passait rien. Je ne pus m'empêcher de rire de l'absurdité
de cette situation. S'il y avait une circonstance où le temps
n'était pas de l'argent, c'était bien à Patras, en été, à l'heure
de la sieste.

Les cultures monochrones tendent à attribuer un caractère
sacré à l'organisation. Mais dans certains cas, la monochronie
n'est pas aussi efficace qu'elle pourrait l'être. La vie est parfois
imprévisible; on ne peut, par exemple, déterminer exactement
combien de temps il faudra consacrer à tel client, tel patient,
ou telle série de transactions. Ce sont là les impondérables de
la chimie des relations humaines. Ce qu'on accomplit un jour
en dix minutes, pourra en demander vingt le lendemain.
Certains jours, les gens sont bousculés et ne peuvent finir ce
qu'ils ont entrepris, alors que d'autres jours, ils ont du temps
devant eux et le gaspillent.

Les Américains, quand ils se trouvent en Amérique latine
et au Moyen-Orient, sont souvent nerveux. Plongés dans l'environnement polychrone des marchés, boutiques et souks des
pays méditerranéens et arabes, ils se trouvent entourés d'autres
clients rivalisant pour attirer l'attention de l'unique vendeur
qui essaie de servir tout le monde à la fois. Il n'y a pas d'ordre
admis permettant de savoir qui doit être servi, pas de file ou
de numéros pour indiquer qui a attendu le plus longtemps.
Les Euro-Américains ont alors l'impression que tout est confusion et brouhaha. Dans un contexte différent, celui des bureaucraties gouvernementales de pays méditerranéens, on observe
le fonctionnement des mêmes modèles : le bureau d'un haut
fonctionnaire comprend généralement un grand espace de
réception (version améliorée de l'office de Lorenzo Hubbell)
séparé de son bureau personnel, où des petits groupes peuvent
attendre et être reçus par le ministre et ses adjoints. Ces
fonctionnaires travaillent la plupart du temps dans ce lieu
semi-public, se déplacent de groupe en groupe, s'entretenant
successivement avec chacun. Les transactions semi-privées
prennent moins de temps, et donnent aux personnes reçues

l'impression qu'elles sont en présence du ministre lui-même, et de personnalités avec lesquelles elles pourraient aussi s'entretenir. Quand on s'habitue à ce modèle, il devient alors clair que des avantages compensent souvent les désavantages d'une série d'entretiens privés dans un bureau.

Les individus polychrones ont une manière de traiter les rendez-vous particulièrement pénible pour les Américains. Être à l'heure ne veut tout simplement pas dire la même chose qu'aux États-Unis. Dans un contexte polychrone, tout semble continuellement fluctuer. Rien n'est solide ou ferme, en particulier les projets que l'on établit pour le futur; même des projets importants peuvent être modifiés jusqu'à la minute de leur exécution.

En Occident, par contre, peu de choses échappent à la « main de fer » de l'organisation monochrone [2]. Le temps est si étroitement mêlé à la trame de l'existence que nous n'avons qu'une conscience partielle de la manière dont il détermine le comportement des individus, et modèle de manière subtile les relations interindividuelles. En fait, la vie professionnelle, sociale, et même sexuelle d'un individu est généralement dominée par un horaire, ou un programme. En programmant, on compartimente : ceci permet de se concentrer sur une chose à la fois, mais se traduit aussi par un appauvrissement du contexte de la communication interindividuelle [3]. En soi, programmer sélectionne ce qui est ou non perçu et observé, et ne permet de tenir compte que d'un nombre limité de phénomènes dans un laps de temps donné; ainsi, un programme constitue un système permettant d'établir des priorités, à la fois pour les individus avec lesquels on est en relation, et les tâches que l'on accomplit. On traite d'abord les affaires importantes, en y consacrant la plus grande partie du temps disponible, et en dernier lieu seulement, les affaires secondaires que l'on néglige ou abandonne si le temps manque.

Dans un système monochrone, le temps est aussi considéré comme une réalité tangible. On le dit gagné, passé, gaspillé, perdu, inventé, long, ou encore on le tue, ou il passe. Et il faut prendre ces métaphores au sérieux. L'organisation monochrone est utilisée comme système de classification qui crée de l'ordre dans la vie. Ses règles s'appliquent à tout, sauf à la naissance et la mort. Notons, toutefois, que sans horaires ni programmes, ou un modèle d'organisation similaire au système monochrone, la civilisation industrielle ne se serait probablement pas autant développée. Mais il y a d'autres conséquences encore. L'organisation de type monochrone isole une ou deux personnes d'un groupe et concentre les rapports d'un individu avec une, ou au plus, deux ou trois personnes. On peut en ce sens comparer le système monochrone à une pièce dont la porte fermée garantit le caractère privé. Il faut seulement « quitter les lieux » après le quart d'heure, l'heure, le jour ou la semaine éventuellement impartis, en fonction d'un programme établi, et, d'une certaine manière, faire place à la personne suivante. Empiéter sur le temps du suivant en oubliant de lui laisser la place n'est pas seulement faire preuve d'un extrême égocentrisme, c'est aussi avoir de très mauvaises manières.

Dans un système monochrone, les structures temporelles sont arbitraires et imposées; elles nécessitent un apprentissage de la part des individus. Mais elles sont très profondément intégrées et ancrées dans notre culture et semblent ainsi représenter le seul moyen naturel et logique d'organiser toute activité. Ces structures ne sont pourtant pas inhérentes aux rythmes biologiques des êtres humains, ou à leurs impulsions créatrices, elles ne font pas partie non plus de sa nature.

On doit souvent, en fonction de programmes établis, interrompre un projet alors qu'il est près d'aboutir. Par exemple, des crédits de recherche s'épuisent quand on commence à obtenir des résultats. Ou bien – expérience que connaît le lecteur –, on est agréablement absorbé dans quelque activité créatrice, complètement oublieux de l'heure, seulement conscient de ce qu'on fait sur le moment, et l'on est brusquement ramené à la « réalité » par le souvenir d'engagements pris précédemment, souvent sans importance, mais qui attendent.

Les Américains confondent parfois les horaires et les programmes avec la réalité. Aussi, la monochronie peut nous aliéner, à l'égard de nous-mêmes et des autres, en appauvrissant le contexte de la communication interindividuelle. L'organisation monochrone nous détermine subtilement à penser et à percevoir le monde de manière fragmentée. Mais si ce mode de pensée est adapté à l'accomplissement d'opérations linéaires, il est au contraire désastreux pour la réalisation d'entreprises créatrices de type non linéaire. Les Latins ont un mode d'organisation et de perception du monde contraire à celui que nous venons de décrire. Les intellectuels et les universitaires d'Amérique latine travaillent souvent dans plusieurs domaines à la fois qui, pour un universitaire nord-américain moyen, un homme d'affaires ou un membre d'une profession libérale, sont complètement incompatibles entre eux. Les affaires, la philosophie, la médecine et la poésie sont pour les premiers une combinaison courante et tout à fait respectée.

D'autre part, les individus polychrones, comme les Arabes et les Turcs, ne sont presque jamais seuls; même chez eux, ils ont des manières de s'isoler tout à fait différentes de celles des Européens. Ils sont en interaction avec plusieurs personnes à la fois, et restent continuellement engagés les uns à l'égard des autres. Programmer et établir des horaires précis est donc difficile, voire impossible.

Si on considère l'organisation sociale, les systèmes polychrones nécessiteraient, en principe, une beaucoup plus grande centralisation des moyens de contrôle, et se caractériseraient par une structure relativement apparente ou simple. En effet, les dirigeants ont continuellement affaire à beaucoup d'autres individus, dont la plupart se tiennent au courant de ce qui se passe. Le fellah arabe a toujours la possibilité de rencontrer son cheik. Il n'y a d'intermédiaires ni entre l'homme et le cheik, ni entre l'homme et Dieu. Le flux des informations qui circulent, et le besoin des individus d'être continuellement informés se complètent. Les individus polychrones sont profondément impliqués dans les affaires des autres, et se sentent contraints de rester en contact les uns avec les autres. Le moindre détail d'une histoire est noté et enregistré. Aussi, la connaissance mutuelle des individus est extraordinairement développée. Les relations qu'ils entretiennent sont l'essence de leur existence. Les répercussions dans l'organisation bureaucratique d'un tel modèle d'interaction sont multiples. Par exemple, il n'est pas nécessaire de recevoir une délégation de pouvoirs ni d'être promu à un rang élevé pour traiter une grande quantité d'affaires. Le principal défaut des bureaucraties de type polychrone est la prolifération consécutive à l'augmentation des tâches de sous-bureaucraties complètement incapables de régler les problèmes des étrangers. Les étrangers, qui voyagent ou résident en Amérique latine ou dans des pays méditerranéens, trouvent les bureaucraties de ces pays anormalement lourdes et lentes. Dans les pays de culture polychrone, il faut être autochtone, ou avoir un « ami » qui puisse activer le déroulement des procédures. Toutes les bureaucraties sont fermées sur elles-mêmes, mais plus particulièrement celles de type polychrone.

On peut ajouter d'autres remarques intéressantes concernant l'accomplissement des tâches administratives selon ces deux modèles d'organisation. Dans les cultures de type polychrone, par exemple au Moyen-Orient et en Amérique latine, diriger et contrôler des individus impliquent une analyse des professions : diriger suppose qu'on tienne compte de la profession de chaque employé et identifie les différentes activités qui se rapportent à celle-ci. Elles sont ensuite étiquetées et souvent portées sur des listes détaillées; ainsi, des contrôles permettent au directeur ou à l'administrateur de s'assurer que chaque tâche est effectivement accomplie. On pense aussi, par ce moyen, exercer un contrôle absolu sur l'individu. Cependant, c'est à l'employé de prévoir quand et comment chaque tâche sera accomplie. En effet, un employé considérerait comme un viol de son individualité – un envahissement de son moi – qu'on organise son travail à sa place.

Les individus monochrones, par contre, organisent le travail et laissent à chaque employé l'analyse des différentes fonctions attachées à l'exercice de sa profession. Une analyse de type polychrone, bien qu'essentiellement axée sur les détails, oblige un employé à considérer l'ensemble de ses activités non seulement comme un système, mais aussi comme partie d'un système plus vaste. Les individus monochrones, en fonction du caractère compartimenté de leur mode d'organisation, sont moins enclins à considérer leurs activités comme liées à un contexte, comme parties d'un tout. Ils n'en accordent pas moins d'importance à « l'organisation » – loin de là –, mais le travail lui-même, ou même les buts de l'organisation du travail sont rarement perçus comme un tout.

Accorder à l'organisation davantage d'importance qu'aux fonctions qu'elle remplit est caractéristique de notre culture. Un exemple illustre particulièrement bien cet aspect de la monochronie : celui de la télévision où un message publicitaire, « un message spécial », peut interrompre une communication, même la plus importante. En effet, il y a bien là un message, l'art cède la place au commerce – les agences de publicité, polychrones, imposent leurs valeurs à une population monochrone. Dans les pays d'Europe du Nord où les structures d'organisation sont plus homogènes, on ne tolère pas d'interruptions commerciales de ce type. Le nombre et l'heure à laquelle on diffuse des messages publicitaires sont strictement déterminés. La réalisation d'une émission de télévision qui dure environ deux heures a supposé un investissement de temps de la part d'individus qui l'ont conçue, écrite, mise en scène, interprétée et jouée en tant que formant une unité. Insérer des messages dans cette émission détruit sa continuité; c'est faire fi d'un des modèles fondamentaux de la culture. Les Espagnols, polychrones, considèrent le personnage principal d'un film télévisé comme un ami intime ou un parent qu'on ne doit pas déranger, et laissent les messages publicitaires tourner en rond dans l'entrée à attendre que le film soit terminé. Je ne pense pas qu'un système soit supérieur à un autre. Seulement, ils ne se mêlent pas. L'insertion de messages publicitaires a un effet de coupure et rappelle, dans un autre contexte, ce que les Anglais endurent aujourd'hui : leurs modèles traditionnels – on fait chaque chose l'une à la suite de l'autre – cèdent sous la pression du grand nombre d'individus polychrones venus des colonies, et ils se sont effondrés.

Monochronie et polychronie ont des avantages et des inconvénients. Par exemple, la rapidité avec laquelle on peut analyser une profession est limitée; mais une fois cette analyse effectuée, une application appropriée des résultats obtenus permet à un directeur polychrone de diriger un nombre surprenant d'employés. Néanmoins, les organisations gérées selon le modèle polychrone sont de taille restreinte ; elles doivent aussi être dirigées au sommet par des individus capables et elles réagissent lentement et difficilement à tout élément nouveau ou différent. Sans personnes compétentes, un système administratif de type polychrone est un désastre. Les organisations de type monochrone, au contraire, se développent beaucoup plus que les précédentes, et elles combinent les bureaucraties au lieu de les multiplier ; la création de complexes scolaires, trusts et ministères en témoigne.

Aussi, dans une organisation monochrone, la qualité humaine des membres qui la constituent n'est pas prise en considération. Alors que la faiblesse du modèle d'organisation polychrone tient au fait qu'il dépend des capacités des dirigeants à faire face aux imprévus et à toujours maîtriser la situation générale, l'inconvénient des bureaucraties monochrones est qu'elles se ferment sur elles-mêmes au fur et à mesure qu'elles se développent. Ne tenant pas compte des caractéristiques de leur propre structure, elles finissent par former un bloc rigide, et perdent de vue les objectifs pour lesquels elles ont, en fait, été créées. Le Génie militaire et le Génie civil fournissent des exemples très significatifs de ce type de situation : seulement préoccupées de rester actives ces organisations saccagent notre environnement en construisant des barrages et en modifiant le cours des rivières.

J'ai affirmé, au début de ce chapitre, que le système temporel américain était monochrone. Mais ce n'est que superficiellement vrai ; au fond, ce système est à la fois monochrone et polychrone : la monochronie domine le domaine des affaires, du gouvernement, du travail, des loisirs et des activités sportives, alors que la polychronie structure la vie domestique – en particulier, la vie domestique traditionnelle dont la femme est le centre. Comment pourrait-elle, sans un mode d'organisation polychrone, élever ses enfants, gérer son ménage, avoir un métier, être femme, mère, nurse, précepteur, chauffeur et se débrouiller avec tous les petits problèmes qui se présentent ?

Pourtant, on associe généralement la polychronie à des activités informelles, abstraites, et aux multiples tâches, responsabilités et relations qui lient une femme à des ensembles d'individus. A un niveau préconscient, la monochronie est masculine, et la polychronie, féminine; il s'agit là d'une distinction et d'une différence dont les implications sont considérables.

Maggie Scarf en donne un exemple frappant dans la conclusion d'un livre important, intitulé *Unfinished Business.* Scarf essaie d'expliquer pourquoi la dépression (maladie cachée de notre époque) est de trois à six fois plus répandue chez les femmes que chez les hommes. Comment des phénomènes temporels peuvent-ils être la cause de dépression chez les femmes? Le système temporel de la culture dominante des sociétés euro-américaines ajoute une autre source de traumatisme et d'aliénation pour de nombreuses femmes occidentales déjà aux prises avec bien des difficultés. Selon Scarf, la rupture de liens, qui représentent un élément important dans la vie de la plupart des femmes, explique en partie la dépression dont elles souffrent souvent. Dans notre culture, les hommes sont généralement considérés comme actifs, associés à l'idée du travail, alors que la vie des femmes est surtout centrée sur leurs relations aux autres. Traditionnellement, on considère que la femme vit dans un univers d'émotions, comme l'amour, l'attachement, la jalousie, l'anxiété, la haine. Nous qui vivons à la fin du XXe siècle, nous avons quelques difficultés à accepter de telles conceptions parce qu'elles impliquent des différences fondamentales entre hommes et femmes, qui ne sont pas à la mode d'aujourd'hui. Néanmoins, pour la plupart des cultures dans le monde, le féminin est profondément identifié au développement de cette part de la personnalité qui s'attache aux relations humaines plutôt qu'à celui de la compétence technique, de l'activité. Aux États-Unis, les femmes de culture occidentale vivent dans un environnement d'individus et de relations : ainsi, par ce processus qu'on appelle identification [4], leur moi devient perméable à celui des individus qui les entourent. Si les relations que suppose un tel processus sont menacées ou détruites, naissent les soucis et l'anxiété, dont la dépression est la conséquence naturelle.

Les membres des cultures polychrones, de par leur nature, accordent une importance particulière aux relations interindividuelles. Tout individu naturellement ouvert à son environnement humain, et pour qui les relations humaines occupent une place essentielle, est poussé vers, ou attiré par, les modèles culturels polychrones : ainsi, accorder de l'importance aux relations humaines implique, au cours d'un entretien par exemple, de ne pas l'interrompre seulement parce qu'on veut respecter un horaire.

Les individus monochrones, d'autre part, attachent cette importance au travail, aux programmes et procédures. Quiconque a l'expérience de nos bureaucraties sait que les horaires et les procédures existent en eux-mêmes, indépendamment de toute logique ou besoins humains. Précisément cet ensemble de règles écrites et non écrites, ainsi que leurs conséquences, est responsable, au moins en partie, de la réputation des hommes d'affaires américains qu'on tient pour durs et peu soucieux du moral de leurs employés. Pourtant, leur moral peut avoir une influence décisive sur les bénéfices des entreprises. Les gestionnaires américains ne commencent à s'en rendre compte que lentement, très lentement. Les méthodes modernes de gestion privilégient l'organisation monochrone aux dépens de l'organisation polychrone, plus difficile à gérer et à planifier. En fait, dans notre culture, quasiment tout fonctionne pour, et en vue d'une approche monochrone du monde. Cependant, l'aspect inhumain des modèles monochrones est particulièrement aliénant pour les femmes. Et beaucoup d'entre elles se sont malheureusement « approprié » le monde monochrone, ne réalisant pas qu'une part de sexisme inconscient est liée à la monochronie. La structure globale d'un système temporel est trop vaste, diffuse et omniprésente pour que la plupart des individus puissent identifier ses différents modèles. Mais les femmes perçoivent quelque chose d'étrange dans l'organisation du temps dans les entreprises modernes, à commencer par l'organisation de la journée de travail, de la semaine et de l'année. Malgré les changements, comme l'adoption d'un système d'horaires libres, l'individu, une fois passée la porte de son bureau, se trouve immédiatement enfermé à l'intérieur d'une structure monochrone, monolithique, qu'il est en fait impossible de changer.

Des tensions existent aussi entre individus monochrones et individus polychrones qui, ne l'oublions pas, accordent une importance particulière aux relations interindividuelles et à la famille, qui occupe une place centrale dans leur vie. La famille passe avant tout; les amis viennent ensuite. Ainsi, la contrainte d'horaires n'existant pas, la famille a toujours la priorité quand un problème grave se pose. Une femme de comportement monochrone aura inévitablement quelques difficultés avec un coiffeur de type polychrone, même si elle fixe régulièrement un rendez-vous pour chaque semaine, à la même heure. Dans de telles circonstances, le coiffeur (suivant son propre système) se sentira nécessairement obligé de « caser » le maximum de clientes dans son horaire. Et la cliente régulière, qui a soigneusement organisé son temps (c'est pourquoi elle prend, avant tout, un rendez-vous fixe) doit par conséquent attendre, furieuse, se sentant négligée et frustrée. Le coiffeur est aussi dans une situation difficile : il doit s'arranger pour prendre des membres de sa famille ou des amis sans tenir compte de l'horaire des rendez-vous, ou bien risquer d'innombrables ennuis au sein de sa famille. Mais il ne lui faut pas seulement s'occuper de sa famille en priorité : comment s'arrange-t-il, quelle est l'importance du dérangement occasionné, qui néglige-t-il et que néglige-t-il dans ce cas, voilà qui constitue en soi une forme de communication!

Plus l'affaire ou le client dérangés sont importants, et plus la « tante Odette », polychrone, du coiffeur se sentira contente et rassurée. Généralement, le meilleur moyen de s'assurer que l'on est aimé ou accepté consiste à téléphoner à la dernière minute dans l'attente que chacun bouleverse complètement son programme. Un refus signifie clairement que la personne n'est pas suffisamment considérée. Impliqué dans un système polychrone, un individu monochrone a ou bien le sentiment d'être écrasé par ses relations avec les autres membres du système, ou simplement le sentiment de ne pas compter. Il arrive aussi, souvent, que des modèles culturels différents se heurtent, et on ne peut alors trouver une solution que lorsque la raison du conflit est identifiée. Quand de tels conflits se produisent, une des deux parties laisse complètement tomber. Dans l'exemple cité plus haut, le coiffeur perd généralement un bon client. La diversité des modèles culturels entretient les différences ethniques à l'intérieur d'une population. Aucun n'est meilleur, ils sont simplement différents; et il nous semble important de rappeler qu'ils ne se mêlent pas.

Aussi, les modèles monochrones et les modèles polychrones ne sont pas tous semblables : chaque type de modèle est composé de variantes strictes et de variantes souples. Les Japonais, par exemple, dans les relations d'affaires qui ne nécessitent pas de rapports très personnels entre interlocuteurs, fournissent un excellent exemple de comportement monochrone strict. Un Américain, professeur, homme d'affaires, expert technique ou conseiller, en visite au Japon a parfois l'impression que son temps est comme un coffre soigneusement rempli – tellement bien rempli qu'on ne peut absolument plus rien y caser. Lors d'un récent voyage que je fis au Japon, un célèbre collègue, traducteur d'une de mes livres précédents, prit contact avec moi. Il voulait me voir, et me demanda s'il pouvait passer me prendre à mon hôtel à midi et quart pour que nous déjeunions ensemble. Je savais les Japonais généralement ponctuels, et me trouvais donc dans l'entrée avec quelques minutes d'avance. A midi dix-sept, je le vis arriver, le visage crispé, fonçant à travers la foule d'hommes d'affaires et de politiciens rassemblés près de la porte. Après nous être salués, il me conduisit jusqu'à la traditionnelle limousine noire avec chauffeur, aux bras et appuis-tête recouverts de linges blancs, qui nous attendait. A peine avions-nous fermé la portière de la voiture, il commença à m'exposer le programme du moment que nous allions passer ensemble, en m'informant d'abord qu'il avait un rendez-vous à trois heures pour participer à une émission télévisée. Une limite de temps se trouvait ainsi fixée, avec des repères permettant à chacun de savoir où il serait à n'importe quel moment du programme. Il détermina cette limite – nous disposions d'un peu plus de deux heures – en tenant compte du déplacement.

Mon collègue m'expliqua ensuite que non seulement nous déjeunerions, mais qu'il voulait aussi enregistrer une interview pour un magazine. Il y avait donc maintenant au programme le déjeuner et l'interview qui durerait trente à quarante minutes. Et quoi encore? Ah oui! Il espérait que je ne verrais pas trop d'inconvénients à passer un moment avec M. X qui avait publié un de mes livres précédents en japonais. M. X souhaitait vivement obtenir un engagement de ma part l'autorisant à publier mon prochain livre. Et il était très impatient de me voir parce qu'il n'avait pas réussi à publier mes deux derniers livres, bien qu'il m'ait écrit aux États-Unis. Oui, je me souvenais : effectivement il m'avait écrit, mais sa lettre était arrivée après que mon agent eut déjà choisi l'éditeur qui les publierait. Un troisième rendez-vous était donc pris. Mais combien de fois allions-nous encore diviser le temps dont nous disposions? Ah oui, il y aurait des photographes et il espérait que je ne verrais pas d'inconvénients à ce qu'ils prennent des photos : d'une part, des photos de groupe, sérieuses et posées, d'autre part, des photos décontractées et naturelles pendant l'interview, et finalement des photos avec M. X. La situation se présentait de telle sorte qu'il devait y avoir au moins deux équipes de photographes et un preneur de son. Mais dans la mesure où nous ne disposions pas de « soixante minutes » précises à partager en deux, grande était la confusion (les deux équipes de photographes avaient besoin de la moindre seconde, pour réaliser leur travail correctement). Je n'en fus pas moins reconnaissant à tous : ils furent non seulement extraordinairement compétents et bien organisés, mais aussi polis et attentionnés. Et puis, mon ami espérait que je n'y verrais pas trop d'inconvénients, mais il y avait un jeune homme qui se consacrait à l'étude de la communication, et qui avait obtenu plus de six cents points à un examen; il avait, me dit-on, plus de deux cents points au-dessus de la moyenne. Ce jeune homme nous rejoindrait pour le déjeuner. Je ne voyais pas comment nous allions pouvoir manger quoi que ce soit, et encore moins discuter des questions qui nous intéressaient. Mais, dans de telles circonstances, on apprend vite à s'effacer, à garder son calme, et à laisser le responsable tout orchestrer. Le déjeuner fut excellent, comme je pensais que ce serait le cas, il ne fut pas réellement tranquille, mais très bon tout de même.

Toutes les interviews et l'entretien avec l'étudiant se déroulèrent comme prévu par le programme. Les difficultés commencèrent quand je dus expliquer à l'éditeur japonais que je ne disposais pas moi-même de mon livre, qu'une fois écrit et remis à mon éditeur, ce dernier ou mon agent se chargeait de sa diffusion. Qu'il ait été l'un des premiers éditeurs à recevoir mon livre ne lui donnait pas de droits sur ce livre. Je tentai de lui faire comprendre que j'étais lié par un ensemble d'accords déjà établis, liés à certaines obligations, et que d'autres personnes que moi prenaient les décisions concernant mon livre [5]. Tout ceci nécessita un bon moment d'explication. Je passai ensuite un temps considérable à chercher un moyen d'obtenir, pour cet éditeur japonais, un entretien avec mon agent : ce qui, en fait, était impossible puisque chaque éditeur et chaque agent américain a ses représentants attitrés au Japon. L'auteur est aussi entre leurs mains.

Nous finîmes à temps – à la grande satisfaction de tout le monde, je crois. Mon ami partit à l'heure prévue, alors que les opérateurs rangeaient leur matériel, et que le preneur de son enroulait ses fils et débranchait ses micros. L'étudiant me reconduisit à mon hôtel à l'heure prévue, un peu après quinze heures.

Aux États-Unis aussi, les auteurs sont soumis à ce type de programme. La différence est qu'au Japon, on impose un modèle d'organisation monochrone stricte aux étrangers qui ne sont pas suffisamment intégrés au système japonais pour qu'ils puissent prendre les choses avec plus de sérénité, et parce qu'on fait porter l'accent sur le développement de bonnes relations de travail.

Dans toutes les cultures ayant développé des techniques avancées, semblent fonctionner à la fois des modèles polychrones et des modèles monochrones. Mais dans chaque culture, ils fonctionnent différemment. Les Japonais sont polychrones

71

à l'égard d'eux-mêmes, quand ils sont entre eux et travaillent entre eux. Mais dans leurs rapports aux cultures occidentales, ils ont adopté le système temporel dominant chez les Occidentaux : ils utilisent alors le mode d'organisation monochrone et, fait caractéristique, ils nous surpassent même, lorsqu'il s'agit de résoudre des problèmes d'ordre technique. Comme nous le verrons plus loin, les Français, eux, sont intellectuellement monochrones, mais leur comportement est polychrone.

4

Messages riches en contexte
et messages pauvres en contexte

Les ordinateurs se sont emparés de l'esprit des Occidentaux. Ils assistent remarquablement l'esprit, et libèrent le mathématicien de la routine fastidieuse liée à son travail. Ils simulent toutes sortes d'opérations et procédures complexes, relient des sources d'informations à des mémoires, permettant ainsi d'unifier des pays entiers, contrôlent les réseaux du métro et des chemins de fer, le vol de navettes spatiales, régularisent la circulation automobile aux heures de pointe, écrivent des lettres, contrôlent le paiement de factures, enfin effectuent un grand nombre de tâches autrefois attribuées aux petits et moyens employés. Il y a cependant une chose que les ordinateurs ne font pas correctement, c'est traduire. La cause de cette déficience n'est pas le manque d'argent, de besoin, d'intérêt, de talent ou de chercheurs qui travaillent en ce sens. L'investissement de millions de dollars dans la traduction du russe par ordinateur a mené, après des années d'effort, à la conclusion que le traducteur de russe scientifique le plus compétent et efficace est un être humain, un scientifique. Des linguistes spécialistes de textes scientifiques ont constaté combien il est important, pour le savant, d'avoir une connaissance approfondie du domaine auquel se réfère le texte à traduire. L'insuffisance des ordinateurs ne se situait pas dans l'analyse de la syntaxe (de la grammaire) et du vocabulaire, qui représente déjà un travail considérable, mais dans le rapport du code linguistique au cadre plus vaste du domaine scientifique : le contexte dans lequel chaque mot, chaque phrase et chaque paragraphe étaient situés. Les mots et les phrases prennent un sens différent en fonction de leur contexte.

73

Le mot « homme », par exemple, a un sens particulier quand il se réfère aux stades de maturité d'individus masculins ; mais il a un sens différent quand il s'agit de temps de travail, par exemple dans les expressions « man-hours » et « man-days », et un autre sens encore dans l'expression « une armée de 100 000 hommes » (qui comprend maintenant des femmes).

Et même s'il est un jour possible de développer la traduction par ordinateur au point qu'elle devienne utile, le contexte jouera toujours un rôle dans toute communication entre êtres humains. Déterminer le contexte semble être une fonction des hémisphères droit et gauche du cerveau [1], chacun opérant de manière tout à fait différente mais complémentaire. Chaque hémisphère fournit une part essentielle de presque toute forme de communication. Aussi, aucun mode de communication n'est jamais totalement indépendant d'un contexte, et toute signification se définit par une importante composante contextuelle [2]. Ceci peut paraître évident, mais déterminer le contexte d'une communication est toujours essentiel et souvent difficile. Le langage, par exemple, est en soi un système riche en contexte. Comme nous l'avons affirmé précédemment, le langage n'est pas la réalité ; il a cependant son origine dans des abstractions constituées à partir de la réalité. Pourtant, peu de gens réalisent que la signification, même de la plus simple affirmation, dépend du contexte dans lequel elle est énoncée. Par exemple, un homme et une femme qui vivent ensemble en bons termes, depuis quinze ans ou plus, n'ont pas toujours besoin de parler pour se comprendre. Quand il passe la porte après une journée de travail, elle n'a pas besoin de prononcer un seul mot. Il sait, à sa manière de se mouvoir, quelle sorte de journée elle a passée ; il devine au timbre de sa voix, comment elle est disposée à l'égard des invités qu'ils recevront le soir.

Au contraire, quand on passe des relations personnelles aux cours de justice, aux ordinateurs ou aux mathématiques, rien ne peut être considéré comme allant de soi. En effet, ces domaines sont pauvres en contexte, et ce qui s'y exprime doit être explicitement énoncé. L'insertion fautive d'un espace entre des lettres ou des mots lors de la programmation d'un ordinateur peut empêcher le déroulement de toutes les opérations suivantes. Information, contexte et signification sont liés par une relation fonctionnelle, chaque élément contribuant à maintenir l'équilibre de cette relation. Plus grande est la quantité d'informations transmise (c'est le cas du couple dont il s'agit plus haut), plus riche est le contexte : on peut représenter cela sous forme d'un ensemble homogène dont la composition varie du contexte riche au contexte pauvre.

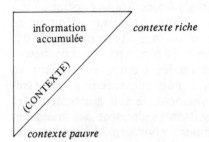

L'angle supérieur de ce triangle représente un mode de communication riche en contexte, l'angle inférieur, un mode pauvre en contexte.

Associons ce triangle à un autre par une relation d'équilibre. L'angle supérieur de ce second triangle représente un mode de communication très pauvre en information, et l'angle inférieur, un mode plus riche.

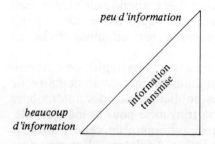 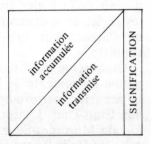

En combinant les deux, on constate qu'un apport d'information doit compenser une perte de contexte pour que la signification reste constante. La relation dans sa totalité peut être exprimée par un seul diagramme; la signification est impossible sans qu'interviennent à la fois l'information et le contexte.

Évaluer le contexte d'une communication implique, pour un individu, de déterminer la quantité d'informations dont son interlocuteur est susceptible de disposer sur un sujet donné. Il apparaît ainsi que tous les individus, selon la culture à laquelle ils appartiennent, communiquent à un certain niveau de l'échelle des contextes, et qu'une des principales stratégies de la communication, que l'on s'adresse à une personne ou à un groupe entier, consiste à définir la teneur adéquate en contexte de ce que l'on communique. Transmettre à des individus des informations dont ils n'ont pas en fait besoin revient à les sous-estimer, et on les trompe en ne leur en transmettant pas suffisamment. Fait remarquable, les êtres humains effectuent automatiquement de tels ajustements, et dans la plupart des cas, réussissent à énoncer des messages dont le contexte est généralement approprié. Là encore, les règles varient d'une culture à l'autre. Ainsi, déduire, en fonction du niveau auquel le contexte est établi, qu'« ils » ne comprennent pas peut être une insulte, même si la supposition est juste. Par exemple, il importe beaucoup aux Allemands du Nord de bien faire les choses. Leur approche est détaillée, méticuleuse, de type pauvre en contexte. Quand ils apprennent une langue étrangère, les Allemands tirent une certaine fierté du fait de la parler correctement, en appliquant exactement les règles de grammaire. Ils sont choqués d'être corrigés par un Parisien qui, lui, communique sur un mode riche en contexte.

On observe aussi le fonctionnement des règles de détermination du contexte de la communication dans le domaine de la publicité : par exemple, les publicités pour des automobiles aux États-Unis. L'information transmise pour la marque allemande Mercedes-Benz est très différente de celle transmise pour les Rolls-Royce fabriquées en Angleterre. Les messages publicitaires pour les Rolls ne communiquent même pas aux lecteurs avertis de magazines automobiles comme *Road and Track* ou *Car and Driver* leur puissance en chevaux. Les représentants de la marque Rolls sont connus pour répondre simplement : « Assez », ce qui n'est pas suffisant pour des lecteurs particulièrement informés, dont certains sont susceptibles d'acheter une voiture de cette marque. Les publicités pour Mercedes, au contraire, transmettent un grand nombre d'informations que les acheteurs potentiels dévorent. Les lecteurs des magazines mentionnés plus haut attendent qu'on leur communique des chiffres pour tout ce qui peut être mesuré, et la puissance en chevaux est un des premiers qu'ils cherchent à connaître. J'ignore pourquoi, mais les Américains semblent incapables d'évaluer quelque performance que ce soit sans y associer un chiffre. Et bien sûr, à des publics différents doivent correspondre des niveaux de contexte différents. On trouve dans la revue américaine *Science* (l'organe de l'Association américaine pour le progrès de la science), deux types d'articles : les uns, modérément riches en contexte, pour les lecteurs profanes, les autres, courts, techniques, riches en contexte, pour des lecteurs spécialistes qui ne cherchent que peu d'explications, voire aucune, pour suivre la description des expériences.

Les stratégies de la communication américaine et japonaise offrent une autre perspective sur les différentes manières d'établir un contexte. Les Américains n'ayant pas eu très fréquemment affaire aux Japonais (en particulier aux plus âgés qui ne se sont pas adaptés aux modèles de communication européens), se plaignent souvent de leur manière détournée d'arriver là où ils veulent en venir. En effet, les Japonais appartiennent à une tradition culturelle qui se caractérise par un mode de communication riche en contexte, et ils ne vont pas au fait très rapidement. Ils tournent autour de l'essentiel, et pensent que des individus intelligents devraient être capables de deviner précisément de quoi on parle en fonction du contexte qu'ils s'attachent à définir avec circonspection. La différence fondamentale qui distingue ces stratégies de communication a plusieurs implications importantes et intéressantes. La culture occidentale, dont les origines remontent à Platon, Socrate et Aristote, a intégré des postulats selon lesquels le seul moyen naturel et efficace de présenter des idées est une invention grecque appelée « logique ». Les Japonais voient en notre méthode syllogistique et son raisonnement déductif une tentative de pénétrer leur esprit et de penser à leur place. C'est, entre autres, pour cette raison que beaucoup de missionnaires européens eurent peu de succès au Japon, comparé au succès qu'ils eurent dans d'autres cultures.

Lors d'un de mes voyages au Japon, il y a de nombreuses années, un seul des missionnaires que j'interrogeai réussissait dans une certaine mesure; il avait en effet appris à connaître les différences entre les modes d'explicitation d'un contexte. Il en concluait très justement qu'on ne pouvait atteindre les Japonais en usant du type de raisonnement employé par Thomas d'Aquin, c'est-à-dire pauvre en contexte, mais qu'il fallait plutôt mettre l'accent sur un autre aspect – à savoir, les merveilleux sentiments que l'on a quand on est catholique. (Les sentiments relèvent d'une partie du système nerveux central, alors que les mots et la logique correspondent à une fonction tout à fait différente du cerveau. On voit donc qu'il faut, pour communiquer avec les gens, savoir quelle partie du cerveau mettre en jeu [3] !)

Une autre importante caractéristique, concernant directement le contexte aussi bien que la communication, est celle du continuum des messages rapides et des messages lents [4]. Chaque culture semble se fixer en divers points de « l'échelle de vitesse de communication », où ses membres communiquent le plus aisément. Il est assez mal venu de transmettre un message de type rapide à des individus aptes à recevoir des messages de type lent. Le contenu de deux types de messages peut être le même, un individu ne reçoit cependant que des messages correspondant à la « fréquence » qui lui est propre. On peut comparer ceci au changement de chaînes sur un téléviseur, mais dans le cas de la communication interindividuelle, peu de gens savent même qu'il existe une chaîne, excepté celle qu'ils utilisent depuis toujours.

Quels exemples de messages rapides et lents peut-on trouver, et quelles sont leurs caractéristiques respectives? Les deux listes suivantes en donnent quelques-uns :

MESSAGES RAPIDES	MESSAGES LENTS
Prose.	Poésie.
Titres.	Livres.
Un communiqué.	Un ambassadeur.
Messages de propagande.	Exposé détaillé d'une opinion.
Dessins humoristiques.	Gravures.
Publicités télévisées.	Séries télévisées d'émissions d'information approfondie.
Épreuves sportives.	Histoire et importance des sports.
Plaisir.	Amour.
Mariages hollywoodiens (de courte durée).	Mariages réussis de toutes sortes.
Appeler quelqu'un par son prénom aux USA.	Appeler quelqu'un par son prénom en Allemagne.
Une reproduction d'œuvre d'art.	L'œuvre d'art elle-même.
Les manipulations de Michael Korda [5].	Amitié sincère.

Ces listes brèves donnent une idée du fonctionnement de ce code dans les cultures occidentales. En fait, tout ce que les êtres humains considèrent et dont ils tiennent compte, correspond à différents points de l'échelle de communication. Tout se caractérise par un mode rapide ou lent. Le sens de la vie, par exemple, est un message qui ne se révèle que lentement au fil des années. Parfois, le message n'en finit pas de se dévoiler. Arnold Toynbee a étudié la grandeur et la décadence des civilisations pour y déceler les messages qui ont traversé, jusqu'à nous, des centaines ou même des milliers d'années. L'histoire est porteuse de messages de très longue durée, appartenant à la catégorie lente. Aux États-Unis, les relations personnelles et les amitiés sont plutôt considérées comme éphémères, alors que dans d'autres cultures, l'amitié met longtemps à s'établir; mais une fois établie, elle dure et n'est pas prise à la légère. Aux États-Unis toujours, les relations sexuelles font partie du code rapide, quand, en fait, il faut des années pour construire une relation étroite et profonde, dans laquelle la sexualité joue souvent un rôle important. L'échelle de rapidité concerne directement le problème de la communication, et en particulier, la communication interculturelle. Caractéristique propre aux États-Unis, le message publicitaire doit être transmis dans un laps de temps d'au moins dix à quinze secondes, et au plus soixante secondes. Il n'est pas rare que six messages publicitaires passent pendant une interruption de deux minutes. Ainsi, le choix du type de message rapide suggère que le produit lui-même ne dure pas très longtemps. Dans ce cas, un message publicitaire de soixante secondes ne convient que pour des articles comme le savon, les cigarettes, les mouchoirs en papier, les couches à jeter, les légumes périssables, les produits d'entretien ménager; il serait au contraire peu approprié pour les banques, les compagnies d'assurances, Mercedes-Benz ou Rolls-Royce, et beaucoup de petites voitures japonaises que l'on imagine dotées d'un halo de durabilité. Les messages publicitaires télévisés sont particulièrement adaptés au mode de communication rapide, pauvre en contexte. La diplomatie, l'habileté politique, la réflexion sur la vie, l'amour, la recherche du bonheur, correspondent davantage au mode lent, riche en contexte, comme les livres ou les séries télévisées de la BBC. Bouddha, Confucius, Mohamed, le Christ, Shakespeare, Goethe ou Rembrandt transmirent tous des messages que l'on déchiffre encore aujourd'hui, après que des centaines d'années ont passé. Pour ce qui concerne ce type de communication, le message transmis par l'intermédiaire de n'importe quel langage, écrit ou parlé, est très lent. On peut en dire autant de la culture en général. Les êtres humains étudient différents types de langages depuis plus de quatre mille ans, et nous commençons à peine à découvrir ce qu'il en est du langage. Il faudra davantage de temps encore pour connaître vraiment la culture, et en particulier la culture primaire.

Observer, sur la place du marché, comment on vend, fournit des exemples intéressants du fonctionnement des méthodes rapides ou lentes, ainsi que des contextes riches ou pauvres. Les Américains établissent assez rapidement des relations avec autrui; de la même manière, les hommes d'affaires américains pensent plutôt l'avenir en tant que succession de courts intervalles de temps : ils planifient l'avenir par tranches de quatre à douze mois. De nombreuses industries n'établissent pratiquement jamais de plans pour les cinq années à venir, même quand un programme tenant compte d'un ensemble de données l'exigerait. Ainsi, les représentants de commerce sont supposés obtenir très rapidement des résultats. C'est le contraire en France; un de mes anciens étudiants découvrit que pour vendre un produit, il devait établir des relations personnelles de longue durée avec ses clients – caractéristique typique du comportement polychrone riche en contexte – et qu'il s'agissait parfois, en matière de vente, d'avoir affaire à trois générations dans le cas d'une entreprise familiale. Ce processus, pouvant demander plus de deux ans, est un exemple de ce que représente une banale démarche riche en contexte. Quand une firme américaine eut acheté sa compagnie, jusqu'alors française, un Américain occupa le poste de directeur; le nouveau chef de mon ancien étudiant ne comprenait pas pourquoi il ne lui suffisait pas de passer la porte et de rencontrer une ou deux fois le client pour lui vendre son produit. Le directeur américain n'était en fait pas disposé à accorder à ses représentants le temps nécessaire pour développer un type de relations approprié à la vente de ses produits. On comprend finalement pourquoi en France, les clients sont liés au représentant plutôt qu'à la firme, et pourquoi ils restent en contact avec lui s'il change de travail. Ce genre de modèle qui implique une relation de longue durée existe aussi en Amérique latine, où les gens accordent davantage d'importance aux relations humaines, considérées comme durables, qu'au libellé d'un contrat qui, lui, ne l'est pas. Il va sans dire que le système américain désavantage le milieu américain des affaires, et seulement peu d'hommes d'affaires en connaissent les raisons.

Il existe aux États-Unis des affaires construites à partir de relations personnelles, comme la petite librairie de quartier où le propriétaire ne connaît pas seulement les livres mais aussi les clients. La librairie Francis Scott Key à Georgetown, près de Washington, en est un exemple. Un jour, ma femme était malade, et je demandai à la libraire de m'aider à choisir quelques livres pour elle. Elle savait non seulement ce que ma femme avait déjà lu, mais aussi ce qu'elle n'avait pas lu, et ce qu'elle pensait lire prochainement! Bien sûr, un service de cette qualité, autrefois commun dans le commerce des livres, est aujourd'hui de plus en plus rare. La commercialisation de masse des livres met en péril l'avenir de nombreuses petites librairies dans tout le pays, et les représentants en livres sont actuellement remplacés par des ordinateurs. On ignore les conséquences à venir de tels changements. L'élément humain, le contact personnel, les relations qu'établissent ceux qui négocient la vente des livres, et la longue expérience des représentants qui les vendent sont éliminés : les décisions sont prises à partir des listings des ordinateurs et du crayon bien taillé d'un comptable. En fonction de ce type d'approche « au ras des pâquerettes », on garde ou on abandonne certaines idées – encore un exemple de décisions qui nous entraînent sur la pente de la dépersonnalisation. La stabilité de toutes les sociétés dépend des échanges qu'ont les individus entre eux. Et la dépersonnalisation réduit cet échange au minimum et contribue ainsi à l'abaissement du degré d'harmonie qui caractérise la société dans son ensemble.

L'harmonie de la communication, c'est-à-dire de la forme, la fonction et la nature du message transmis, est un élément reconnaissable et nécessaire à tous les niveaux, et particulièrement dans le domaine de l'art. En fait, elle est la base de toute forme d'art dans ce qu'il a de plus fort, mais nous n'en avons encore que très peu conscience. Le manque d'harmonie rend les gens anxieux ou les met mal à l'aise. On observe ce principe dans presque toute activité. Un exemple caractéristique est celui d'un individu se faisant passer pour quelqu'un qu'il n'est pas; les détails soigneusement étudiés sont là, mais dans le cas où ils sont mal assemblés ou mal utilisés, ils restent disparates. La musique est un domaine où l'harmonie joue un rôle particulièrement important. Selon Leonard Bernstein, l'œuvre musicale de Beethoven est la plus riche en harmonie qui soit [6]. Beethoven travaillait chaque note jusqu'à ce qu'il trouve exactement la bonne. Ce choix fait, il est évident qu'aucune autre note ne pouvait convenir. Bernstein exprimait ceci à peu près comme suit : « C'est comme si Dieu lui avait dicté cette musique par téléphone! Chaque note est parfaite. » C'est cela l'harmonie : cela inspire respect et admiration.

Dans les cultures euro-américaines, la « loi » est manifestement une donnée permanente, une de nos institutions les plus importantes. Les contrats sont sacrés et engagent des individus, parce que la loi les fonde. Et pourtant, un contrat peut être résilié du jour au lendemain. Comme nous l'avons affirmé précédemment, en Amérique latine les relations humaines sont considérées comme « durables », et en tant que telles, sont traitées comme des messages lents. Ainsi, un Américain du Nord, qui, tout naturellement, fait confiance aux contrats et considère les relations humaines comme appartenant au domaine du « rapide », de l'éphémère, qui n'établit pas de liens de dépendance, sera non seulement vulnérable, mais même gênera ou dérangera dans telle ou telle situation. L'inquiétude, quand elle est produite par l'absence d'harmonie, ne se décèle pas facilement, et quand on l'identifie comme telle, sa cause peut être difficile à définir. Ainsi, l'homme d'affaires nord-américain, qui se sent en sécurité parce qu'il a fait des offrandes propres à satisfaire ses dieux à lui, supposera tout naturellement avoir fait tout ce qu'il devait pour assurer sa survie économique en Amérique latine. Mais, en fait, sa firme et lui accumulent des erreurs, qui risquent de compromettre leur avenir, s'ils ne savent pas tisser des liens d'amitié là où c'est indispensable.

Le type de vulnérabilité auquel je fais référence n'a rien à voir avec la taille, la richesse, la situation géographique, le pouvoir politique ou militaire, mais il peut être tout aussi décisif quand il s'agit de déterminer l'aboutissement d'une transaction. Pour les raisons que je viens d'énoncer, il ne faut pas s'attendre à ce que cette vulnérabilité soit perçue ou reconnue comme telle. Je décris brièvement, dans le chapitre 7, un exemple de ce type de vulnérabilité : celui de l'homme d'affaires américain confronté à des réglementations fiscales françaises rétroactives, en fonction desquelles des individus sont coupables de délits qui étaient, au contraire, des actions tout à fait légales à l'époque où elles furent accomplies.

Les hommes d'affaires américains, quand il s'agit de faire concurrence aux Japonais, subissent les conséquences d'une autre sorte de vulnérabilité directement liée aux différences inhérentes aux systèmes temporels qui leur sont propres. Il est peu probable que les hommes d'affaires américains changent leur manière de procéder. Non qu'ils ne veuillent bien faire, mais la plupart d'entre eux ont un esprit obtus, simpliste. Or, d'un point de vue obtus et borné, le niveau de culture primaire est la plupart du temps considéré comme dérisoire. L'Américain qui se trouve à l'étranger ne dispose pas d'informations suffisantes pour connaître le contexte dans lequel il prend ses décisions, et donc pour en comprendre les conséquences.

Un autre aspect, parfois considéré comme insignifiant, est l'influence sur la vie familiale de différences culturelles liées aux types d'habitat. Les Japonais reprochent maintenant au type d'habitat américain d'affaiblir la grande cohésion de la structure familiale japonaise [7]; et ce phénomène contribue à son tour à la violence de la part des jeunes. Le lecteur se demandera peut-être pourquoi j'aborde des problèmes d'habitat alors qu'il s'agit ici du temps : la réponse est que le temps et l'espace sont nécessairement liés par une relation fonctionnelle. Dans une étude précédente, *la Dimension cachée,* mon épouse et moi-même avions remarqué, à propos de la rénovation d'habitations urbaines occupées par des pauvres (en majeure partie des Noirs), que l'aménagement d'une pièce dans laquelle des enfants d'âge scolaire pouvaient s'isoler en fermant la porte et étudier se traduisait par une amélioration sensible de leurs notes. Dans ce cas, l'espace ménageait du temps pour être seul avec des livres, à l'écart de toutes distractions; et atteindre cette fin supposait des arrangements spatiaux. Pour les Japonais, le remplacement d'habitations traditionnelles japonaises par des pavillons américains construits en série éliminait la part de temps que les adultes et les enfants passaient ensemble. Takeo Matsuda, un prospère magnat de l'immobilier qui contribua à rendre accessibles aux

Japonais des maisons de type américain, craint maintenant qu'elles ne soient en partie à l'origine d'une augmentation de violence dans les familles japonaises et les écoles. Il dit : « Les membres des familles japonaises sont très étroitement liés. Nous avons tous étudié ensemble, et dormi ensemble. » L'habitat américain compartimente la famille; les enfants mènent alors « des vies séparées », et par conséquent, n'acquièrent pas l'habitude d'avoir des égards pour les autres. Matsuda affirme : « Maintenant nous avons tout », mais « nous ne nous aidons pas les uns les autres ».

Il ne fait aucun doute que la compartimentation du temps et de l'espace a accentué certaines tendances narcissiques développées par ailleurs et qu'elle peut être considérée, au moins en partie, comme responsable du comportement « moi d'abord », si caractéristique de la culture américaine – ce qui ne signifie pas que nous devions tous immédiatement supprimer toute forme de cloisonnement; mais les Américains feraient bien de ne pas négliger l'influence des modèles temporels et proxémiques sur notre vie [8].

Le cas que nous allons maintenant exposer concerne le Nouveau-Mexique, et illustre les points suivants : 1° les difficultés rencontrées partout par les gens pauvres pour s'adapter à une société complexe; 2° l'importance de la compréhension du rôle du temps tel qu'il est utilisé par ces familles marginales; 3° l'attention et l'assistance dont beaucoup de gens pauvres ont besoin, et que seules des personnes de confiance concernées, appartenant à leur propre groupe, peuvent leur apporter; 4° l'invraisemblable diversité qui caractérise une culture complexe comme celle des États-Unis; 5° comment des programmes de l'État destinés, avec les meilleures intentions, à aider des gens, ont l'effet inverse [9].

La diversité ethnique existe aux États-Unis depuis leur constitution. Les Espagnols, un des groupes les plus récents, prennent de l'importance de différentes manières, y compris par le nombre. Au Nouveau-Mexique, le contact entre les cultures anglo-américaine et espagnole remonte à plus de cent cinquante ans. Les membres des deux groupes se sont côtoyés, ont travaillé et gouverné l'État ensemble, se sont mariés.

Pourtant, malgré ces mélanges, chaque groupe a gardé son identité propre.

Parmi tous les problèmes rencontrés par les ouvriers espagnols qui essaient de s'adapter à la culture dominante anglo-américaine, les plus difficiles et fondamentaux sont ceux des individus polychrones qui doivent s'adapter à une culture monochrone [10].

L'histoire d'une amie chicana, qui créa une école privée dans le but d'aider des familles dont les enfants sont des cas sociaux, est un exemple de la manière dont ce type de problèmes se pose. Décrivant l'influence de la condition sociale de ses clients sur l'organisation scolaire, elle dit : « Nous devons aller les chercher chez eux parce qu'ils ne peuvent s'organiser suffisamment à l'avance pour prendre le bus à l'heure où il passe. » Reprenant profondément sa respiration, elle continua : « Et pour éviter d'attendre trop longtemps jusqu'à ce qu'elles soient prêtes, je dois téléphoner à certaines mères une heure avant que le bus n'arrive, et cela chaque jour de la semaine. Je leur demande : " Avez-vous réveillé les enfants? Avez-vous pris le petit déjeuner? Vous êtes-vous habillée? Parce que rappelez-vous, vous aussi, vous devez venir " [11]. » Quelles différences entre les familles d'un même pays! Dans les unes, on ne peut même pas prévoir à manger pour tous les repas de la journée, il faut donc courir au magasin pour chaque repas quand tout le monde commence à avoir faim. Dans les autres familles, au contraire, quelqu'un, en général la mère, non seulement fait les courses pour la semaine ou le mois, mais aussi organise un ensemble complexe de programmes, imbriqués les uns dans les autres, couvrant à lui seul une période de plusieurs mois. Malheureusement, la plupart des programmes d'aide de l'État sont implicitement établis à partir des modèles temporels des Blancs américains. Alors qu'en tenant compte de ce que sont les gens, de leur identité culturelle, on parviendrait sans trop de difficultés à créer une série de schémas échelonnés, de complexité croissante, qui feraient intervenir des durées en fonction desquelles il serait possible de mesurer le progrès accompli par les individus.

Les différences interculturelles sont tout aussi importantes que les différences qui existent à l'intérieur d'une même culture, mais considérablement plus complexes. Pensez à tout ce qu'implique, pour des Américains, le fait de travailler en Équateur, où les modèles de comportement et d'organisation sont polychrones. Les Équatoriens [12] ne mesurent pas le temps de la même manière que nous. Pour nous, diviser le temps est un peu comme écrire une phrase sur une page, en espaçant régulièrement les mots pour qu'ils ne soient pas trop serrés. Les Américains du Nord essaient de distribuer le temps régulièrement, et si, pour quelque raison, ils pensent être bousculés vers la fin de leur programme, ils accélèrent le rythme et font le maximum pour pouvoir quand même terminer tout ce qu'ils ont prévu de faire. Les Équatoriens, au contraire, même quand ils savent que quelque chose doit être terminé à la fin de la journée, ne font rien pour que quiconque se presse ou fasse quelque effort supplémentaire. Par exemple, des photographies qui devaient être développées ne le sont pas. Ou encore, s'ils rencontrent quelqu'un au coin d'une rue et apprennent qu'un de leurs amis est à l'hôpital, tout se réorganise en fonction de cette information, car : « Nous devons aller le voir à l'hôpital! » La notion nord-américaine selon laquelle il faut respecter les obligations dans le temps pour épargner toute tension à autrui, n'a pour eux absolument aucun sens. Alors que l'Américain du Nord a intériorisé les modèles en fonction desquels il se comporte [13], les modèles équatoriens restent extérieurs aux individus et, pour cela, ne les contraignent que très peu. Pour les Équatoriens, les relations amicales et familiales, ainsi que la volonté de répondre aux demandes qu'elles impliquent, passent en premier. Des mécanismes de contrôle internes font d'un individu son propre tyran, et le contraignent donc beaucoup plus que des contrôles externes.

Depuis plus de vingt-cinq ans, j'ai une conscience aiguë des différences qui existent entre le temps des Latino-Américains [14] * et le temps des Euro-Américains. Le premier consti-

* Hall parle ici des « Colonial-Iberian-Indians »; il s'agit des populations hispano-indiennes d'Amérique latine. Nous avons choisi de traduire cette expression, chaque fois qu'elle se présentait, par « Latino-Américains ».

tue un système où les relations interindividuelles occupent une place importante, alors que le second met l'accent sur l'accomplissement de procédures (les procédures sont rapides, les relations humaines, au contraire, sont lentes). Mais il existe aussi d'autres différences où l'on observe l'influence de l'Amérique du Sud au nord du Nouveau-Mexique.

Ces deux groupes culturels connaissent les différences se rapportant à leur manière de traiter le temps, mais aucun ne prend l'autre au sérieux. Je peux encore évoquer l'image des Américains du Nord, de haut rang, accoutumés à traiter rapidement leurs affaires; confrontés à un environnement où le mode de communication des individus est lent, et où les relations interindividuelles comptent davantage, ils s'impatientent de plus en plus et continuent d'attendre, alors que l'heure à laquelle un fonctionnaire aurait dû les recevoir arrive, passe, et finalement, disparaît dans le passé. Hypertension artérielle, déception et ulcères étaient « monnaie courante » chez les Nord-Américains travaillant avec des Latino-Américains en Amérique latine. Pourquoi? Je ne trouvai pas la réponse immédiatement. Il me fallut l'extirper des profondeurs du comportement des Américains dans leur pays d'origine, les États-Unis, au cours de plusieurs années. Une fois les raisons identifiées, ce type de réactions s'expliquait clairement.

Pour comprendre les modèles culturels qui rendaient les Américains si malheureux à l'étranger, il faut d'abord dire quelques mots de la différence entre contrôle *externe* et contrôle *interne*. Chez les Occidentaux, la conscience est l'exemple le plus connu et répandu des mécanismes de contrôle interne. Je ne pense pas que ce soit le seul, mais c'est peut-être l'un des plus importants. Ne pas suivre les ordres de la conscience entraîne un sentiment de culpabilité et d'anxiété. On est anxieux quand on réalise que l'on va être en retard, et on fait tout ce que l'on peut pour l'éviter, non seulement parce qu'on se sent obligé d'être à l'heure, mais pour éviter l'anxiété. Dans la mesure où le système de contrôle du temps d'un individu est interne, il est inutile de lui dire ou de lui rappeler qu'il devrait être à l'heure. Le modèle latino-américain constitue un autre ensemble de règles et de mécanismes de contrôle. L'individu latino-américain n'obéit pas, comme nous l'avons remarqué précédemment, à un horaire mais à d'autres individus, en particulier à des parents ou des personnes proches. Alors, que se passe-t-il quand quelqu'un (et ceci arrive inévitablement) est en retard, ou n'est pas au rendez-vous? Celui qui attend n'est pas fâché : il se passe tellement de choses autour de lui, qu'attendre n'a généralement pas grande importance pour lui. De plus, il ne ressent pas cette attente comme une gifle. L'horaire reste quelque chose d'extérieur qui n'est pas lié au moi ou au surmoi, comme c'est le cas pour des individus élevés dans un environnement culturel de type nord-européen. « Être en retard » n'est pas un message, et ne s'adresse pas personnellement à un individu. Pour l'Américain du Nord, cependant, le temps prévu pour une activité qui ne se réalise pas est perdu, et on ne peut jamais le rattraper ou le retrouver. Mais ce n'est pas tout.

Le temps occidental n'est pas seulement structuré fonctionnellement et utilisé pour contrôler l'accomplissement du travail, des activités, et des relations avec les autres; il est aussi traité de manière profondément *symbolique*. Le temps n'est pas uniquement de l'argent, mais aussi une marque de statut et de responsabilité : la marge de liberté dont dispose un individu à l'égard des horaires indique à tout le monde sa situation dans son organisation ou son entreprise; ne comptent pas seulement « le nom sur la porte et la moquette sur le sol », mais encore la liberté plus ou moins grande pour quelqu'un de pouvoir organiser son temps. Et même, dans les limites d'une seule culture, utiliser des modèles d'organisation et de comportement, et s'y conformer, pose des problèmes, dans la mesure où ils sont rarement explicitement énoncés. Ceci démontre cependant combien sont subtils ces types de modèles propres au niveau de culture primaire, et quel ensemble d'obligations ils constituent. Par exemple, il arrive que des individus violent inconsciemment ces règles de comportement non explicites (compliquant ainsi la situation pour eux-mêmes et pour les autres), quand ils utilisent les systèmes culturels primaires pour se donner, en face des autres, un statut auquel ils ne sont en fait pas parvenus – en d'autres termes, quand ils se donnent des grands airs ! Qu'un employé traite le temps de la même manière que son directeur le fait, prenne des libertés avec le système (prendre des jours de congé, arriver le matin à des heures irrégulières, partir tôt le soir, et généralement pousser le système jusqu'à ses limites) peut provoquer un sérieux ressentiment et même de l'angoisse chez les autres employés qui travaillent dans la même entreprise. Les employés devant travailler de nombreuses années pour avoir droit à des horaires privilégiés et souples sont irrités de voir un subalterne prendre de telles libertés.

On peut comparer cela avec le fait de couper de front une file d'attente. Attendre son tour est un des points essentiels de la structure qui sous-tendent la culture occidentale. Les individus qui ont attendu le plus longtemps ou ceux qui ont la plus grande expérience sont considérés comme les plus méritants. Le système temporel d'une culture, ce que les gens en font, la manière dont ils le traitent, est encore plus riche de significations dans la situation où un individu qui a rendez-vous attend d'être reçu : faire attendre plus ou moins longtemps communique à celui qui attend un statut. Bien qu'il existe des différences ethniques et régionales, le modèle le plus courant – en particulier sur la côte est des États-Unis – est le suivant : la durée de l'attente communique à la personne que l'on fait attendre trois ensembles de messages rapides, liés les uns aux autres. D'abord, intervient l'importance de l'affaire elle-même, ensuite le statut de l'individu qui est reçu, enfin la politesse. Si Blevins, assis derrière la porte fermée de son bureau, a l'impression que Wood, son visiteur, a une affaire importante à traiter, il fera certainement en sorte qu'elle le soit rapidement, et à l'heure convenue; de la même manière, si Wood arrive une demi-heure en avance, et compte être reçu immédiatement, il peut, d'une certaine manière, obliger Blevins à le recevoir rapidement en donnant l'impression que l'affaire qu'il vient traiter est plus importante qu'elle ne l'est en réalité. D'autre part, si l'affaire pour laquelle Wood et Blevins doivent se rencontrer est réellement importante, alors Blevins aura déjà rangé son bureau quand sa secrétaire annoncera : « M. Wood de la Mutuelle du Nebraska est là,

M. Blevins. » (Wood est là, par exemple, pour discuter un prêt à long terme que Blevins négocie depuis des mois.) Dans de telles circonstances, Blevins sera prêt quel que soit le moment où Wood arrivera. Le cas contraire signifierait, de la part de Blevins, un manque d'intérêt ou de l'indifférence pour ce prêt, et pourrait conduire le prêteur à chercher ailleurs.

Néanmoins, pour des affaires courantes, une longue attente, de vingt-cinq à trente minutes, indique symboliquement que l'affaire de Wood ne représente plus rien, mais aussi que le rang et le statut de Wood ne comptent plus et sont délibérément ignorés. D'abord, son affaire est dépréciée, mais cela peut simplement s'expliquer par la situation des affaires de Blevins, qui, pour des raisons indépendantes de sa volonté, n'est pas intéressé, ou qui ne peut prendre de décisions immédiatement. Cependant, à moins qu'il ne veuille être méchant ou impoli, il ne fera pas attendre Wood au point que sa position en soit gravement affectée. C'est précisément à ce point que Wood se vexe de plus en plus et que sa tension artérielle commence généralement à monter...

Si le lecteur est un Occidental, et que, consciemment ou inconsciemment, il ne se révolte pas contre son système culturel, il se souviendra sans peine de circonstances où on le fit attendre assez longtemps pour qu'il commence à se poser des questions sur son statut. Chacun réagit à une telle situation de manière tout à fait personnelle. Certains médecins et la plus grande partie des employés des services hospitaliers sont connus pour leur mépris des coutumes d'un pays. Ce ne serait pas grave si les patients n'en subissaient pas autant les conséquences. Le message circule, cependant : le personnel de l'hôpital a des responsabilités, il est important, et le patient ne l'est pas (il a déjà bien de la chance d'être ici). Le patient, dans la plupart des cas, voit son statut réduit en fonction d'un ensemble de mesures et de critères non verbaux, au point qu'il n'est pas vraiment considéré comme un individu. Ceci n'est pas délibérément voulu; les choses se passent ainsi, c'est tout. Cette situation, pourtant, devrait changer. Les individus polychrones ressentent encore plus durement nos structures hospitalières que les individus monochrones. Les Occidentaux admettent l'importance des horaires même s'ils ont du mal à accepter les significations liées à ces horaires et aux personnes qui les ont établis. En revanche, les individus polychrones ne trouvent pas à l'hôpital ce dont ils ont besoin, c'est-à-dire la présence de parents et de nombreux amis : les réglementations et les horaires de visite fixes ne le permettent pas.

Quand les systèmes de contrôle sont externes – c'est le cas pour l'organisation du temps dans l'industrie, pour les horaires dans l'armée, les écoles, les entreprises, les hôpitaux –, on remarque qu'ils sont souvent appliqués avec rigidité. Tout dépend cependant de l'administrateur. Le problème se situe dans les inégalités et les exceptions, dans la mesure où tout le monde ne doit pas se mettre au travail à la même heure. Établir par écrit des réglementations qui tiennent compte de toutes les éventualités est en fait impossible et deviendrait pesant. Une telle complexité ajoute à la lourdeur et à la taille d'une administration. En règle générale, un contrôle externe entraîne inévitablement une certaine complexité. Il est, de plus, presque impossible de modifier ce système de contrôle de l'extérieur; en général, seuls les intéressés occupent une position leur permettant de le simplifier.

A ces problèmes s'en ajoutent d'autres, similaires – étroitement dépendants du temps. Ils sont à l'origine de malentendus dans presque tous les bureaux où sont en relation des individus, de culture américaine, monochrones, et des Latino-Américains polychrones. Il s'agit ici de problèmes causés par les manières différentes qu'ont ces deux groupes de considérer les autres individus et les procédures. La question n'est pas simple et présente des ramifications dépassant ce qu'on peut imaginer. Quand il est nécessaire d'agir, de changer quelque chose, de mettre au point un système pour éviter que des erreurs passées ne se reproduisent, la réaction immédiate des Occidentaux est de consulter les procédures, puis d'essayer de définir des alternatives appropriées afin de corriger ce qui doit l'être. Mais c'est précisément à cause de cette tendance à avoir recours aux procédures que nos bureaucraties sont touchées par la fraude. L'essentiel c'est que la « procédure » appropriée soit appli-

quée. On y accorde trop d'importance, et les rouages bureaucratiques commencent alors à grincer.

La réaction des Latino-Américains est très différente.
D'abord, quand un problème se pose, ils déterminent immédiatement ce qu'il implique, et quelles seront les conséquences
humaines des solutions envisagées. S'il s'agit d'un problème
personnel, il doit être traité de façon humaine et sensible; une
question se pose alors : « Qui, parmi les gens que je connais,
peut m'aider? » S'il s'agit d'un problème d'organisation, ils
s'adressent à des responsables, susceptibles de les aider. Et
s'ils ne connaissent personne au moment précis où le problème
se pose, ils cherchent, jusqu'à ce que le maillon approprié
faisant partie de la chaîne humaine soit localisé. Bien sûr, les
deux systèmes s'appuient à la fois sur les individus et sur les
procédures, mais chaque groupe culturel met l'accent sur un
aspect différent.

Il est presque impossible à des individus dont le mode de
communication est rapide et qui attachent une importance
particulière aux procédures, de passer outre les procédures
établies – même quand il s'agit de trouver une solution d'urgence. Ils ont non seulement l'impression que ce ne serait pas
bien, mais aussi, que sans respecter les procédures appropriées,
rien ne marche. Comme nous l'avons déjà remarqué, les systèmes de contrôle externe ont tendance à devenir complexes –
ce qui signifie que les procédures propres aux membres des
groupes culturels latino-américains sont parfois pesantes. Ainsi,
le pauvre bureaucrate américain en poste à Rio, qui reçoit un
télégramme de New York lui demandant de prendre le prochain
avion pour Washington, doit surmonter un double obstacle. Il
doit faire face à l'urgence de quitter le pays dans les trois
heures qui suivent, alors que les « procédures » brésiliennes
imposent, en principe, un délai d'au moins trois jours. Bien sûr,
les Brésiliens, dans cette situation, trouvent simplement un ami
qui leur permet d'éviter les procédures.

Les Nord-Américains ne se rendent pas toujours compte
facilement que traiter des affaires au Brésil doit leur coûter
le temps nécessaire pour entretenir des relations de travail
amicales avec des individus occupant des postes stratégiques

dans les domaines des affaires et de l'administration. Sans ces relations, rien ne se fera. Connaître quelqu'un et l'avoir pour ami représente parfois une différence capitale en cas d'urgence. Un Sud-Américain n'agit pas (ne peut agir) simplement en fonction de cette donnée abstraite : l'individu qui attend son tour depuis le plus longtemps doit passer avant son ami. Si quelqu'un doit attendre, cela signifie qu'il n'a pas de relations (et dans ce cas, cela ne vaut pas la peine de s'occuper de lui), ou qu'il ne sait pas comment s'y prendre avec les gens et n'a pas d'amis. Dans chacun des cas cela équivaut à une condamnation.

Les procédures, les horaires et le système temporel monochrone et linéaire constituent un ensemble, l'importance accordée aux relations interindividuelles dans le cadre de transactions bureaucratiques, la polychronie et les horaires peu contraignants en constituent un autre. Pour avoir travaillé la plus grande partie de ma vie au contact des cultures occidentale et latino-américaine, je me suis rendu compte, de plus en plus, que le niveau de culture primaire existe « pour de vrai ». Cela ne signifie pas seulement que des individus de culture latino-américaine ne comprennent pas la nécessité d'arriver à l'heure ni de mener à terme un projet selon les modèles culturels occidentaux, mais que ces individus sont sous l'emprise d'un modèle, alors que je suis sous l'emprise d'un modèle complètement différent.

5

Les rythmes culturels :
temps nuer, tiv et quiché

Winston Churchill dit un jour : « Nous donnons une forme à nos édifices, puis, ce sont eux qui nous forment » ; il déclara ceci au cours d'un débat sur le style qu'il fallait donner au Parlement de Londres, bombardé pendant la Seconde Guerre mondiale. Churchill avait raison, bien sûr ; pourtant l'espace n'est pas la seule dimension qui nous modèle. Le temps aussi nous modèle, mais il est seulement plus difficile pour nous de réaliser que nous modelons notre vie en construisant des systèmes temporels. Seulement récemment, on a commencé à reconnaître l'influence du temps et de l'espace sur la nature et les implications du comportement.

L'africaniste réputé E. E. Evans-Pritchard, spécialiste des cultures africaines et l'un des pères de l'anthropologie, fut le premier, à ma connaissance, à consacrer la majeure partie d'une recherche ethnographique au temps et à l'espace [1]. Il reconnut aussi l'existence d'une différence fondamentale dans la manière dont le peuple africain perçoit et structure le temps. Il comprit que le temps avait une signification et une structure particulières à chaque culture, et fut suffisamment perspicace pour considérer le temps comme produit de l'esprit humain, et non plus comme une constante transcendant toute culture. Evans-Pritchard distingue deux catégories dans le système temporel des Nuer (une des tribus de l'Afrique orientale) : le temps écologique *(sic)* et le temps structurel. Le temps écologique est essentiellement celui des saisons, des cycles annuels, des mouvements migratoires des animaux ; il s'agit là des aspects temporels de la nature dans la cosmologie nuer. L'autre aspect c'est que les Nuer ont structuré le temps comme composante de leur vie sociale et culturelle. A ce propos, Evans-Pritchard constate que « ce sujet est hérissé de difficultés ». Et c'est vrai, ce sujet est effectivement hérissé de difficultés dont beaucoup ne sont pas encore résolues. En reconnaissant ceci, Evans-Pritchard a fait preuve de finesse et de perspicacité. Évoquant son expérience, il affirme : « Pour les Nuer... le temps n'est pas un continuum mais une constante entre deux points... la première et la dernière personne d'une lignée familiale. » Pour les Nuer, le temps représente un élément fixe, une sorte de canal parcouru par les familles et les groupes. La métaphore visuelle évoquée par son analyse est comparable à l'image stroboscopique d'une roue qui tourne et dont les rayons sont figés dans le temps par les faisceaux synchronisés de la lumière. Les Nuer savent que la roue tourne, mais elle donne l'impression de rester immobile, alors que les générations, parties du moyeu, se déplacent le long des rayons jusqu'à la jante. Les Nuer se rendent compte, d'une certaine manière, que le temps passe, mais il est nécessaire pour le fonctionnement de leurs structures culturelles de le traiter en tant qu'élément immobile – ils considèrent que seules les générations passent.

Mon collègue Paul Bohannan [2], à la suite d'Evans-Pritchard, fournit une nouvelle et pertinente étude du temps africain, consacrée cette fois au temps des Tiv au Niger. Bohannan propose une description des structures temporelles tiv, beaucoup plus complète que celle d'Evans-Pritchard sur le temps nuer, et dont nous lui sommes redevables. Pour les Tiv, le temps est quelque chose comme un ensemble d'espaces clos, contenant chacun une activité différente. Ces espaces clos de temps, comme les canaux des Nuer, semblent avoir été relativement fixes : on ne peut les déplacer ou les réorganiser, ni changer ou interrompre l'activité en cours à l'intérieur de ces espaces, comme on le fait dans les cultures occidentales [3]. Une fois à l'intérieur d'une de leurs aires d'activité-temps, les Tiv, comme leur activité, sont inviolables. Comme une horloge dans un coffre-fort, ils sont enfermés, à l'abri de toutes interruptions. Les Occidentaux envient peut-être cette situation, puisque même les présidents sont parfois interrompus dans leur activité.

Essentiellement dominé par les activités des individus, le temps tiv est intimement associé aux célèbres marchés africains. La vente des marchandises sur un marché, comme toute activité liée à la production, dépend des caractères de la région. Sur un marché tiv, ne se vend qu'un seul type de marchandise; ainsi les Tiv déterminent le jour de la semaine en fonction de ce qui se vend sur le marché, par exemple le jour du cuir, du cuivre, du bétail, des légumes, etc. Chaque région, comme on peut l'imaginer, a son propre ordre de production et de vente des marchandises; ainsi les jours de la semaine se suivent dans un ordre particulier à cette région. Les Tiv n'essaient pas d'unifier ces différences; il est évident pour eux que le temps constitue un cadre permanent à l'intérieur duquel leurs multiples activités se complètent, comme les pièces d'un puzzle. Un Occidental considère au contraire comme rassurant de fixer temps, espace et activité, et de les assembler harmonieusement. Cependant en fonction du modèle temporel tiv, les marchés et les marchandises qui s'y vendent forment un ensemble permanent (comme la roue du temps nuer), et les relations entre marchand et acheteur s'établissent et se développent comme partout ailleurs dans le monde. Chaque jour marque chacun de sa tonalité particulière, selon le rythme et les caractéristiques de chaque marché. Chaque semaine répète et renouvelle en même temps les semaines précédentes. On trouve facilement aux États-Unis des cadres relativement comparables; on pense par exemple à la femme qui réserve chaque jeudi pour aller en ville, ou encore au voyageur de commerce qui effectue des tournées hebdomadaires ou mensuelles. Mais aucun de ces cadres n'est lié temporellement à une institution centralisée comme un marché, auquel tout le monde participe, et chaque rôle n'est pas nécessairement à une place fixe, comme c'est le cas pour le modèle tiv.

Une telle structure peut donner l'impression aux Occidentaux que les Tiv sont routiniers, et savent ainsi ce qui se passera d'une semaine à l'autre. Cela arrive aussi dans notre culture, bien que différemment. Les Occidentaux créent aussi des ornières, et de manière tout à fait intéressante : nous les appelons « routines ». Les routines font, par exemple, partie du domaine des transactions, des réactions suscitées par les autres et par nous-mêmes : nous savons que nous suivons une routine quand nous prévoyons ce que quelqu'un va dire et quelle sera notre réplique. Nous suivons aussi une routine quand il n'y a plus ni surprise ni nouveauté, en particulier plus aucune idée nouvelle, quand rien de nouveau ne se produit en littérature, art, musique ou danse, ou encore quand ne se développe plus aucune nouvelle manière de voir les choses. H. H. Munro (Saki) a écrit une charmante satire qui illustre ce propos. Le protagoniste, Clovis, rend visite à un pasteur anglais et à sa gouvernante qui tous deux ne s'écartent pas un instant de leur train-train quotidien. Clovis les surprend à se plaindre d'ennui et, parvenu à déterminer les causes de cet ennui, fait en sorte de semer la pagaïe dans la vie du pasteur et de sa gouvernante en bouleversant totalement leur routine. Munro choisit d'intituler cette petite histoire *la Cure de turbulences* *.

Dans son livre intitulé *Time and the Highland Maya* [4], Barbara Tedlock décrit remarquablement la manière dont les Indiens Quiché structurent le temps, et comment cette structure temporelle particulière implique une manière de vivre complètement différente de celle des Occidentaux. Établir des correspondances entre temps quiché et temps occidental n'est possible que dans un sens extrêmement limité.

Les Quiché descendent des Maya et vivent dans des villages sur les hauts-plateaux du Guatemala. Ils ont hérité du calendrier maya, un des plus complexes au monde à l'époque de la conquête du Mexique et de l'Amérique latine par les Espagnols. Les Maya enregistrèrent les cycles lunaires et solaires, calculèrent la date des éclipses, et déterminèrent les orbites de Vénus, Mars et Jupiter, avec une précision égale et parfois supérieure à celle des calculs de leurs conquérants. Les Maya déterminaient avec précision la date de leurs

---

* *The Unrest cure.*

fêtes religieuses, mais aussi leur vie quotidienne était si intimement mêlée à leur système temporel qu'il est impossible de les comprendre séparément. Il y a des spécialistes, des devins, pour interpréter le temps quiché. Devin se dit d'ailleurs *Ajk'ij,* ce qui signifie « gardien du jour ». Pour saisir le sens profond de la culture quiché, l'anthropologue Tedlock et son mari se mirent en apprentissage chez un devin; ils pratiquent aujourd'hui la divination quiché. La fonction de « gardien du jour » étant sacrée, les devins sont en fait des prêtres-shamans. Ainsi, tout le système religieux quiché (qui constitue aussi un ensemble de pratiques de guérison) repose sur l'activité divinatoire des « gardiens du jour » qui représentent ainsi un lien entre les individus et les dieux.

Suivant la tradition de leurs ancêtres, les Quiché ont deux calendriers, l'un civil, l'autre religieux (sacré-divinatoire). Composée de dix-huit mois de vingt jours chacun, l'année du calendrier civil compte 360 jours, et 5 jours restants. Le calendrier religieux qui compte 260 jours n'est pas divisé en mois : c'est un assemblage formé de vingt combinaisons. Ces deux calendriers s'imbriquent l'un dans l'autre, comme deux engrenages rotatifs, pour former la « ronde du calendrier » qui ne se répète qu'une fois tous les cinquante-deux ans.

Outre cet engrenage de deux calendriers, il existe des particularités d'ordre qualitatif qui méritent qu'on s'y arrête. On admet généralement aux États-Unis et en Europe que tout a un commencement et une fin : on marque la fin d'une année et le commencement d'une nouvelle année; la majuscule au début de la phrase, le point à la fin, le premier et le dernier jour de la semaine indiquent tous un commencement et une fin. On peut considérer n'importe quoi, les relations, les professions et les carrières, les repas, le travail fourni pour obtenir des diplômes élevés, tout a un commencement et une fin. Or, Tedlock prouve de manière convaincante que le calendrier quiché de 260 jours, comme une roue, n'a ni commencement ni fin.

Mais il a d'autres particularités encore. Sur la base de leur calendrier sacré de 260 jours, les Maya ont construit un système élaboré de divination. Chaque jour a des caractéristiques particulières, et seul un divin-shaman peut donner d'un jour une interprétation appropriée. Ceci est particulièrement important quand des décisions graves sont envisagées. Et chacun des vingt jours n'a pas seulement un nom et un caractère spécifique d'ordre divin, il est aussi associé à un chiffre. La « nature » des jours varie ainsi en fonction du chiffre qui les accompagne. Les actions ou changements envisagés dépendent aussi du jour que l'on choisit pour les accomplir : un « bon » jour dans un contexte peut être mauvais dans un contexte différent. Certaines combinaisons sont favorables, d'autres défavorables; et la combinaison détermine comment on doit interpréter chaque jour.

La nature du système temporel lui-même, ainsi que la nature des rapports qui lient les individus à ce système, les contraignent à considérer chaque jour afin d'y déchiffrer son message sacré. Chaque message a aussi une signification particulière pour la vie de chaque individu. Les calendriers maya sont structurés de façon à diriger l'attention des gens non seulement sur le fait d'interpréter la signification des différentes combinaisons de noms et de chiffres, mais aussi sur la signification de ces combinaisons dans différents contextes. Le contexte dans lequel un message s'inscrit fait partie de sa signification. Il apparaît donc clairement que les Quiché sont un peuple dont le mode de communication est très riche en contexte.

Dans le système temporel occidental, en revanche, aucune différence formelle ne distingue les jours du calendrier, sauf le dimanche, le jour du sabbat, et les jours fériés comme Thanksgiving, Pâques, Noël, ou le Nouvel An. Tous les jours, même les jours de vacances sont en fait indifférenciables. Les jours de la semaine sont semblables indépendamment du mois, de la saison ou de l'année. L'étymologie de quatre des sept jours de la semaine indique clairement qu'on les nomma à l'origine d'après les noms de dieux de la mythologie scandinave : Tiw's day, Woden's day, Thor's day, Fria's day *; ces noms ont donc pu avoir autrefois une tout autre signification.

* Il s'agit en anglais de Tuesday, Wednesday, Thursday et Friday (respectivement, mardi, mercredi, jeudi, vendredi).

Pour un Européen, cependant, le système quiché évoque l'astrologie. Mais il ne s'agit pas d'astrologie, et encore une fois, il faut tenir compte du contexte dans lequel s'inscrit ce système. Pour les Euro-Américains, l'astrologie est le contraire de la science. Beaucoup ne prennent donc pas l'astrologie au sérieux parce qu'elle n'est pas scientifique. Pour ce qui concerne les Quiché, mon propos n'est pas de déterminer si un système temporel de type astrologique est valable ou non, ni même s'il est logique en fonction des définitions occidentales. Je m'intéresse plutôt à l'influence qu'un tel système a sur les gens – sur leur manière de penser et de vivre. Chez les Quiché, le calendrier et ce qui s'y rattache constituent un environnement mental qui imprègne tout ce qu'ils font et pensent.

Aussi, le temps quiché remplit-il des fonctions spécifiques qui concernent la guérison, la religion, l'économie, le bien-être, le mariage, la famille et la bonne gestion des affaires villageoises. Les ancêtres et créatures mythologiques, la sorcellerie et la magie noire sont tous investis et renforcés par le système temporel.

Il est difficile de décrire seulement avec des mots un système temporel comme le système quiché-maya. Les mots ont davantage d'importance qu'ils ne devraient en avoir. Ce ne sont en fait que des symboles et, précisément, l'utilisation de symboles pour décrire ce que des gens font implique un processus par lequel les symboles et l'histoire qu'ils racontent acquièrent, d'une certaine manière, une vie propre. Il se crée une nouvelle réalité, tout à fait différente de la réalité exprimée, en l'occurrence, par les Indiens guatémaltèques de sorte que nous manque à nous, lecteurs, chercheurs, le contexte adéquat. J'essaie de rappeler au lecteur que la réalité dont je parle existe indépendamment de ce que moi-même ou quiconque en dit, ou pense. Étant donné la réalité qu'ils vivent, les Quiché s'interrogent sur la nature profonde de chaque jour, sur sa particularité en tant qu'elle est liée à leur propre particularité, à leurs désirs, leur passé, et à ce qu'ils se proposent de faire dans l'avenir. Les Quiché doivent absolument penser au processus selon lequel chaque jour doit être vécu. Notre système temporel a un effet presque complètement opposé.

Dans la culture occidentale, le temps est un réservoir vide qui attend qu'on le remplisse; de plus, ce réservoir se déplace comme s'il se trouvait sur un tapis roulant. Quand on « perd » son temps, le réservoir passe sur le tapis roulant en n'étant que partiellement rempli, et le fait qu'il ne soit pas plein a une signification. Un individu est jugé en fonction de ses réservoirs de temps : qu'ils soient pleins représente un atout majeur, et s'ils sont pleins de bonnes actions et de réalisations constructives, on estime alors qu'il a une « vie remplie et productive »! En fonction de ce critère, on considère certaines personnes comme plus productives que d'autres; elles ont ainsi besoin de réservoirs plus grands, alors que nous nous tenons à l'écart, admiratifs de tout ce qu'elles accomplissent dans leur vie. Avoir fait peu ou n'avoir rien fait du tout, signifie qu'aucun réservoir n'est plein. Passer la journée en compagnie, à s'entretenir avec les uns et les autres, sans but particulier, appartient à la catégorie du « ne rien faire ». D'autres personnes, cependant, en fonction d'autres critères, ont une vie très productive en étant simplement encourageantes, serviables et réconfortantes pour les autres. Ces bonnes âmes – et ce sont vraiment des bonnes âmes – en viennent parfois à penser qu'elles n'ont « pas fait grand-chose de leur vie »; alors que les réservoirs des autres sont pleins, elles se demandent où en sont les leurs.

Comparées à d'autres cultures, comme celle des Quiché, les nôtres paraissent particulièrement égocentriques, dans la mesure où notre système temporel nous interdit d'oublier que nous seuls pouvons remplir les réservoirs. Nos propres règles non écrites nous disent que personne ne peut nous y aider. Le temps lui-même est considéré comme neutre. Sa seule caractéristique est d'être implacable, impitoyable : il n'attend personne.

La loi de la productivité ne cesse de nous dominer. Les Américains doivent mettre chaque instant à profit, parce que chaque réservoir est divisé en heures, minutes, et même secondes. Nous regardons derrière nous et disons : « Comment est-il possible que la semaine soit passée si vite », ou bien : « Aujourd'hui c'est lundi, vendredi va arriver, et la semaine sera finie » – une manière indirecte de dire : « Je n'ai pas fait tout ce que j'aurais dû faire. » Les Quiché, au contraire, ne pensent pas devoir tirer profit de chaque instant. Ils sont confrontés à une autre tâche, plus subtile : vivre chaque jour de manière adéquate.

Pour les Quiché, vivre, c'est un peu comme composer de la musique, peindre, ou écrire un poème. Chaque jour vécu de manière adéquate peut devenir une œuvre d'art, et au contraire, si les combinaisons adéquates ne sont pas trouvées, un désastre. Il est difficile pour les individus de culture occidentale de distinguer ou comprendre de telles différences. Pourquoi? Parce que nous prêtons très peu attention à ce que signifie « bien vivre ». Dans notre partie du monde, vivre va de soi; nous vivons automatiquement, sans y penser. Vivre consiste dans une large mesure à remplir ces réservoirs – avec des événements objectifs.

Si on considère maintenant les Quiché en tant que groupe, on constate que leur système temporel a représenté une source considérable de détermination dans leur tentative difficile et parfois presque impossible d'intégrer des institutions européennes, une culture et des coutumes matérialistes, de manière à ce qu'elles signifient pour eux quelque chose. Il est caractéristique du mode de pensée quiché d'évaluer *consciemment* tout ce qui fait partie du monde extérieur, de s'interroger sur tout. Quand quelque chose est jugé positif, les Quiché l'adaptent alors à leurs coutumes locales; dans le cas contraire, ils le rejettent. Par conséquent, rien n'est jamais considéré comme étranger ou surprenant. Les Quiché ignorent simplement les coutumes, croyances, procédures et cérémonies qu'ils estiment superflues, et ne pouvant s'intégrer à leur système. Ainsi, les fondements de leur vie ne sont pas menacés. A cet égard, la différence entre nos deux cultures a des conséquences d'une grande portée. Aux États-Unis, les Noirs et les Américains indigènes, en tant que groupes culturels, constituent des îles entourées d'une mer de culture occidentale. Au cours du temps, les uns comme les autres ont subi à divers degrés la destruction de leurs particularités culturelles; une telle destruction aurait pu être en partie évitée s'ils avaient eu la chance de partager quelques-uns des modèles fondamentaux quiché d'adaptation ou de rejet.

Une digression est ici nécessaire pour ajouter quelques considérations sur ce qui arrive quand des membres de deux cultures différentes se rencontrent. Certaines cultures sont plus réceptives à la différence que d'autres. Les Occidentaux, par exemple, ont des difficultés à accepter toute différence. Il existe, par conséquent, de très forts et très profonds courants de prosélytisme qui constituent une des principales caractéristiques de toutes les cultures occidentales. Nous sommes ceux qui envoyons des missionnaires, non seulement pour propager la religion, mais en fait pratiquement tous les autres aspects de notre culture. Les Américains, en particulier, semblent dominés par le besoin de modeler les autres à leur image. Cette pulsion qui nous porte à reproduire notre propre culture est associée à l'implicite conviction que la culture est en quelque sorte un vêtement que l'on peut mettre et enlever. Contrairement à beaucoup d'autres peuples, nous ne vivons pas notre culture comme quelque chose qui pénètre chaque cellule de notre corps, comme la source de toute signification dans notre vie. Dans la mesure où les Américains considèrent la culture comme un élément superficiel, susceptible d'être répandu sans bouleverser la base sur laquelle elle se répand, ils ignorent souvent les conséquences désastreuses de leur tendance au prosélytisme.

Les chercheurs qui étudient la culture s'accordent maintenant généralement pour considérer que la culture primaire, noire, informelle (inconsciente), a résisté aux ravages causés par les Blancs pendant la période de l'esclavage. L'histoire des Américains indigènes est à la fois plus gaie et plus triste. Du côté gai, les Indiens Pueblo du Sud-Ouest ont réussi à survivre en préservant presque totalement leur culture. Mais d'autres Indiens ont eu moins de chance, leurs cultures ont été écrasées ou se sont effondrées, se révélant par là extrêmement vulnérables aux coutumes et institutions occidentales. A cet égard, les Quiché sont remarquablement bien protégés contre la culture euro-américaine. Leur manière de traiter le temps peut expliquer leur résistance à la désintégration culturelle.

Selon Tedlock, les Quiché traitent le temps comme un processus dialectique. Ceci signifie, selon ses termes, que « quel que soit le moment considéré, passé, présent ou futur, on ne peut l'isoler des événements qui y ont mené et de ceux qui en découlent ». Les Américains, bien au contraire, abandonnent l'ancien et serrent passionnément le nouveau sur leur cœur; leur attitude à l'égard des idées, des livres, de la musique, des automobiles, des styles, et, plus récemment, du couple, le montre. Et même quand ils redécouvrent l'ancien, ils le considèrent comme du nouveau; de la même manière ils évitent de s'interroger sur leurs « racines ». Nous vivons dans une culture où la plupart des choses sont à jeter; la continuité n'existe pas tout simplement. Aussi, quand quelque chose de nouveau est assimilé ou adopté – une croyance, un style de vie, ou même un époux ou une épouse –, interviennent des modèles profonds, inconscients, en fonction desquels nous nous sentons nécessairement contraints de renier ce qui l'a précédé. En reniant notre passé, nous fragmentons l'histoire, et nous en venons ainsi à casser les quelques derniers fils qui donnent unité, équilibre et cohésion à la vie.

Les Quiché n'ont pas ce problème; et dans la mesure où aucune culture n'a conçu les choses comme elles sont, nous n'avons qu'à examiner les résultats. Étant donné la nature dialectique de leur système temporel (qui lie tous les aspects de la vie ensemble), les Quiché n'éprouvent pas le besoin de se débarrasser d'éléments étrangers intégrés à leur système. Ce principe s'est trouvé appliqué quand ils acceptèrent sans hésitation Tedlock comme apprenti devin, de la même manière qu'ils auraient accepté un Maya. Ce qui n'aurait jamais été possible chez les Indiens Pueblo. Les Quiché, modelés par leur système temporel, ne pensaient pas qu'elle dût renier sa propre culture, mais seulement intégrer une nouvelle matière à ce qu'elle possédait déjà. Aux États-Unis, dans des circonstances similaires, nous essaierions résolument d'éliminer les éléments étrangers à notre culture, sans tenir compte du fait qu'ils aient pu exister déjà depuis longtemps dans une autre culture, ou être profondément intégrés à la structure psychique de l'individu.

On observe ce genre de reniement à l'œuvre dans le syndrome du « recommencement », si caractéristique du mode de vie américain. En réalité, nous pouvons modifier notre conception du passé ou des événements appartenant à ce passé, mais le passé est toujours là; il ne disparaîtra jamais, et on ne peut le transformer [5].

Pour résumer la signification du temps quiché on notera que le rôle du devin « gardien du jour » est de rappeler constamment : 1° l'existence du système temporel sacré; 2° les devoirs que chacun a envers ses ancêtres, ainsi que les liens qui attachent chaque individu aux actions de ces ancêtres (une erreur commise par un ancêtre est parfois la cause d'un malheur présent); 3° la relation de chacun à la terre, aux esprits de la nature et aux dieux; 4° les relations et les obligations de chacun envers l'ensemble de la communauté. Il existe très peu de cérémonies dans les cultures occidentales où on ait le devoir de penser à Dieu, à la famille, et aux rapports que l'on a à soi-même et aux autres.

Le temps quiché lie les individus à leur village, à leurs ancêtres, aux dieux, et domine leur vie quotidienne. A ces titres il entre dans le processus de divination, auquel s'ajoute la relation qui lie les individus les uns aux autres par l'intermédiaire de leur corps. L'utilisation du corps comme émetteur, récepteur et analyseur de messages constitue une caractéristique importante de la divination quiché. Je ne fais pas ici référence au « langage du corps », mais à des fonctions physiologiques du corps lui-même qu'on lit alors comme on lit un livre.

Les Quiché considèrent la circulation du sang comme un élément actif du système de communication corporel. La capacité divinatoire du sang est, pour eux, directement héritée de leurs ancêtres. Le corps du shaman ou celui du patient peut être utilisé dans ce but. Quand on utilise le corps du patient, le shaman ressent une pulsation dans différentes parties de son corps. Cet effet de pulsation est différent du nôtre et le rythme sert à établir un diagnostic. C'est plutôt pour sa signification qu'on analyse ici le caractère général de la pulsation, ainsi que les tremblements et les mouvements convulsifs. Par exemple, une fois le shaman, Barbara Tedlock en l'occurrence, était assise, les jambes allongées devant elle. Si la pulsation remontait à l'intérieur de ses jambes, cela signifiait que le patient vivrait. Si, au contraire, la pulsation était extérieure, le patient mourrait. En plus du sang, le shaman utilise donc l'information transmise par les muscles longs du corps qui se convulsent, contractent ou tremblent. La partie du corps où le sang produit une sensation et la manière dont les muscles réagissent constituent un ensemble de messages.

Le lecteur occidental peut, de nouveau, ne voir en ce type de diagnostic que sottises et pure superstition. Ce serait juste, dans notre cadre de référence, parce que les Occidentaux ne savent que très peu lire les messages du corps. Notre connaissance se limite aux messages lents de type psychosomatique, et omet les messages rapides qui signalent ce qui se passe immédiatement dans le corps. Tedlock et son mari ont appris à « lire » leur propre corps selon les méthodes quiché, et affirment catégoriquement avoir pu utiliser divers types d'informations dans leurs relations avec d'autres individus, dont ils n'avaient pas eu connaissance jusqu'alors. Dans un autre contexte, j'ai connu un psychanalyste qui sauva sa vie en se fiant exactement au même système pour lui indiquer ce qui se passait chez un patient. Ce thérapeute soignait alors une femme extraordinairement séduisante et agressive. Mon ami avait échappé à la mort de justesse en évitant déjà deux fois les agressions de la patiente; il estima alors nécessaire de trouver un moyen plus sûr de rester en bons termes avec elle. S'il n'avait eu une fois le réflexe de se baisser en une fraction de seconde, sa tête aurait été écrasée par un lourd cendrier à pied. Aurait-il autant de chance la prochaine fois? Les agressions de la patiente survenaient de manière inattendue, et à une vitesse foudroyante. Aucun signe extérieur habituel n'indiquait que quelque chose était sur le point d'arriver. Toutes les indications sensorielles dont dépendent les individus pour s'informer sur leur entourage manquaient. En fait, il semblait plutôt que les agressions se produisaient alors que le thérapeute s'y attendait le moins, quand il se détendait, moment où il était le plus vulnérable. Les thérapeutes qui ont à traiter des malades agressifs savent aussi qu'il est important pour eux de pouvoir contrôler leur propre anxiété; et ceci n'est pas facile, quand on risque à tout moment d'être frappé avec un objet lourd. A la recherche d'une solution, mon ami découvrit qu'à l'insu de sa conscience son corps percevait des signaux avant que la patiente ne l'agresse. La rapidité de son propre pouls constituait un système d'avertissement extrêmement efficace, qu'il continua par la suite à contrôler régulièrement. Une accélération des pulsations transmettait un message infaillible : « Sois sur tes gardes! »

On trouve, dans la littérature consacrée aux Maya, des références aux phénomènes de convulsions musculaires; mais il ne m'était jamais venu à l'esprit, avant d'avoir lu Tedlock, qu'ils puissent être autre chose que des dérèglements non expliqués du système des rythmes corporels. Plus loin, dans ce livre, je consacre un chapitre à la synchronie corporelle, et aux messages qu'un corps communique à un autre quand leurs mouvements sont synchrones. Dans *Au-delà de la culture,* je fais référence à des mécanismes que j'appelle synchroniseurs corporels. Mais bien que nous disposions à cet égard d'indications très précises, nous ne savons pas encore exactement comment ces messages sont émis et perçus. Il semble que les shamans quiché aient su exploiter ou élaborer ce processus et leur connaissance du fonctionnement d'un tel système de communication, ou approfondir la conscience qu'ils ont de leur corps comme émetteur et récepteur de messages (ils ont probablement fait l'expérience des trois). Quelle que soit l'explication de ces phénomènes, il en résulte une conscience accrue de l'existence d'une importante composante de l'esprit humain. Étant donné l'intérêt porté actuellement au développement de la conscience, je dirai qu'il ne sert jamais à rien d'écarter une hypothèse pour la simple raison qu'il n'existe pas d'explication adéquate d'une expérience qu'on ne comprend que partiellement.

Mes presque cinquante ans d'expérience de cultures de complexités extrêmement diverses m'ont convaincu du fait que l'Occident a commis une grande erreur en refusant de considérer les connaissances et capacités très particulières développées dans d'autres cultures, simplement parce qu'elles ne sont pas conformes à nos modèles scientifiques. Nous avons encore beaucoup à apprendre de l'étude des autres cultures.

6

L'Est et l'Ouest

Les connaissances acquises par l'étude de systèmes propres au niveau de culture primaire se sont avérées très profitables. Il me semble donc légitime d'examiner, de ce point de vue, les caractéristiques culturelles de deux pays qui sont parmi les plus puissants du monde : le Japon et les États-Unis. Mon but ici n'est pas tant de favoriser la compréhension interculturelle, ou de réduire l'incompréhension (ce qui serait peut-être encore plus important), que d'améliorer l'appréciation des processus culturels sous-jacents propres à chaque culture, et d'inciter chacun à s'interroger davantage sur ce qu'il considère aller de soi. J'aimerais aussi attirer l'attention sur quelques-unes des extraordinaires possibilités qui s'offriraient à l'humanité si elle pouvait se défaire de sa fascination pour la technique et se consacrer à l'étude de l'esprit humain. Les considérations que l'on trouve dans ce chapitre m'ont été inspirées par mes propres expériences d'anthropologue [1], par le bouddhisme zen, et par quelques livres parmi les plus réputés sur la culture japonaise [2].

Depuis la Seconde Guerre mondiale, quand Ruth Benedict écrivit son livre capital, *The Chrysanthemum and the Sword,* les contacts entre les États-Unis et le Japon se sont beaucoup développés. Le succès du Japon sur les marchés américains et européens, et la facilité de plus en plus grande avec laquelle on parcourt le monde, ont eu pour effet d'accroître considérablement la demande d'informations utiles sur la réalité de ces deux cultures. Aussi, la qualité comme la quantité des documents publiés se sont-elles entre-temps infiniment améliorées. Un élément manque cependant encore à la compréhension des relations interculturelles : il s'agit d'informations adéquates permettant de mieux comprendre quels processus interviennent quand des individus pensent ou communiquent. Nous avons besoin d'en savoir davantage sur le mode de pensée propre à chaque culture, sur la manière dont, dans des cultures différentes, les individus organisent et comprennent les concepts qu'ils utilisent, sur ce qu'ils perçoivent, et sur ce dont, au contraire, ils ne tiennent pas compte. Comment les Japonais et les Américains définissent-ils un « concept » ou une « idée »? A quoi accorde-t-on de l'importance dans des cultures différentes? Comment organise-t-on les idées? En fonction de quels principes? Comment les événements ou éléments distincts qui vont constituer une idée sont-ils organisés? On peut glaner quelques réponses à ces questions en déterminant la position d'une culture dans l'échelle des contextes; autrement dit : s'agit-il d'une culture dont le mode de communication est riche ou, au contraire, pauvre en contexte? Il est, dans cette perspective, particulièrement important de considérer la structure temporelle particulière à chaque culture.

Je ne fus pas très surpris de découvrir que le temps culturel constitue une des clés qui permettent de comprendre la culture japonaise. D'abord, le temps japonais, le bouddhisme zen et le concept de *MA* sont tous intimement liés les uns aux autres – et il est parfois difficile pour un Occidental de comprendre ce type de relation. Je n'affirme pas, du reste, qu'il soit plus aisé pour les Japonais de comprendre l'esprit occidental. Je tiens ici à rappeler que je considère le temps comme un des systèmes fondamentaux à partir duquel nous construisons notre vision du monde. Et quand les systèmes temporels de deux cultures sont différents, tout le reste l'est aussi. Comme je l'ai affirmé au début de ce livre, je n'accepte pas la notion occidentale selon laquelle le temps est un absolu. Nous étudions ici comment, selon la culture à laquelle ils appartiennent, des individus traitent, perçoivent, utilisent le temps, et parlent du temps, dans le but de mieux comprendre les modes de fonctionnement de cultures différentes, ainsi que la psychologie des individus qui en font partie.

A bien des égards, le bouddhisme zen a représenté une énigme absolue pour les Américains. Le koan : « Quel son une main qui applaudit fait-elle ? » donne une idée du caractère énigmatique de ce mode de pensée. Les koans sont des dictons ou prescriptions adressées aux disciples du zen qui, alors qu'ils sont superficiellement illogiques ou qu'ils ont une apparence d'impossibilité, ont une signification profonde. Il faut, pour comprendre un koan, comprendre également son contexte. Les Occidentaux ont des difficultés à comprendre ces koans parce qu'ils considèrent le bouddhisme zen comme une conceptualité, une philosophie ou une religion. Or, il n'est rien de tout cela. Selon les spécialistes qui écrivent sur le zen [3], il est une « voie », et, de plus, une voie assez extraordinaire. Le zen représente un des moyens fondamentaux par lesquels on apprend : le zen est un excellent exemple de ce que j'ai appelé « apprentissage informel » – il s'agit d'un type d'apprentissage qui dépend presque exclusivement de l'utilisation de modèles, d'une pratique, et de la démonstration [4]. Pour les adeptes du zen, les mots sont maudits parce qu'ils déforment. On imagine facilement la butée que représente le zen pour une culture comme la nôtre, où tout commence par une question, et où on se demande constamment « Pourquoi ? ».

Le zen occupe une position très élevée dans l'échelle des contextes de communication, probablement la plus élevée qu'il soit possible d'atteindre. Ceci signifie que le mode de communication zen est extrêmement rapide. Une des raisons de la difficulté qu'ont les Américains pour comprendre le zen est donc simplement qu'ils ne connaissent pas son contexte, au sens où ils ne connaissent pas son histoire : ils ignorent l'arrière-plan des koans. Un exemple tiré du petit livre de Yoel Hoffmann, *Every end exposed : the 100 Koans of Master Kidō,* illustre bien ce fait : « Maître Anzan entra dans le moulin pour voir Maître Sekishitsu. Il dit : " Ce n'est pas facile, n'est-ce pas ? " Sekishitsu répondit : " Qu'y a-t-il de si difficile à cela ? Tu l'apportes dans une jatte sans fond, et tu l'emportes sur un plateau sans forme. " » Sekishitsu voulait dire par là : « ...celui qui est conscient de l'aspect *mu* [sans fond, sans forme] des choses, peut les prendre pour ce qu'elles sont... une fois cette attitude adoptée, il n'y a plus alors aucune difficulté à moudre, ou à exécuter n'importe quelle autre tâche. » Et c'est précisément la configuration « sans fond » et « sans forme » des choses que les Occidentaux ont tant de difficultés à accepter.

Si seulement nous savions, dans le monde occidental, combien nos vies renferment en fait les germes du zen. Malheureusement, beaucoup d'entre nous refusent de le reconnaître, niant ainsi une part importante d'eux-mêmes. Ce processus de négation entrave notre capacité de passer à un stade ultérieur de la connaissance de nous-même : celui de la découverte de l'énergie et du pouvoir cachés qui nous permettent de faire des choses comme bander un arc avec les muscles des bras et des épaules complètement relâchés [5].

La manière dont les Indiens Pueblo du Nouveau-Mexique enseignent leurs coutumes, le type de rapports qu'ils ont entre eux, sont, dans une certaine mesure, comparables aux pratiques zen. Un exemple en fut donné, il y a plusieurs années, par une expérience que vécut John Evans, aujourd'hui décédé, le fils de Mabel Dodge Lujan. Evans, directeur d'une agence américano-pueblo, était en poste à Albuquerque, situé à environ deux cents kilomètres au sud de Taos Pueblo. Après de longues recherches, il avait finalement réussi à trouver un agent pour le développement agricole qui travaillerait au village. Cet agent semblait s'adapter à la population, et d'une manière générale, bien s'en tirer. Tout se passa bien au cours de l'été et de l'hiver. Puis, un jour, au printemps, John reçut sa visite. Il avait l'air cette fois plutôt désespéré. Debout dans le bureau de John, se balançant d'un pied sur l'autre, il éclata : « John, je ne sais pas ce qui va mal, mais les Indiens ne m'aiment plus. »

La semaine suivante, John se rendit en voiture à Taos, où il chercha un de ses amis, un vieil Indien, un des grands chefs religieux des Pueblo, et lui demanda ce qui s'était passé. L'Indien, comme un maître zen l'aurait fait, demeura silencieux. John Evans, qui se tenait là, par un beau jour de printemps, dans la chaleur du soleil éclatant du Nouveau-Mexique, fixa de nouveau son regard sur lui. L'Indien dit

enfin : « Il y a simplement que John ignore certaines choses. »
Et ce fut tout ce qu'il dit. Telle est la version américaine
indigène du mode de communication zen, légèrement modifié
par le contact avec les Blancs, toutefois incompréhensible
pour la plupart d'entre eux. L'Indien n'était pas récal-
citrant ou compliqué. Il savait que John Evans connaissait
la réponse, et estimait qu'il devait se servir de sa tête pour
la trouver.

Le beau-père d'Evans, Tony Lujan, était un Indien Pueblo
de Taos où Evans avait passé des années quand il était enfant,
et où les Indiens le traitaient comme un des leurs, ce qui
explique pourquoi il trouva finalement la réponse : quelqu'un
d'autre, dans cette situation, n'aurait trouvé aucune réponse,
ou bien serait arrivé à une conclusion absurde. Après avoir
réfléchi un moment, la réponse vint soudain à Evans : bien
sûr, comment pouvait-il être aussi bête? Au printemps, Terre
Mère est enceinte et doit être traitée avec douceur. Les Indiens
ôtent les chaussures d'acier des pieds de leurs chevaux; ils
n'utilisent pas leurs chariots, ni même ne portent des chaussures d'homme blanc, parce qu'ils ne veulent pas briser la
surface de la terre. L'agent pour le développement agricole
ignorait tout cela, ou, probablement, s'il en avait connaissance,
ne le croyait pas très important et faisait de son mieux pour
amener les Indiens à entreprendre « le premier labourage de
printemps »!

Bien sûr, le zen représente beaucoup plus que le simple
refus de donner des réponses faciles au non-initié. Je fus
frappé par le fait que ces deux cultures très différentes
comportent des modèles si ressemblants. Et bien que l'on n'ait
pas encore précisément établi quand ils le firent, les ancêtres
des Indiens Taos ont vraisemblablement traversé le détroit de
Béring, et sont ainsi passés dans l'hémisphère occidental, il y
a entre dix et vingt mille ans. On peut imaginer ce cacique
taos (chef religieux) à la place du maître zen, avec John
Evans comme apprenti : le dialogue serait pratiquement inter-
changeable.

Rien de tout cela ne signifie qu'un maître zen ou un
apprenti zen comprendrait mieux les Pueblo du Nouveau-

Mexique que n'importe quel étranger ne le fera. A tout individu non pueblo manquent presque totalement des informations spécifiques, mais aussi une connaissance du contexte culturel pueblo; et les Pueblo entendent maintenir cet état de choses. Ceci signifie seulement que, lorsque la communication s'établit selon des modes précis, les schémas des messages, sinon leur contenu, sont similaires. Les Indiens Pueblo, comme les Japonais, grandissent, et passent une grande partie de leur vie dans un environnement très fermé, caractérisé par un mode de communication riche en contexte. Il n'y a pour eux ni questions, ni explications; ils ont beaucoup de difficultés à comprendre et accepter les individus étrangers à leur culture. Pourtant, une fois accepté, l'étranger devient un des leurs. Et quiconque prend la peine d'apprendre comment faire marcher le système de l'intérieur y parvient aussi bien que n'importe qui.

Tout ce qui a été dit jusqu'à présent est valable pour le temps. Il n'existe pas d'approche philosophique indigène comparable à celle des Occidentaux, préoccupés de définir l'ÊTRE du temps. Les Indiens américains n'ont pas de mot dans leur langue pour désigner le temps, et les Japonais n'y voient pas un thème digne d'un grand intérêt. Qu'est-ce que le temps au Japon? Quel rapport a-t-il avec le temps occidental? D'abord, il n'est pas, et n'a jamais été considéré comme un absolu. Les Japonais ne l'imposent pas à leur musique, comme nous l'imposons à la nôtre au moyen d'un métronome, ou par la présence d'un chef d'orchestre. Les musiciens japonais et la musique qu'ils jouent sont eux-mêmes la partition d'orchestre : leur musique comme leur temps ont leur source à l'intérieur d'eux-mêmes, ils n'obéissent pas à des structures extérieures. Nous avons déjà mentionné la conception *nemawashi* du temps – le terme *nemawashi* exprime le temps nécessaire pour obtenir le concours et l'accord de tout le monde. Les Japonais ont comparé ce processus à une aiguille qui suit le sillon d'un disque. Le disque est une métaphore dont le contenu mécanique et spatial évoque le processus et les transactions qui doivent être accomplis dans tous les secteurs et à tous les niveaux d'une organisation. Le centre du disque, où l'aiguille s'immobilise, symbolise le fait que le processus du *nemawashi* a atteint son niveau le plus élevé. La vitesse à laquelle tourne le disque ne fait pas partie de la métaphore. Le *nemawashi* est terminé quand il est terminé, et pas avant. Exactement comme le début des danses pueblo : elles commencent quand « tout est prêt » et pas un instant plus tôt.

Nous considérons ici les contrastes entre les deux cultures, en particulier ceux qui se sont révélés des pierres d'achoppement pour la compréhension des individus entre eux, ou pour le déroulement, dans de bonnes conditions, de transactions courantes dans les domaines commercial ou gouvernemental. Nous commencerons à ce propos par les expériences de Eugen Herrigel, un professeur de philosophie allemand qui, après la Seconde Guerre mondiale, devint un adepte du zen, et obtint des résultats surprenants. Le merveilleux livre de Herrigel intitulé *le Zen dans l'art chevaleresque du tir à l'arc* n'est pas seulement un chef-d'œuvre, mais aussi un trésor de perspicacité sur la différence des cultures japonaise et européenne dans leur approche de pratiquement tout. Herrigel se rendit au Japon pour enseigner, mais aussi pour apprendre. Il passa six années à étudier le zen sous l'autorité d'un maître archer. Il serait vain pour moi de tenter d'expliquer aux Occidentaux comment on apprend une philosophie en tirant à l'arc. Le petit livre de Herrigel y parvient avec beaucoup plus d'efficacité que tout ce que je pourrais tenter à cet égard. Mais essayons de transposer son expérience dans un cadre quelque peu différent.

On considère généralement les philosophies occidentales comme indépendantes de la religion et de la vie quotidienne. D. T. Suzuki met particulièrement bien en évidence le fait que le bouddhisme zen, par contre – à la fois philosophie et religion –, est en réalité très proche du niveau de culture primaire japonais. Au Japon, la découverte de l'individualité est, de ce fait, directement liée à l'entière réalisation des lois sociales fondamentales qui régissent la vie des parents, amis, voisins et compatriotes d'un individu. En Occident, au contraire, la religion, la philosophie et la vie quotidienne sont, en fonction de notre mode de pensée qui traite une chose à la fois, isolées les unes des autres et elles forment des compartiments hermétiques; la philosophie est un moyen de former la conscience à la recherche de la « vérité » ou du « sens de la vie ». Au Japon, il appartient à la nature de la philosophie de dépasser le monde des mots, celui de l'esprit, et d'aider l'individu à canaliser la source jaillissante de sa propre vie. La philosophie est alors la vie; elle est aussi le noyau de culture profond des individus.

En Occident, le tir à l'arc est un sport. Au Japon, il peut être un sport, mais aussi un rituel à la fois religieux et philosophique, une discipline de l'esprit. Dans les cultures occidentales, le tir à l'arc implique l'objectif technique de « toucher la cible »; parvenir à maîtriser cette technique dépend de l'entraînement du corps et du développement de sa force. Alors que nous entraînons le corps, les Japonais, fidèles à la tradition zen, s'adonnent à des exercices destinés à élargir l'esprit. Il s'agit généralement pour eux de se concentrer sur l'activité de l'hémisphère gauche du cortex, c'est-à-dire la sphère du cerveau liée à l'utilisation des mots et des nombres [6]. Nous exploitons les fonctions logiques, linéaires et limitées de l'esprit. En Orient, on pratique des exercices de ce type pour s'accorder avec l'inconscient – se débarrasser des limites, et non pas les créer. Nous nous conformons au modèle « acteur, action, but », manifestation de la structure grammaticale de notre langage : l'archer (acteur) touche (action) la cible (but). Dans la pratique zen du tir à l'arc, l'objectif est d'unir l'archer, la flèche, l'arc, la corde et la cible en un seul processus. Nous nous entraînons à maîtriser une technique; les Japonais se forment en vidant leur esprit et en éliminant la conscience du soi. En Occident, il y a des plans qui disent que faire et quand le faire; le temps est une force extérieure qui nous aide à organiser nos vies. En Orient, le temps jaillit du soi, il n'est pas imposé de l'extérieur. Le but du zen est d'amener les individus à harmoniser le soi avec la nature, de « manger quand ils ont faim et dormir quand ils sont fatigués ».

Les Occidentaux « organisent » leur pensée, établissent des

plans, des théories, et des projets d'actions; ils calculent. Pour les adeptes du zen, l'activité de la pensée est contraire à celle de la conscience : penser est naturel et inconscient. La pensée occidentale, au contraire, est consciente, analytique, et produit des dogmes, des principes et des philosophies, c'est-à-dire des contenus. Le zen est davantage tourné vers le contexte et la forme. Mais combien d'archers pourraient répéter l'exploit accompli par le maître de Herrigel qui tira à l'arc, la nuit, au fond du champ de tir, la cible éclairée seulement par la lueur d'une bougie, et qui fendit une flèche avec une autre!

Outre le dépassement de la pensée consciente, un des buts du zen est de dissoudre l'ego, de délivrer l'individu de sentiments liés au succès, à l'échec, et à la conscience du moi. Pour devenir maître, un épéiste zen doit éliminer tout sentiment se rapportant à la ligne de partage entre la vie et la mort. Herrigel dit : « Tout maître qui pratique un art façonné par le zen est comme un éclair jaillissant du nuage de vérité qui enveloppe tout. Cette Vérité est présente dans le mouvement libre de son esprit, et il la retrouve de nouveau... en tant que sa propre essence originelle, sans nom. » La vérité, en Occident, est spécifique, alors que pour le maître zen, elle enveloppe tout, et, paradoxalement, elle est aussi l'essence même du soi.

A l'Ouest, nous imposons notre conception de la nature à l'homme comme à la nature elle-même parce que nous pensons l'homme comme séparé de la nature. Depuis les penseurs de la Grèce antique, nous avons fait des mots les images de la réalité dans notre esprit; nous les avons projetées sur le monde, et traitons ces images comme réelles. Mais ces projections sont en fait comparables au reflet de la lumière du gaz sur l'écran d'une scène de Soho au XIXe siècle. Parce qu'elle utilise les mots et le raisonnement mathématique, la pensée occidentale est essentiellement linéaire, faite de nécessité et de projet. Notre pensée relève donc de l'activité de l'hémisphère gauche du cerveau; elle constitue un mode de pensée pauvre en contexte [7] et extrêmement spécifique. Nous apprenons cependant des Japonais (mais aussi des Américains indigènes, comme les Hopi [8] et les Navajo) qu'il existe un autre type de logique, complément de notre dialectique : celle du *hara;* logique du contexte et de l'action non limitée aux paradigmes des mots. De même, il devrait peu à peu devenir évident que, pour certains des aspects les plus essentiels de la vie, Japonais et Américains sont radicalement différents. Cette différence apparaît dans l'art mieux que dans n'importe quel autre domaine : l'art, au Japon, inclut toutes les disciplines zen, y compris l'art floral, le tir à l'arc et l'art de l'épée. Par conséquent, l'art est essentiellement un mode de communication riche en contexte.

Quatre éléments importants de l'art – *hara, MA,* intuition et *michi* (la manière) – nous apprennent davantage encore. *Hara* lie l'individu à la nature, dans la mesure où cet élément exprime ce qui, dans un individu, est irrévocablement et de manière innée naturel, et correspond à une manifestation de la nature; *hara* est la nature intériorisée. Qu'il pratique un des arts martiaux [9], qu'il soit potier, peintre, ou acteur de théâtre Nô, archer, calligraphe ou poète, l'artiste japonais commence avec la nature, celle qu'il a intériorisée. La nature n'est pas quelque chose d'extérieur et d'indépendant qu'il essaie de reproduire. *MA,* le second élément de l'art, est un concept spatio-temporel, et aussi une pause, intervalle ou espace signifiant. Des silences, au Japon, jaillissent les plus profonds sentiments. Pour nous, le silence est signe de gêne, temps mort pendant lequel rien ne se passe. L'intuition, le troisième élément, est l'aboutissement d'une étude et d'une expérience longues et profondes. Elle est l'essence distillée d'un thème, d'une émotion, d'une idée ou d'un objet. *Michi,* la manière, implique la dévotion à la discipline et à la perfection attachées à l'art que l'on pratique. *Michi* se rapproche le plus de ce qu'est, pour nous, la technique.

Deux types de critiques influencent la plupart des artistes occidentaux; l'un est interne, l'autre externe. Que l'artiste le veuille ou non, il existe toujours un ensemble de conventions esthétiques et visuelles qui définissent le contexte dans lequel son travail s'inscrit. Et, sauf s'il appartient à une école abstraite, il obéit au besoin profond de comprendre et représenter l'objet présent devant ses yeux aussi fidèlement que possible.

L'artiste zen, au contraire, après des années d'exercices rigoureux, fait l'expérience de l'objet avec la totalité du soi, et « laisse l'objet se servir du pinceau pour dessiner lui-même l'image ». L'artiste ne fournit apparemment aucun effort conscient pour guider le pinceau. Comme pour l'archer zen, l'objet, ici le pinceau, et l'artiste, font partie d'un seul processus, unifié et intégré.

L'artiste japonais, pour développer son art, doit concentrer ses efforts sur la connaissance de soi, et finalement atteindre l'illumination. Les plus grands efforts sont fournis pour pacifier l'esprit et éliminer l'ego, susceptible de se laisser influencer par les éloges, le succès ou l'échec et le manque de reconnaissance. L'illumination porte en soi sa récompense. D'autre part, on peut difficilement, à quelques exceptions près, comparer les artistes occidentaux à des sensitives *. L'ego joue un rôle essentiel dans leur vie; ceux dont l'ego est faible ont du mal à survivre. La faiblesse de l'art japonais (si faiblesse il y a) réside dans le fait qu'il se développe à partir de l'intériorité et se trouve donc moins réceptif à des sources d'enrichissement extérieures. Si sa propre analyse est juste, l'artiste japonais ne serait pas, en principe, prêt à réfléchir sur ses « méthodes » de travail quand il est confronté à des périodes de changement radical, ou à une culture étrangère. Sa tendance est plutôt alors, ou bien d'apprendre le système propre à cette culture, ou de se replier sur lui-même; il s'agit là d'une réaction caractéristique du mode de comportement japonais qui s'applique d'ailleurs à d'autres domaines.

L'artiste occidental, bien qu'on ne le suppose pas apprendre beaucoup sur lui-même par l'introspection et la méditation pendant qu'il travaille, semble par contre faire sien le travail d'autres artistes, et d'une manière tout à fait différente de celle de l'artiste japonais. Nos artistes sont beaucoup plus enclins à considérer le contexte esthétique, ou l'objet, ou les deux, qu'à se servir de l'art comme moyen privilégié de compréhension de leur individualité, de pénétrer l'activité de

---

* Sensitive : variété de mimosa dont les feuilles se rétractent au contact.

leur propre psyché. Ils utilisent leur art comme moyen d'exprimer ce qu'ils voient, entendent et ressentent, ou pour les aider à comprendre ce qu'ils voient, entendent et ressentent. Ce qui ne signifie pas, cependant, que l'artiste n'utilise jamais son art comme moyen privilégié de compréhension de son individualité, mais seulement qu'une telle utilisation ne constitue pas, dans notre tradition, une fonction implicite de l'art. Si c'était le cas, on n'assisterait pas à l'indignation outrée que manifeste le public quand des productions artistiques violent ses critères esthétiques. Les choses se passent comme si nous, Occidentaux, partagions l'extérieur, alors que les Japonais, peut-être aussi d'autres cultures orientales, partageaient l'intérieur. Mais il y a d'autres différences encore. L'art, au Japon, ne constitue pas, traditionnellement, un domaine fermé sur lui-même, séparé et indépendant, comme il l'est à l'Ouest. Il est plutôt l'essence même de la vie.

Il est aussi intéressant de noter que nulle part dans la pensée japonaise, on ne trouve mentionnée l'idée de talent individuel. Ceci signifie qu'en fait, quiconque s'y applique peut devenir maître en l'un des arts; et bien qu'il existe des « grands » auxquels on accorde le statut de « Trésor national vivant », on semble supposer que le talent fait plutôt partie de l'inconscient culturel que de l'inconscient individuel. Bien sûr, la conception zen de l'art exige aussi beaucoup de l'individu, dans la mesure où l'on ne voit dans l'échec qu'un manque de discipline, de travail et de dévouement. A l'Ouest, on met souvent l'échec d'un individu sur le compte de faibles dispositions. Je suis sûr que les Japonais, d'une manière générale, reconnaissent l'importance des dispositions que peut avoir un individu, mais ils ne semblent pas considérer le manque de dispositions comme pouvant excuser des résultats médiocres.

Une autre différence, à l'Ouest, est qu'on paie très cher l'œuvre d'artistes renommés, alors que les moins connus n'ont qu'à manger de la vache enragée... Les Occidentaux ne sont pas non plus enclins à faire ce que je suis en train de faire en ce moment même : considérer l'art comme donnant des informations fécondes sur la vie et l'esprit de notre culture. Nous sommes plutôt enclins à considérer l'économie et la politique pour comprendre les schémas de notre psychologie culturelle. Il n'en est pas de même au Japon. L'art de l'épée, l'art floral, le tir à l'arc, la calligraphie, et l'art en général sont autant de voies privilégiées, toutes également propres à nous procurer la compréhension du cœur et de l'âme d'un peuple et de ses traditions. A l'Ouest, nous cherchons la vérité dans une seule direction. Le maître zen, lui, sait qu'il peut trouver l'illumination n'importe où.

Maintenant, le lecteur dira peut-être : « C'est très bien tout ça, mais qui va consacrer sa vie à la maîtrise du tir à l'arc, même au Japon? Est-ce une pratique vraiment répandue? Quelle proportion de la population pratique le zen? Et, de toute façon cela n'explique guère pourquoi les Japonais réussissent si bien dans le domaine des affaires, et sont parvenus à ravir aux fabricants occidentaux la première place en électronique, et pour la production de motos et d'automobiles. »

Il y a, bien sûr, un autre aspect du Japon beaucoup plus visible, que nous, Occidentaux, devons aussi commencer à comprendre. Ce que j'ai décrit jusqu'à présent est le soubassement culturel japonais dont la configuration apparaît peu à peu quand on observe la vie quotidienne. Ce soubassement culturel et la matière même de la culture japonaise sont faits des mêmes composants, mais organisés différemment. Je voudrais maintenant envisager les terrains culturels japonais et américain qui, comme on peut s'en douter, sont tout à fait différents.

M. Matsumoto [10], écrivain japonais, interprète et traducteur, affirme que les Japonais définissent leur action à partir de trois centres : l'esprit, le cœur, et *hara* (entrailles ou ventre). Dans la culture japonaise, la situation ou le contexte joue un rôle essentiel; il importe donc de déterminer lequel de ces trois centres domine une situation donnée. L'esprit est lié aux affaires, le cœur au foyer et aux amis, et *hara* est ce pourquoi quelqu'un fait des efforts dans n'importe quel domaine. Il faut ajouter une remarque à propos de *hara* : alors que *hara* semble avoir dans la tradition japonaise une grande valeur, on affirme qu'aujourd'hui, *hara* est plus communément associé dans l'esprit des gens aux hommes politiques qu'aux maîtres zen.

D'autre part, la dichotomie esprit/cœur a un sens quelque peu différent de celui qu'on lui accorde en Occident. Ici encore, il s'agit en partie de situation, mais la force de la culture japonaise, en tant que tout, tend vers le cœur et non l'esprit, contrairement à la culture occidentale. Par exemple, au Japon, où le mode de communication est riche en contexte [11] (peu de règles sont explicitement formulées, et l'imagination doit compléter dans une large mesure), le plus important, en affaires, est d'entretenir des relations personnelles appropriées. Ainsi, des étrangers qui enlèvent des contrats à force de transactions d'ordre comptable les perdent fréquemment par la suite, pour avoir négligé le « cœur ». On peut se fier au cœur; l'esprit, au contraire, change constamment. Le rôle de *hara* consiste à unir les deux.

Les Occidentaux doivent aussi comprendre la valeur de trois autres éléments pour pouvoir réussir au Japon. Il s'agit de : *tatemae* (sensibilité à l'égard des autres, le soi public), *honne* (sensibilité à l'égard du soi propre « privé »), et *suji* (la signification d'un événement en tant qu'inclus dans une situation). *Suji* assure l'immersion des individus dans une culture dont le mode de communication est riche en contexte, et inclut non seulement la compréhension du contenu manifeste de la communication, mais aussi la prise en considération des divers aspects du contexte qui interviennent dans une situation; autrement dit, de tout élément de la situation qui a un rapport avec les rôles tenus par les individus impliqués.

La sensibilité à l'égard des autres, bien que peu développée en Occident, est au moins une valeur culturelle reconnue par certains. Jusqu'à une époque très récente cependant, la sensibilité à l'égard du soi a été ignorée ou considérée comme narcissisme ou égoïsme; mais ce type de sensibilité est en fait tout autre chose. J'ai l'impression que les Occidentaux accordent beaucoup d'importance à l'identité sociale, et moins à l'identité privée. En changeant cela, la génération actuelle a fait davantage de progrès que n'en ont amené celles des parents et grands-parents. Mais manquent encore aux Occidentaux l'intégration que dénotent des termes comme *tatemae, honne* et *hara,* ainsi que la différence d'accent entre identité privée et identité sociale, que nous mentionnons plus haut.

Comment les Américains traitent-ils des affaires au Japon? Ils se comportent tout à fait comme des hommes d'affaires occidentaux se trouvant ailleurs dans le monde, au sens où ils tendent à considérer leurs propres principes culturels comme allant de soi, et supposent que tout se passera comme chez eux, une fois qu'ils auront acquis quelque expérience du nouvel environnement. L'Américain à l'étranger – aussi heureux en affaires soit-il – exprime parfois des sentiments comme : « Après tout, une fois que vous les connaissez, ils sont exactement comme les gens à qui on a affaire chez nous. » Cependant, un Américain, homme exceptionnellement doué et sensible qui avait travaillé dans un pays asiatique pendant presque vingt ans, avait appris à faire les choses exactement à la manière japonaise. Commentant une affaire qu'il s'employa à mener à bien et pour laquelle on lui témoigna une reconnaissance internationale, il déclara avoir fait de son mieux pour comprendre la culture du pays où il se trouvait, et qu'il était important d'apprendre à faire les choses d'« une façon indirecte, différente de celle que l'on a dans mon propre pays, sans pour autant être faux ou perdre sa propre identité et devenir une personne différente au cours du processus ». Cette « façon indirecte » consiste en partie à accorder une très grande importance aux formalités.

Les formalités sont extrêmement courantes dans la vie quotidienne japonaise. Par exemple, à l'entrée des grands magasins Ginza, des jeunes femmes s'inclinent devant les clients pour les accueillir. Mais tout est très contrasté au Japon; aussi, les Japonais, en fonction d'une forte pulsion interne, s'écartent des formalités, abandonnent leur moi public *(tatemae),* et mettent en avant leur moi privé *(honne),* plus « confortable », moins rigide, permettant des relations chaleureuses avec les autres.

De ce fait, les Japonais dépendent davantage de leur capacité à développer de bonnes relations humaines que de l'accomplissement d'une formalité légaliste. Nous, Occidentaux, exigeons par contre un contrat soigneusement rédigé, considéré comme la seule prise que nous ayons sur quelqu'un. Cependant, un Européen qui aborde de cette manière des affaires au Japon est « fichu » avant d'avoir même commencé. Que font alors les hommes d'affaires pour éviter d'échouer? Des institutions les aident. Les soirées passées dans des boîtes de nuit avec des collègues et des clients ont précisément pour but d'établir des liens d'amitié et des relations humaines, en affaires. On accorde au Japon non seulement davantage d'importance à l'amitié que dans notre pays, mais aussi quand un Japonais se lie d'amitié avec quelqu'un, il ne le laisse pas tomber à partir du moment où il ne lui est plus d'aucune utilité, comme cela arrive très souvent aux États-Unis.

Les Japonais ont une très piètre opinion de quelqu'un qui change d'avis ou modifie les règles du jeu après qu'un accord a été conclu. Avoir recours à quelque détail juridique, à un changement de politique, à une modification du climat politique, ou penser qu'une meilleure affaire est possible ailleurs, n'aboutit à rien d'autre qu'à se faire des ennemis qui prendront plus tard leur revanche, sans que l'on puisse même savoir quand cela arrivera.

Dans la culture japonaise, pratiquement tous les types de relation entrent dans le cadre de l'une ou l'autre des deux catégories suivantes : proche ou non proche *(honne* et *tatemae)* – nous et eux! Il n'existe pas d'intermédiaire. Et dans la mesure où il est difficile de travailler avec quelqu'un pendant un certain temps sans que s'établisse une relation étroite, on considère que le temps attache par des fils invisibles le soi d'un individu à celui des autres. La fidélité des Japonais envers ceux à qui ils sont intimement liés n'est rien moins qu'extrême. D'autre part, alors que nous admettons que des individus font équipe quand ils travaillent ensemble, rien, dans notre culture, n'approche le dévouement et la fidélité des Japonais envers le groupe, quel qu'il soit. Une telle fidélité explique pourquoi les Japonais peuvent compter sur un type de relation approprié pour s'assurer que les choses se passent comme prévu, et pourquoi ils n'ont pas besoin de contrats. D'autres aspects découlent encore de ce que nous avons exposé plus haut. Par exemple, quand un Américain, se trouvant au Japon, se résout à agir, ou décide d'agir d'une certaine manière, il doit s'y tenir. Mais ceci n'est pas facile pour les Américains habitués à tout changer à la dernière minute.

Quand les Japonais comptent faire des affaires, leur analyse du fond du problème prend en considération beaucoup plus d'éléments que la nôtre. Le fond du problème, pour nous, s'arrête aux dollars, le leur, au contraire, inclut une estimation des possibles contributions au bien-être national, des relations à l'intérieur de l'entreprise, des relations interindividuelles, et bien plus encore. Les Occidentaux pourraient au moins apprendre des Japonais à élargir leur notion de « fond du problème » et la rendre assez large pour inclure, par exemple, la considération des coûts sociaux et des effets à long terme sur le pays ou sur le marché. Un tel changement ne s'effectuerait pas facilement dans un pays comme les États-Unis, mais le bénéfice global en serait considérable, sans même parler de ce qu'on pourrait appeler le « syndrome de focalisation », à cause duquel nous sommes spécialement démunis lorsqu'est requis un changement rapide. Des intérêts particuliers et une politique fondée sur un seul thème sont deux des plus redoutables obstacles à surmonter pendant de telles périodes. Les Japonais ont appris à dépendre les uns des autres de manières qui nous sont étrangères; et ces liens de dépendance, considérés comme allant de soi, non seulement renforcent l'organisation, mais sont aussi partie intégrante du modèle que nous venons de décrire.

Le concept japonais de *giri* [12], lié à celui de dépendance, englobe les obligations que l'on contracte au cours d'une vie et dont on doit s'acquitter. Être débiteur d'une personne riche et puissante représente en fait une bonne chose, parce que cette personne veille sur vos intérêts. La dépendance mutuelle vaut encore mieux, puisque chaque partie accumule et rembourse *giri* dans une proportion égale. Cette situation serait très difficile pour les Américains dont beaucoup répugnent à être dépendants de quiconque. Nous sommes fiers de notre indépendance; au Japon, la situation est exactement inverse. Il faut noter, cependant, que dans ce pays, la dépendance n'a peu ou rien à voir avec la dépendance névrotique que l'on observe en Europe et en Amérique. Il n'y a rien de névrotique dans la manière dont un Japonais jeune et plein d'avenir profite de l'aide des plus puissants pour protéger et servir ses intérêts.

Par contre, aux États-Unis et en Europe, aller de l'avant dépend de la capacité d'un individu de rester au premier plan. Nous cherchons à nous faire de la publicité, à nous distinguer dans un groupe. On observe le fonctionnement de ce schéma fondamental en consultant tout simplement les registres d'inscription d'une demi-douzaine de lycées. Aux États-Unis, les individus cherchent nécessairement à attirer l'attention sur eux : on remarque ceci dans les prises de position, l'habillement, les attitudes, les manières, la hauteur de la voix, et ce que les gens possèdent. Nos idoles sont des personnalités. Les mieux rémunérés dans le domaine des sports, des affaires, ou du théâtre, sont les plus connus. Au Japon, tout ceci joue contre nous. Les Américains qui veulent s'y comporter correctement doivent adopter un style d'approche entièrement nouveau, fondé sur la discrétion, et le souci d'éviter d'attirer l'attention. Un tel comportement suppose quelques efforts de notre part. Au Japon, les récompenses ne vont pas aux « m'as-tu-vu ».

Les Japonais qui travaillent à l'étranger paient cher le fait de ne pas être chez eux. Pour un Japonais, quitter son pays ou être isolé affaiblit les liens qui l'attachent aux autres. Et l'Américain qui a l'occasion de traiter des affaires au Japon peut aussi en tirer un enseignement. On peut construire sur cette dépendance, si on la prend au sérieux, et si on n'est pas trop obsédé par l'idée d'extorquer jusqu'au moindre sou, à l'occasion de n'importe quelle transaction. Bien des contrats perdus pour des questions de prix ont été ensuite récupérés à cause du besoin des Japonais de constamment garder le contact. Et négliger le client au profit du moins offrant peut tourner une victoire en défaite.

Aux États-Unis, nous nous efforçons de faire en sorte que les esprits se rencontrent; au Japon, les cœurs se rencontrent. Aux États-Unis, les plus hautes instances prennent les décisions. Au Japon les vraies décisions sont prises au niveau intermédiaire; il faut donc d'abord s'adresser aux instances intermédiaires, et si tout se passe bien, on arrive alors au sommet. Aux États-Unis, nous rivalisons de mots, c'est à qui sera le plus malin. Au Japon, les gens synchronisent leur respiration. Chez nous, les différences d'opinion n'ont pas d'importance; les Japonais peuvent, par contre, les prendre très au sérieux, d'où la nécessité d'éviter les confrontations. Être très clair, en Occident, constitue un avantage, alors qu'au Japon un excès de clarté représente un inconvénient et contredit au *hara*. Pour les Japonais, *MA* intervient en rhétorique, quand il s'agit d'argumenter; il donne du temps pour penser. Établir un accord entre individus est essentiel dans ces deux cultures, mais le contexte dans lequel il peut s'établir est beaucoup plus large au Japon.

7

Français, Allemands, Américains

Qu'il existe des différences entre la culture primaire des Occidentaux et celle des Japonais n'est pas une surprise. Mais qu'en est-il maintenant des relations entre Américains et Européens ? Beaucoup d'Américains apprennent l'allemand ou le français au lycée et à l'université, et ont certainement tendance à penser que les Français ou les Allemands nous ressemblent davantage que les Arabes, les Hindous ou les Malais. Ils ont un peu raison, au sens où, culturellement, les Blancs américains sont plus proches des Européens que de n'importe quel autre peuple : après tout, la plupart de nos ancêtres sont venus de l'une ou l'autre partie de l'Europe. Il existe, cependant, d'étonnantes différences au sein du groupe culturel euro-américain, dont certaines sont assez extraordinaires.

La plupart de ces différences ne sont pas aussi immédiatement apparentes que celles qui peuvent exister entre le groupe culturel euro-américain et d'autres groupes dans le monde; mais ceci ne fait que les rendre plus énigmatiques, en particulier quand on les observe dans la vie quotidienne. L'homme d'affaires américain, par exemple, non seulement se trouve en Europe très démuni mais il est de plus généralement inconscient des risques qu'il prend en Europe à cause des différences importantes que l'on y rencontre dans presque chaque aspect de la vie quotidienne. Comment cela est-il possible?

On acquiert les modèles culturels les plus fondamentaux dans le cadre familial. L'apprentissage culturel est d'abord celui du bébé qui commence par apprendre à synchroniser

129

ses mouvements avec la voix de sa mère [1]. Le langage et les relations avec les autres élaborent ensuite cette base de rythme primordiale. Dans le foyer américain, les horaires sont presque immédiatement imposés aux enfants, et au XIXe siècle, on fixait même les heures auxquelles on nourrissait un bébé; l'horaire passait avant les besoins de l'enfant et de la mère. Ceci a heureusement changé ces dernières années. Puis, quand l'enfant entre à l'école, la culture « arrive » en force. On enseigne dans les écoles comment faire fonctionner le système culturel, et on nous inculque que nous sommes pour toujours aux mains d'administrateurs. Des sonneries indiquent à chacun quand il doit commencer à apprendre, et quand il doit arrêter.

Plus de trente ans après avoir quitté le lycée, je ne pouvais m'empêcher de sursauter, et d'être attristé, parfois exaspéré, en entendant l'épouvantable vacarme des sonneries dans les couloirs des diverses universités où j'enseignais. Ces sonneries, qui ponctuaient le commencement et la fin de chaque cours, étaient complètement inutiles; les étudiants, comme les professeurs, avaient intériorisé depuis des années tout le processus de programmation qui déterminait le déroulement et la succession des cours. Même le plus oublieux et insensible des professeurs aurait eu bien du mal à ne pas percevoir les signes provenant des étudiants quand il est l'heure de terminer le cours. Mais, quelque part au fond du fatras administratif, doit encore exister un alinéa du budget se rapportant à l'entretien des sonneries. Le message en l'occurrence c'est, bien sûr, que l'administration est là et « tire des coups de sonnette », comme on tire des coups de canon : elle impose le temps! Les rythmes internes, la dynamique de la classe, l'efficacité de l'enseignement des connaissances et de leur assimilation par les élèves : tout cela est subordonné à l'horaire. Néanmoins, même si des administrateurs dominent notre vie, nous vivons, aux États-Unis, dans un environnement relativement décentralisé, comparé à celui des Français.

En France, jusqu'à très récemment, ce que l'on enseignait dans chaque classe, quand on l'enseignait, était imposé dans tout le pays à partir d'un centre, Paris. On programmait à l'avance les cours et tous les sujets enseignés dans le système scolaire français. Il était possible, à n'importe quelle heure de la journée, de savoir ce que n'importe quel enfant de n'importe quels ville ou village était en train d'apprendre. De même qu'ils centralisent l'établissement des programmes scolaires, les Français ont centralisé pratiquement tout, à la fois dans le temps et dans l'espace. La bureaucratie française est beaucoup plus puissante que la bureaucratie américaine, et à l'intérieur de cette bureaucratie, on considère la position intermédiaire comme stratégique. Les appareils bureaucratiques français contribuent largement au bien-être du pays, et, d'après ce que l'on m'a dit, subordonnent leurs propres intérêts à ceux de la France, ce qui malheureusement n'est pas toujours le cas aux États-Unis. Autre différence entre la France et les États-Unis; les milieux d'affaires français – en particulier les banques – n'ont pas de relations conflictuelles avec le gouvernement. Et même s'il n'existait pas des réseaux d'anciens camarades de classe, il serait impensable que milieux d'affaires et gouvernement ne coopèrent pas.

La centralisation imprègne la France jusque et y compris l'homme d'affaires, le directeur d'entreprise ou le cadre. Il faut cependant garder à l'esprit que la taille de n'importe quelle organisation est aussi une variable significative. Les plus grandes organisations ont besoin, pour leur fonctionnement, de l'établissement de programmes plus stricts que les plus petites. Une seule personne à la tête d'un petit bureau peut avoir à l'esprit aussi bien les besoins individuels qu'organisationnels de son affaire; il est ainsi plus facile de gérer les modifications qui interviennent parfois dans un emploi du temps ou un programme. Le point central de l'organisation – l'individu qui occupe une position intermédiaire – est celui vers lequel tout converge, et d'où émane toute forme de pouvoir et de contrôle. Dans l'organisation le centre définit la situation et, comme nous le verrons, la nature du temps. Et cette convergence vers un centre existe indépendamment de la taille d'une organisation [2].

Parmi les conséquences qui découlent du fonctionnement de ce schéma centralisé, certaines ont causé une grande préoccupation dans les milieux d'affaires américains. Ignorer comment fonctionne le système français réserve toujours des surprises. La logique américaine, les pratiques commerciales et les critères américains de l'honnête et du malhonnête ne s'appliquent guère en France. Selon des banquiers interrogés à Paris et aux États-Unis, la plupart des cadres américains font de leur mieux pour tout faire correctement en s'en tenant aux exigences des Français. Et pourtant, même s'ils sont prudents, même s'ils mettent leurs soins à rendre compte de leurs transactions financières, et que consciemment ils s'efforcent de respecter les décisions prises d'un commun accord, il est toujours possible qu'ils découvrent un beau matin que leurs banquiers sont, par exemple, confrontés à l'application de réglementations fiscales rétroactives. L'Américain est consterné et déçu de constater la difficulté, sinon l'impossibilité, d'établir des plans dans de telles conditions [3].

N'étant pas conscient de se trouver sous l'emprise d'un système temporel immuable – dont les règles sont appliquées non seulement mécaniquement, mais aussi inconsciemment – l'Américain est scandalisé quand il lui arrive d'avoir des démêlés avec le système français. Dans la mesure où il n'a jamais eu à s'interroger sur les règles de son propre système, et ignore celles dont il n'a pas l'habitude, il peut seulement s'exclamer : « Ils ne peuvent pas faire ça », ou : « Ce n'est pas juste. Qu'est-ce que ça veut dire, " rétroactif " ! » Mais puisqu'il est manifestement utopique et inopportun d'essayer de changer les Français, les Américains n'ont alors d'autre solution que de renoncer à traiter le temps comme une constante, conformément au système dans lequel ils ont été élevés, et d'accepter le fait qu'ils sont confrontés à un nouvel ensemble de règles, non explicitement formulées comme les leurs. Et tant que ce pas essentiel n'est pas fait, il leur est impossible de développer des stratégies leur permettant de se débrouiller à l'étranger.

Les Français, aux États-Unis, sont confrontés à un ensemble de problèmes différents. Considérant l'environnement social et commercial comme des réseaux d'influence, ils ne s'aperçoivent pas, dans un premier temps, que, contrairement à ce qui se passe en France, il n'existe pas aux États-Unis de véritable centre où s'exerce le pouvoir. Certaines personnes ont de l'influence, mais restent dispersées dans l'ensemble de la société, et représentent des groupes d'intérêts divers. Des hommes d'affaires français, dans la plupart des cas installés depuis peu aux États-Unis, apparaissent parfois comme des tapageurs arrivistes cherchant uniquement à connaître les gens qui peuvent leur être utiles. En fait, ils ne font rien d'autre qu'essayer de localiser le véritable centre de pouvoir et découvrir qui a suffisamment d'influence pour garantir que rien de catastrophique n'arrivera sans qu'ils y soient préparés. En France, un homme d'affaires, qui n'est pas lié aux réseaux d'influence où les décisions financières sont prises, peut faire faillite du jour au lendemain. Ce type de stratégie est nécessaire parce que, comme tout le reste en France, le temps culturel profond est centralisé; les quelques individus du ministère des Finances qui préparent les réglementations fiscales, dont dépend le bien-être du pays, ont entre les mains le pouvoir d'inverser au sens propre le cours du temps. Les Français rappellent éventuellement aux étrangers se trouvant en France leur devoir d'obéir à la loi, et de prendre au sérieux l'obligation de rendre compte de leur situation financière, mais ils ne les avertissent pas de ce fait essentiel : il est possible, en France, d'inverser le cours du temps. C'est pourquoi, il appartient à l'homme d'affaires étranger de se tenir informé de la manière dont le gouvernement français est en train d'envisager un monde en perpétuel changement. Les Français considèrent que si des étrangers ne sont pas capables de se tenir au courant, ils n'ont qu'à ne pas traiter d'affaires en France. Les Français sont avant tout fidèles à la France, et en fonction de ce point de vue, ils n'ont vraiment rien à faire de ce que les autres peuvent penser. Ils se comportent un peu comme s'ils reconstruisaient sans arrêt et inconsciemment le passé pour justifier le présent.

D'autres raisons désavantagent encore l'homme d'affaires américain quand il se trouve à l'étranger. Les Américains *ne* font *pas* passer les intérêts de leur pays avant le reste [4]; ainsi, les milieux d'affaires et le gouvernement se trouvent rarement à travailler ensemble pour la même cause; et les chamailleries entre services gouvernementaux concurrents, par rapport à la politique et à la façon de l'appliquer, plongent l'homme d'affaires dans un monde imaginaire où il a bien du mal à s'y retrouver. Il faut qu'il y ait atteinte à la nation, ou qu'une catastrophe la touche pour que les Américains abandonnent leurs intérêts propres et fassent un effort collectif. Dans de telles conditions, il est difficile de planifier puisque personne ne parvient à se mettre d'accord sur une politique nationale cohérente. De ce fait, le temps, au niveau organisationnel, n'est pas un ruban, ou une route vers le futur, mais plutôt quelque chose comme une succession de petits cercles dont le rayon est égal à trois mois; le centre de chaque cercle – c'est-à-dire le présent – est sacré et on ne tente pas de le déplacer. D'autre part, la direction dans laquelle les cercles se déplacent dépend des relations mutuelles qu'entretiennent les différents groupes concurrents.

Mais nous ne sommes pas seuls. Les Allemands et les Français ont aussi des problèmes qui découlent des différences de leurs cultures primaires. Considérons, par exemple, l'expérience de M. Chandel (j'ai changé le nom). Il travaille pour une entreprise allemande qui a des filiales à l'étranger. Son expérience met en lumière les différences entre systèmes de communication riches ou pauvres en contexte, diversement combinés à un mode d'organisation monochrone ou polychrone, ou à des types de pouvoirs centralisés ou décentralisés, ou encore à un mode de planification ouvert ou fermé [5]. J'essaierai de décrire ce qui se produit quand un système monochrone est associé à une structure sociale décentralisée et dont le mode de communication est pauvre en contexte. Ou bien, quand une organisation fermée, combinée à un système temporel ouvert (modèle français), doit intégrer des individus habitués à un mode d'organisation ouvert, combiné à un modèle temporel fermé (modèle allemand). Les différences comme les répercussions sont tout à fait extraordinaires.

Ces quatre types de contextes corrélatifs influencent profondément les résultats obtenus dans la vie pratique. Malheureusement, il n'existe pas dans la langue anglaise de métaphores pour décrire les relations structurelles qui existent entre ces ensembles quadratiques, et les résultats obtenus par la combinaison de leurs éléments de manières différentes. Alors, comment en parler? On peut observer leur fonctionnement en tant que totalités vivantes, mais dès que l'on commence à séparer et identifier leurs composantes de base, les schémas unificateurs échappent à notre compréhension. Il semble, finalement, que le langage de la chimie rendrait mieux ce que nous voulons exprimer que ces agrégats de mots qui forment le langage. Je pense à la chimie parce que le monde de la matière, comme celui de la culture, est composé d'un nombre limité d'éléments combinés de manières différentes. Tout métallurgiste sait qu'il suffit d'ajouter d'infimes quantités de diverses substances comme l'étain, le manganèse et le cobalt à de l'acier pour que ce métal prenne des caractéristiques complètement nouvelles. La polychronie est une façon particulière d'organiser des faits dans le temps; une institution polychrone et une institution monochrone sont aussi opposées que le jour et la nuit. Et si on associe à l'une ou à l'autre une gestion extrêmement structurée, le résultat sera très différent. Elle seront à tout point de vue distinctes.

Chandel, directeur exceptionnellement perspicace, est au plus haut niveau dans l'ensemble des cadres moyens d'une société allemande et, à ce titre, responsable des affaires traitées avec la France. Chandel, comme ses collègues français, est polychrone. Il affirme cependant que le Français se pense en tant qu'individu monochrone, en accord avec sa culture de type linéaire et méthodique, au sens cartésien des termes. Il n'y a, en effet, rien d'exceptionnel à ce que des individus se comportent d'une certaine manière, et qu'ils aient une tout autre image d'eux-mêmes. Le Français, intellectuellement et philosophiquement monochrone, n'en a pas moins une culture primaire polychrone. Son comportement est polychrone, dans le contexte de la vie quotidienne, et plus particulièrement dans ses relations avec les autres.

Chandel se sent mieux à son aise quand il travaille dans une organisation dont le système de contrôle est entièrement centralisé; autrement dit, une organisation de type français, dans laquelle le pouvoir est au centre. Quand, s'agissant de prendre une décision, il s'adresse à un supérieur, il n'attend rien d'autre qu'un « oui » ou un « non ». Il suppose, en effet, que son supérieur connaît la situation et n'a donc pas besoin d'information contextuelle : ceci constitue une caractéristique des organisations centralisées et polychrones.

Par contre, quand M. Chandel s'adresse aux Allemands, dans des circonstances similaires, il constate que son interlocuteur allemand a besoin de descriptions détaillées de la nature du problème, et veut savoir le contexte dans lequel il se pose. De même, l'Allemand mettra un temps infini à expliquer sa position. Et Chandel se sentira alors « rabaissé » par le fait qu'on s'adresse à lui sur un mode pauvre en contexte; il aura l'impression que l'on se met à sa portée [6]. Mais, après avoir lu *Au-delà de la culture,* où sont décrits les divers modes de constitution d'un contexte comme sous-systèmes de communication, Chandel commença à comprendre qu'il ne devait en aucun cas se sentir personnellement concerné : il s'agissait simplement de la différence entre deux modes de communication, l'un riche en contexte, l'autre pauvre en contexte. Il continua alors à remarquer qu'on s'adressait à lui sur un mode de communication pauvre en contexte, mais ne se sentit plus « rabaissé »; il était maintenant capable de « traduire » le comportement allemand en français et vice versa.

Cependant l'extrême monochronie et le besoin d'ordre et d'espace privé des Allemands laissèrent Chandel plus d'une fois perplexe. Il ne comprenait pas leur manière de compartimenter les affaires et de s'isoler les uns des autres. L'influence de l'ordre hiérarchique sur l'accomplissement du travail quotidien et de routine lui paraissait non seulement chaotique, mais aussi peu réaliste. Par exemple, quand il travaillait en France, son supérieur – l'individu juste au-dessus de lui dans l'ordre hiérarchique de l'organisation – semblait n'avoir sur lui que très peu d'autorité (ce qui ne se serait jamais produit dans le contexte français). La situation de Chandel n'était pas unique, mais peu de gens sont aussi observateurs et ont un esprit aussi analytique que le sien. L'explication de cette situation est la suivante : dans sa compagnie, comme dans d'autres du même type, coexistaient au moins trois réseaux de pouvoir différents, possédant chacun ses propres circuits d'information : *a)* l'organisation de la structure technique de la compagnie, avec sa hiérarchie de pouvoir explicite, associée à des schémas d'organisation; *b)* un niveau de pouvoir professionnel spécialisé et autonome, composé d'un ensemble de domaines distincts, formant la base des circuits d'information – les ingénieurs s'adressent aux ingénieurs, les chimistes s'informant auprès des chimistes, les juristes collaborant avec les juristes, et tous à des niveaux d'organisation différents; *c)* un réseau de personnes influentes à l'intérieur de la compagnie, dont le succès et le dynamisme les avaient liées à des centres de profit extrêmement productifs. Il s'agissait là d'hommes réputés pour mener les choses à bien. Chandel, pour sa part, était davantage lié aux deux derniers réseaux qu'au premier, situation familière à beaucoup d'Américains, même s'il s'agit d'un niveau technique et explicite.

L'image que les Français se font du modèle d'organisation allemand n'a donc rien de surprenant : pour les Allemands, n'importe qui, à l'intérieur d'une sphère de responsabilité, peut, s'il est fort, habile et ambitieux, ramasser la balle et courir avec. Ce schéma est aussi familier aux Américains : les cultures allemande et américaine sont sur ce point tout à fait similaires. Elles ont aussi en commun une totale soumission aux schémas d'organisation techniques. Pour l'une comme pour l'autre, il va de soi que ce modèle technique et les procédures qui y sont associées ne peuvent s'accorder avec la réalité non structurée [7] d'opérations au jour le jour.

Une autre règle du modèle allemand d'organisation, implicite mais ayant force d'obligation, est qu'une fois installé dans une case organisationnelle, non seulement un individu se voit accorder le pouvoir nécessaire pour exercer son métier, mais en plus la liberté de le faire sans être dérangé. Toutefois – et c'est important –, on ne doit surtout pas faire de vagues! Par ailleurs, au grand étonnement de Chandel, le système allemand était souple, et, de plus, il fonctionnait vraiment! Il laissait toute latitude aux talents et aptitudes de s'exprimer, allant même jusqu'à tolérer l'incompétence. Aussi longtemps qu'un individu ne créait pas de problèmes, ne se plaignait pas, ne critiquait pas, ni ne laissait trop apparaître ses défauts, on ne s'occupait pas de lui. Aussi, on s'en sera douté, les Allemands répugnent particulièrement à licencier quiconque. Ils tournent au contraire leur regard vers l'intérieur, protégés par des portes fermées et des bureaux insonorisés : autant de métaphores structurelles, de faits culturels inconscients – expression directe de la réalité de la culture primaire allemande.

Quant au comportement américain, il est à cet égard quelque peu hybride. Contrairement aux Allemands, les Américains mènent une politique « portes ouvertes », et la monochronie ne domine pas entièrement la vie dans les bureaux. Les Allemands, en fonction de leur besoin d'ordre, essaient d'appliquer à leur société dans sa totalité une structure temporelle unique, alors que les Américains se contentent de travailler à l'intérieur du cadre temporel d'une seule organisation. Et si les conflits entre horaires différents sont loin d'être aussi nombreux aux États-Unis qu'en Allemagne, ils se produisent par exemple quand la demande familiale est en contradiction avec les exigences professionnelles d'un individu. La suite va faire apparaître les implications de l'ensemble de ces remarques.

Bien que les Américains traitent leurs affaires « portes ouvertes », les directeurs sont beaucoup moins disponibles qu'ils peuvent le laisser croire. Et, comme chez les Allemands, se présente aussi souvent chez eux le cas d'une forte personnalité qui, bien qu'extérieure à l'ordre du pouvoir, en a pris néanmoins la relève. Quiconque a passé quelque temps dans l'armée sait comment des caporaux et des sergents-majors tyrannisent leurs officiers. Ce syndrome infiltre tous les types de bureaucratie : toutes sont peuplées de secrétaires qui ne font pas leur travail, de magasiniers qui ne fournissent pas les marchandises, d'employés des postes ou de préposées aux vestiaires malpolis à l'égard du public.

Alors que je rédigeais ce livre, la presse rapporta un cas « typique [8] ». D'après les reportages, deux employés du Bureau de contrôle américain des médicaments et produits alimentaires avaient, de leur propre initiative et arbitrairement, proscrit des solutions peu coûteuses, communément utilisées pour la stérilisation de lentilles de contact souples, et, toujours sans autorisation, avaient agréé une solution saline beaucoup plus coûteuse et produite par une firme peu connue. Ce fait eut pour conséquence immédiate d'augmenter considérablement le chiffre d'affaires jusqu'alors de cinq millions de dollars par an. Cette firme fut vendue par la suite à une entreprise suisse pour la somme de cent dix millions de dollars. Mais, le fait extraordinaire de cette histoire est que les deux individus ne détenaient pas le pouvoir d'agréer la solution saline. Selon le Bureau de contrôle américain intéressé dans cette affaire, l'un des employés « avait usurpé le pouvoir de décision de ses supérieurs ». Mais encore une fois, les choses se passèrent selon le même modèle qu'en Allemagne : les deux bureaucrates qui s'étaient laissés offrir de bons repas bien arrosés et qui avaient bénéficié de toutes sortes de faveurs, ne furent pas licenciés quand la nouvelle se répandit. Ils furent mis en « congés rémunérés », c'est-à-dire suspendus. Et presque un an plus tard, après seulement qu'un comité eut tenu une seconde série de séances et eut de nouveau fait état publiquement des complicités existant entre les bénéficiaires des décisions du Bureau de contrôle américain et les individus ayant pris ces décisions, les deux employés furent cette fois suspendus sans rémunération.

Ce type d'arbitraire existe dans beaucoup de pays, mais avec des différences. En France, par exemple, il faut avoir une situation centrale pour pouvoir tyranniser quelqu'un. Rappelons-nous les concierges d'antan! Dans ce pays les directeurs sont parfaitement libres de disposer comme bon leur semble du temps de leurs subordonnés. Les directeurs allemands n'ont pas ce pouvoir sur leurs employés – le système monochrone et le type d'horaires qui y est lié ont un caractère sacré; nous le verrons plus loin. Il est impensable, en Allemagne, de constamment ignorer qu'un employé doit tenir compte d'horaires pour certains de ses besoins, et de le faire travailler pendant les quelques heures d'ouverture accordées aux commerçants par le gouvernement.

Voici des remarques supplémentaires sur les contrastes existant entre les modèles d'organisation de ces deux cultures :

| MODÈLE D'ORGANISATION FRANÇAIS | MODÈLE D'ORGANISATION ALLEMAND |

Pouvoir et contrôle

Les directeurs peuvent décider du temps de travail de leurs subordonnés. Les secrétaires sont censées pouvoir dépasser leurs horaires de travail réguliers, et même travailler le week-end si leurs directeurs ont besoin d'elles.

L'association d'un système temporel monochrone et d'un pouvoir centralisé empêche les Français d'établir des horaires fixes comme le font les Allemands.

Le temps des subordonnés est sacrosaint, en particulier celui des secrétaires. On ne peut les déranger, même pendant une pause café, ni les retenir après leur horaire de travail normal; elles manqueraient les heures d'ouverture des magasins et des marchés.

On pense à l'intégrité de l'Allemagne en tant que vaste ensemble d'horaires qui se complètent tous. La loi, pour protéger les droits des employés, n'autorise l'ouverture des magasins qu'à des horaires précis. Les employés de bureau doivent donc pouvoir faire leurs achats pendant les heures d'ouverture, ou bien, la famille ne mange pas!

Le pouvoir de décision

L'ordre du jour est assez souple, et varie en fonction de l'évolution d'une situation.

Les subordonnés attendent des réponses catégoriques : « oui » ou « non ».

À l'intérieur d'un système de communication pauvre en contexte, l'information doit être extrêmement structurée, pour permettre à chacun de se situer. Les subordonnés utilisent des agendas depuis très longtemps (leur utilisation remonte à Charlemagne). L'ordre du jour est important et doit être respecté. Un bon directeur protège ses subordonnés talentueux par une sorte d'écran parce qu'un mode

140

d'organisation ouvert, informel, favorise la concurrence qui peut être destructrice. Les Américains sont moins enclins à protéger des subordonnés pour la seule raison qu'ils sont de bons collaborateurs; ils les laissent « s'occuper d'eux-mêmes ».

Information et stratégies

Le système français centralisé favorise un mode de décision linéaire et hiérarchique qui se répartit à partir des centres de pouvoir les plus élevés vers, et par l'intermédiaire des centres de pouvoir subordonnés.

Les relations de type polychrone demandent – en fait, exigent – une solide protection des individus qui occupent des postes à responsabilités. Les secrétaires et les subordonnés assurent cette protection. Les Français n'aiment pas utiliser le téléphone qui les prive d'informations émanant du corps et du visage d'un individu, et qui les rend trop disponibles. D'où l'utilisation du pneumatique qui achemine un message d'un bout à l'autre de Paris en une heure.

Les dirigeants français ont la lourde responsabilité de se tenir constamment au courant. Les informations circulent parmi le seul groupe des « initiés ». Il est difficile de faire passer un message quand on ne fait pas partie de leur groupe.

En Allemagne, les méthodes de gestion sont comparables aux règles du jeu d'échecs : les pièces fortes peuvent dominer n'importe quel niveau. Comme aux États-Unis, ce système est sujet à d'importants blocages de la part des individus impliqués.

Alors qu'il donne l'impression de coopérer, un individu « fort » peut en réalité faire cavalier seul, faire obstacle, ou gêner les autres et anéantir ainsi les initiatives de ceux qui occupent des postes inférieurs, ou contrecarrer celles de ses supérieurs. Ce modèle rappelle celui de l'organisation des pouvoirs dans les villes de la Renaissance. Il existe cependant pour les individus doués des chances de gravir les échelons d'un système.

Images

Dans diverses situations, les Français sont plus enclins à révéler qui ils sont. Ils se sentent protégés par le fait d'être membres d'un groupe; il y engagent leur identité individuelle, et peuvent, de ce fait, au cours des réunions, affirmer par exemple : « Je sais, vous pensez tous que je suis un imbécile et vous allez cracher sur mes idées, mais je vais tout de même les exposer. » Un Américain n'oserait jamais être aussi agressif.

Le jour sous lequel on se présente aux autres est très important, et il faut s'assurer qu'il soit favorable. Il est permis de se tromper, mais aucun individu occupant un poste important ne doit le savoir. Il ne faut jamais montrer son incompétence. Il en résulte souvent un certain scepticisme à l'égard des autres. On considère l'art de vendre comme allant de soi, alors qu'établir des relations intimes – avec les Français par exemple – ne fait pas nécessairement partie du domaine des affaires. Les Allemands n'engagent vraiment de rapports amicaux, et même très amicaux, qu'une fois les premières barrières tombées. Les Américains ne tiennent personne à distance, mais protègent en eux un espace secret de sorte que les étrangers ont le sentiment de ne jamais vraiment les connaître; ils ne sont qu'image, apparence.

Les relations personnelles

La polychronie favorise les contacts interindividuels, et les relations extrêmement personnelles. Mais, en fonction de leur besoin d'espace privé, les Français se protègent, par exemple en ne mettant pas leur nom sur leur porte. Dans leur système, ou bien les autres font partie de leur monde, ou bien ils y sont

La monochronie compartimente; elle isole les individus les uns des autres. Les individus monochrones tendent ainsi à définir des relations personnelles dans le cadre professionnel. Beaucoup de précautions sont prises pour protéger l'espace privé des *autres*. Les Français, au contraire, s'attachent à

142

étrangers; et si c'est le cas, il se peut qu'ils n'aient pas très envie de les voir. Étant donné cet ensemble de circonstances, et les obstacles à surmonter, il est alors tout à fait naturel que le vendeur français « possède » ses clients qui ne sont donc pas la « propriété » de l'entreprise pour laquelle il travaille.

Des années sont parfois nécessaires pour établir une relation, il faut donc travailler à en établir plusieurs à la fois. Ceci explique aussi pourquoi un vendeur, en France, garde ses clients quand il change d'entreprise.

En France, la communication interpersonnelle dépend davantage des messages riches en contexte émanant des corps et des visages des individus (l'acteur Fernandel fournit un exemple significatif de ce type de communication corporelle). Il faut davantage de temps pour apprendre à lire avec précision des messages riches en contexte; mais une fois acquis, ce mode de communication est beaucoup plus rapide, plus sûr et fiable.

protéger leur *propre* espace privé.

Le comportement à l'égard des autres dépend en grande partie du mode de communication. Le mode de communication allemand est généralement pauvre en contexte; les mots et signes techniques ont une grande importance : ceci explique en partie pourquoi les Allemands ont à ce point besoin d'entrer dans les détails, et pourquoi les symboles de pouvoir ont un tel poids.

Propagande et publicité

En général, les individus dont le mode de communication est riche en contexte résistent davantage à la propagande et à la publicité qui, si elle vise l'efficacité, doit être amusante et vivante, et non pas sérieuse.

Les individus dont le mode de communication est pauvre en contexte sont généralement très sensibles à la propagande et à la publicité. Ils le sont en fait, jusqu'à ce qu'ils apprennent qu'ils ne peuvent faire confiance à l'agent

Les propos d'un dirigeant sont cependant pris très au sérieux, même si on ne les approuve pas.

qui est à l'origine du message; ils commencent alors à ne plus accorder aucune confiance à la publicité. Les individus prêtent attention à un message en fonction de la personne qui parle et de la conviction avec laquelle elle expose ses arguments, quelle que soit sa situation dans une organisation. Les Allemands communiquent en quelque sorte sur une seule longueur d'ondes, et reçoivent donc plus facilement les messages pauvres en contexte, indépendamment de leur source. Beaucoup en sont conscients, et attachent donc une grande importance à la position de la source du message dans l'échelle des conceptions politiques.

Le rôle de la presse et des médias

Dans les cultures centralisées, et dont le mode de communication est riche en contexte – la culture française par exemple –, le discours de la presse semble émaner d'un centre de pouvoir défini. Et ce centre est formé à partir de l'opinion des gens, à partir de ce qu'ils ont entendu ou n'ont pas entendu et de leur accord ou désaccord avec le point de vue énoncé.

On pourrait imaginer que dans une culture monochrone, dont le mode d'organisation est fermé et dont le mode de communication est pauvre en contexte, la presse soit contrôlée. En réalité, en Allemagne et aux États-Unis, la presse est un des rares générateurs de réactions à grande échelle sur des questions importantes. Sans cette garantie, ces pays se trouveraient dans une situation beaucoup plus précaire, à cause de la propension des Allemands et des Américains à tirer le rideau sur les choses, à laisser les gens régler eux-mêmes leurs problèmes, à ne pas licencier les incompétents, et de la sensibilité du système aux fortes personna-

lités, à n'importe quel niveau. Seuls
la presse et les médias en général
ont la liberté de faire des vagues.
Bien sûr, leur responsabilité est
énorme, et les journalistes ne la
respectent pas toujours.

Les systèmes allemands et français sont très différents dans
leur structure de base même; on ne s'étonnera donc pas qu'il
soit devenu difficile d'établir entre eux un rapprochement. S'il
s'agissait de donner des conseils concernant la conduite des
affaires internationales, au niveau gouvernemental ou dans le
domaine commercial, je suggérerais une sélection très atten-
tive du personnel que l'on emploie dans ces domaines, c'est-
à-dire un choix d'individus intuitifs, sensibles et particulièrement intelligents. Réussir dans un contexte interculturel
demande beaucoup plus de talent que de gravir les échelons
de la réussite dans les limites de sa propre culture. Bien sûr,
il y a des exceptions : certains types de personnalités ont
parfois à faire face à des environnements culturels particulièrement sensibles à leurs « tactiques de séduction », et de ce
fait arrivent à leurs fins, même quand ils ne sont pas extraordinairement doués. Il ne fait pour moi aucun doute que
pour vendre des produits en France, il faut appliquer de tout
autres règles et passer davantage de temps qu'en Allemagne,
bien que le système allemand soit peut-être plus lourd.

II

LE TEMPS COMME EXPÉRIENCE

8

L'expérience du temps

L'humanité est depuis toujours plongée dans un océan de temps : océan peuplé de courants et contre-courants, et nourri par des fleuves venant de pays différents. Ces fleuves en modifient la composition et donnent naissance à un mélange unique de temps pour chaque parcelle d'océan. Les êtres humains, immergés dans l'océan du temps, n'ont pris que lentement conscience de cet élément dans lequel ils vivent. Comme pour beaucoup d'autres éléments importants de notre environnement, il est difficile de rendre manifeste la conscience du temps. Dans ce but, nous réfléchirons d'abord un instant sur les immenses différences qui ont résulté de la perception du temps par nos ancêtres : car à partir du moment où les hommes ont intégré le temps à leur mode de pensée et de vie, quelque chose de vraiment nouveau a commencé. Les premiers signes de l'existence d'une conscience du temps sont présents dans les rites mortuaires des hommes de Néanderthal qui vivaient en Europe (entre – 70 000 et – 35 000 ans). Après les hommes de Néanderthal, ce furent les hommes de Cro-Magnon, qui vivaient de la chasse et habitaient des cavernes de la période glaciaire dans le sud de la France et le nord de l'Espagne, il y a environ 37 000 ans [1]; ils enterraient aussi leurs morts. Les restes, découverts dans les grottes qu'ils habitaient, ont prouvé que ces hommes et ces femmes, les premiers êtres humains « modernes », avaient commencé de manière systématique à faire et enregistrer des observations des phases de la lune, de la migration du gibier, du frai des saumons, et même probablement de la position du soleil à différents moments de l'année. La capacité d'enregistrer et de prévoir des phénomènes comme le mûrissement de fruits, de baies, d'herbes, ou les périodes de migrations des oiseaux, des poissons et du gibier accrut les possibilités de survie des êtres humains primitifs et, pour la première fois dans l'histoire de l'humanité, leur permit déjà de faire des plans.

Nous devons principalement ces connaissances aux travaux de l'archéologue Alexander Marschack [2], de l'université de Harvard, qui procéda à l'étude très détaillée de marques gravées sur des outils en os et des côtes de bisons trouvés dans des grottes datant de l'âge de pierre. Il se rendit compte, en les examinant au microscope, que ces marques, loin d'être fortuites, avaient au contraire été gravées dans un but précis. Chaque marque était unique, chacune avait été faite à un moment différent, avec un instrument différent! Les découvertes de Marschack sont sans équivoque : il s'agit bien là du témoignage muet d'un timide commencement d'observations et d'études, qui reste un mystère fascinant, pour les époques à venir.

Beaucoup plus tard, au cours de l'âge du bronze – entre – 2 000 et – 3 000 –, des ensembles primitifs mais permettant d'enregistrer avec précision les déplacements du soleil, de la lune et des planètes commencèrent à apparaître partout dans le monde. Ces « observatoires » – on les appelle parfois des calculateurs – dont Stonehenge est l'exemple le plus connu, permirent non seulement de fixer avec précision les dates des cérémonies religieuses, mais aussi de prévoir les éclipses du soleil et de la lune. La capacité de prévoir la succession des saisons fut d'une utilité capitale pour savoir à quel moment planter, pour déterminer les schémas d'organisation de la vie des êtres humains : savoir quand les cerfs sont en rut, connaître les déplacements des grands oiseaux migrateurs, prévoir la fin des gelées, et le moment où les orages sont susceptibles d'éclater. En fait, chaque aspect de la vie de notre espèce était associé à un espace de temps. Ces observations avaient aussi une importance extrême pour le maintien de la synchronie appropriée entre les cérémonies et fêtes religieuses, et les saisons. Quelques élus détenteurs du savoir et de secrets contrôlèrent d'abord l'utilisation de ces connaissances ésotériques. Au cours des âges primitifs, la perception du temps était centrée sur l'univers et la nature. Les unités de temps prises en considération étaient toujours grandes : une journée ou une demi-journée (avant ou après midi) représentaient les plus petites unités de temps perçues. On ne connaissait pas alors la semaine, et les mois n'étaient rien d'autre qu'une succession; aussi, dans la plupart des sociétés, seulement un ou deux hommes, un petit groupe de prêtres dans les sociétés plus développées, connaissaient le jour précis du solstice d'hiver.

Bien après l'âge du bronze et ses ensembles imposants comparables à des calculateurs, la construction d'horloges se développa, vraisemblablement à partir d'astrolabes complexes, reproductions mécaniques du système solaire utilisées en astrologie. Les horloges n'apparurent en Europe qu'au XIVᵉ siècle; seules les familles royales et les personnes très fortunées en possédaient alors. Vers le milieu du XVIᵉ siècle, de solides corporations d'horlogers se développèrent en Europe, et on commença à vendre des horloges sur les marchés urbains.

L'amour que nous, Occidentaux, nourrissons pour divers types de mécanismes permettant de mesurer le temps, dépasse même notre amour pour les automobiles et, d'une certaine manière, a peut-être une influence plus profonde sur notre vie – bien que plus subtile. L'horloge est essentiellement à l'origine de l'attention que nous portons aux variations du cours du temps (le temps passe lentement, ou au contraire il fuit); ce sera précisément là le principal objet de ce chapitre. L'horloge constitua un moyen de mesure externe au corps humain, permettant d'estimer avec quelle rapidité le temps passe, de déterminer s'il file ou s'il traîne. Jusqu'à l'invention de cette mécanique, les rythmes internes des individus étaient rapides ou lents, et généralement en synchronie les uns avec les autres. Ainsi, peu de gens avaient conscience de la rapidité à laquelle le temps passait. Et aujourd'hui encore, c'est la présence des horloges qui nous fait prendre conscience du temps qui passe. De nombreuses expériences faites dans le monde entier avec des individus ne possédant pas, ou n'ayant longtemps pas possédé d'horloges nous l'apprennent. Il y a encore seulement cinquante ans, les Indiens Navajo avec qui je travaillais alors ne possédaient pas d'horloges, ni ne ressentaient le besoin d'en posséder.

Avant d'aborder la complexité des variations du cours du temps, il me semble nécessaire d'ajouter quelques considérations sur les *projections* [3], dont les horloges, les montres et les calendriers sont des exemples. Les projections sont essentiellement des outils et notamment des outils de communication comme le langage. Elles constituent une production naturelle de presque toute, sinon toute, substance vivante, bien que les êtres humains aient considérablement développé la production de projections. Les toiles d'araignée, les nids d'oiseaux et les marqueurs territoriaux sont des exemples de projections produites par les formes de vie les moins évoluées. L'humanité par contre, a tellement développé ses projections qu'elles commencent à envahir le monde, et pourraient finir par rendre la vie impossible si on ne cherche à mieux les comprendre [4].

Les projections ont une caractéristique remarquable : elles peuvent pratiquement être développées à n'importe quelle rapidité, alors que la vie elle-même est le produit de l'accumulation de petits changements ne pouvant intervenir qu'avec l'apparition d'une nouvelle génération; le plus petit intervalle au cours duquel une modification génétique peut se produire est, en effet, le temps de succession d'une génération à une autre. De ce fait, des petits organismes, comme ceux des mouches, des bactéries et des virus, dont le rythme de reproduction est très rapide, développent des adaptations à leur environnement dans des intervalles de temps très courts. La résistance des mouches et des moustiques au DDT dans le monde entier est un des exemples les plus connus de ce type d'adaptation.

Si l'évolution culturelle des êtres humains était liée au processus d'évolution génétique de notre espèce, nous n'aurions probablement pas encore dépassé le stade de l'âge de pierre. Ainsi, pour accélérer le processus d'évolution et acquérir une plus grande habileté à faire face aux obstacles qu'elle rencontre dans son environnement, l'humanité a commencé à développer des projections. Il lui a cependant fallu payer le prix d'un tel choix : ses projections sont un type d'outil particulier qui, non seulement accélère et facilite le travail, mais aussi coupe les individus de leur travail. Elles constituent le résultat d'un processus d'amplification au cours duquel se perdent souvent des détails importants. Aussi le hasard intervient-il largement dans la perte de ces détails, et ce qui se trouve laissé pour compte est parfois plus important que ce qui est amplifié.

Un des aspects les plus importants de la nature de ces projections est leur enracinement dans des fonctions biologiques et physiologiques spécifiques. Leur origine est en nous-mêmes! Autrement dit, l'étude de ces projections peut nous apprendre beaucoup sur les êtres humains. Il existe, en fait, peu de choses qui ne soient susceptibles d'être découvertes. On peut considérer les projections comme des manifestations extérieures de pulsions, de besoins et de connaissances des êtres humains, et même comme des manifestations de nos pulsions inconscientes. Étant donné le degré d'évolution atteint aujourd'hui, on peut avoir quelque difficulté à réaliser que personne d'autre que nous n'a créé de projections. Donnons maintenant quelques exemples de ces projections : le téléphone est une projection de la voix humaine, la télévision, à la fois de l'œil et de l'oreille; les grues sont des projections de la main, des bras et du dos; les ordinateurs, de la mémoire et de certaines fonctions arithmétiques du système nerveux central; les télescopes et les microscopes, du cristallin de l'œil; les caméras, de notre mémoire visuelle; les couteaux, de la capacité de mordre et de couper des dents et des ongles, et les automobiles, de nos jambes et nos pieds.

Il faut ici ajouter encore une précision : quand une fonction est développée par la production d'une projection, cette dernière commence d'une part à exister par elle-même, et d'autre part, à se confondre avec la réalité à laquelle elle se substitue. Le langage est à cet égard un excellent exemple. Le comte Alfred Korzybski (dont j'ai déjà mentionné le nom plus haut) a particulièrement bien décrit ce processus en formulant ses principes de sémantique générale [5]. Korzybski met l'accent sur le fait que le mot n'est pas la chose, mais seulement un symbole. Il s'agit pourtant là d'une distinction que les êtres humains ont le plus de difficulté à saisir. Ils doivent, semble-t-il, se rabâcher sans fin que la carte n'est pas le terrain.

J'ai formulé, dans un travail précédent, le principe du transfert de projection, selon lequel toute projection, non seulement peut se substituer, mais généralement se substitue effectivement à la fonction qu'elle développe [6]. La manière dont nous avons développé nos propres rythmes à l'extérieur de nous-mêmes, puis traité les projections ainsi produites comme si elles représentaient une réalité en elles-mêmes, illustre ce principe. En fait, l'écart entre nos rythmes intérieurs et l'horloge accrochée au mur explique en grande partie la tension de nos contemporains. Nous avons aujourd'hui élaboré tout un système d'horaires complexes et d'habitudes et de prévisions auquel nous essayons de nous conformer, quand, en réalité, l'inverse devrait se produire. Le transfert de projection en est la cause. En fonction de ce transfert, l'horaire devient la réalité, et les individus et leurs besoins ne sont plus pris en considération.

Temps qui passe, temps qui ne passe pas

Le temps ne passe pas quand notre rythme corporel et l'horloge extérieure ne sont pas synchrones. « Le temps ne passe pas » signifie, en d'autres termes, qu'on s'ennuie. Ce message nous invite alors à rechercher la cause de ce sentiment. Reconnaître l'existence de ces petits signaux – comme « le temps ne passe pas » – est important dans la mesure où ceci révèle que notre inconscient est là où se trouve le centre d'organisation et de synthèse de notre personnalité. Beaucoup d'entre nous, sinon tous, essayons de réduire notre aliénation et cherchons à accorder notre conscient et notre inconscient. Le fossé qui les sépare n'est pas négligeable, et quand il devient trop important, la vie des individus est diminuée : l'effort investi dans la tentative pour réunir le conscient et l'inconscient les rend moins créateurs et moins heureux. Avoir conscience que le temps ne passe pas devrait être un signal nous indiquant qu'il nous faut davantage prêter attention à l'état de notre psychisme.

Maggie Scarf, dans son livre sur la dépression féminine intitulé *Unfinished Business,* affirme que des facteurs biochimiques jouent un rôle considérable dans la constitution de l'état dépressif. Autrement dit, on peut le traiter avec des médicaments, ou en associant médicaments et psychothérapie. Peu importe aux individus souffrant de dépression que leurs troubles soient dus à un déséquilibre chimique de leur organisme, ou qu'il soit psychogénétique. Cela ne change rien à la douleur, la souffrance et la paralysie affaiblissant l'individu déprimé. Mais que le temps passe à une allure d'escargot rend la dépression doublement insupportable. Un des sujets de Scarf, Diana, très peu de temps après une tentative de suicide, parle de « l'impression d'être engluée dans un temps qui n'en finit pas de passer ». Scarf affirme, par ailleurs : « La dépression ménopausique est une bombe temporelle biologique pouvant exploser au cours des années de sa vie où une femme cesse d'être fertile. »

J'ai travaillé, jeune homme, dans des réserves indiennes, et je voyais alors fréquemment des Hopi et des Navajo attendre aux alentours des comptoirs de l'agence de Keams Canyon, en Arizona, ou dans les hôpitaux de Keams et de Winslow. Je me rendis compte que je ne pouvais m'imaginer être dans leur peau et réagir à cette situation comme ils le faisaient. L'attente des Indiens était d'une qualité différente de la nôtre. Et à cet égard, je ne me distinguais en rien des autres Blancs : nous étions tous impatients, regardant sans arrêt notre montre ou l'horloge accrochée au mur, grommelant, ou ne tenant pas une seconde en place. Alors qu'un Indien pouvait arriver à l'agence le matin et se trouver encore tranquillement assis devant le bureau du directeur l'après-midi, sans qu'à aucun moment son allure ou son comportement change un tant soit peu. Comment était-ce possible? Enfant, j'avais observé le même comportement, dans des villages indiens au nord du Nouveau-Mexique, chez des amis indiens, et dans les villes de Taos et Santa Fe. Les Indiens voulaient échanger avec ma famille, comme avec bien des artistes de la région, des visites de courtoisie. Mais il se trouvait que nos jours et heures de visite, à nous Blancs, ne correspondaient jamais à celles de nos amis indiens. Ainsi, quiconque rendait visite devait attendre. Un appareil à mesurer la tension, fixé sous un banc, aurait parfaitement enregistré graphiquement les différences des diverses manières d'attendre. Nous, les Blancs, nous nous tortillions dans tous les sens, nous nous levions, nous asseyions de nouveau, sortions, dirigions nos regards vers les champs où nos amis étaient en train de travailler; nous bâillions, étirions nos jambes, et mutipliions ainsi les signes d'impatience. Par contre, quand c'était leur tour, les Indiens restaient simplement assis, échangeant de temps en temps quelques mots entre eux.

Plus tard, devenu adulte, j'ai visité d'autres pays et j'y ai travaillé; là aussi j'ai observé la même différence. Il m'était très clairement apparu que « mon » temps n'était pas « leur » temps. Je suis toujours étonné de voir comment des Arabes peuvent passer des heures et des heures – en fait, toute la journée – à parler entre amis dans des cafés. Même à Paris quelque chose de particulier se dégageait des gens dans les cafés; ils étaient différents de ceux que je voyais dans mon pays. J'observais à Paris les mêmes personnes, tous les jours, dans le même café, assises à regarder passer les gens. Les cafetiers étaient indulgents à l'égard de la « bohème » : tout le monde savait que les artistes n'avaient pas beaucoup d'argent et ne pouvaient donc pas chauffer leur atelier; alors, ils venaient s'asseoir dans les cafés pour s'imprégner de la chaleur. La perception du temps varie aussi, jusque dans les moindres détails, selon la classe sociale, la profession, le sexe et l'âge des membres de notre propre culture. Avez-vous déjà remarqué, dans notre culture, comme les petits enfants sont impatients? « Dis maman, combien de temps on va attendre encore? Je suis fatigué. » Alors qu'un enfant indien ne se plaignait jamais. Parfois, presque imperceptiblement, il tirait un peu le vêtement de sa mère qui le reprenait alors dans ses bras, ou lui donnait le sein. Cet enchaînement de gestes se produisait sans ruptures dans le rythme du comportement des individus, et si naturellement que je ne le percevais qu'à peine. Manifestement, des modèles culturels comme celui-ci se mettent en place très tôt dans la vie d'un individu, ils existent déjà à la naissance. Aux États-Unis, et dans les cultures occidentales en général, on semble considérer le temps comme une donnée en soi; d'après la conception newtonienne le temps serait identique où qu'on se trouve dans le monde. Elle n'est manifestement pas juste, mais afin de mieux comprendre des systèmes temporels différents, nous devons d'abord mieux connaître le nôtre. Comment, donc, parvenir à la connaissance de notre système temporel?

Ce que la littérature nous apprend

J'ai été amené à considérer la littérature comme source de découvertes sur les préoccupations de chacun. Le romancier et le poète reflètent dans leurs écrits les principales préoccupations de leurs contemporains, et leurs manières de percevoir le temps [7]. Le temps était l'obsession de Henri Bergson; il le considérait comme un ennemi. Proust, comme son compatriote, était également préoccupé par le temps, pour lui inséparable de la mémoire. Par leur conception du temps, ces deux hommes sont extraordinairement représentatifs de la culture occidentale.

Le romancier ne peut éviter de s'attaquer au temps, et la manière dont il le traite est un indice qui permet de juger à quel point il maîtrise son art. James Joyce nous voit emprisonnés dans « l'espace exigu du temps linéaire ». Un des protagonistes des romans de James Joyce, Stephen Dedalus, pense qu'il est impossible de séparer une horloge de l'expérience de celui qui la regarde. D'une certaine manière, il a raison. Pour Bergson, le « devenir » est l'essence du temps. Pour tous ces écrivains la conscience est conscience de soi. Franchissant les barrières du langage, ils se retrouvent au beau milieu du temps. Pour eux, le temps est l'équivalent ou la quintessence de la conscience. En fait, la plupart d'entre eux utilisent le temps comme instrument leur permettant de saisir la conscience.

Le temps, bien sûr, est une composante majeure des œuvres de Virginia Woolf, Aldous Huxley, Franz Kafka, Thomas Mann ou William Faulkner, pour ne mentionner que quelques écrivains. Tous distinguent le temps de l'horloge et le temps perçu comme entités séparées. Pour Bergson, la durée concrète est le sens même de la vie, alors que pour Kafka, au contraire, le temps intérieur est réel. Cependant, Kafka annule le temps en transformant la réalité en rêve – ce qui donne à son œuvre cette qualité « surréelle ».

Tous ces auteurs considèrent, implicitement ou explicitement, la dualité comme principe inhérent à la nature : individuel et universel, volonté et idée, concret et abstrait, esthétique et matérialisme, séparation et fusion, présent et passé, passé et futur, extérieur tourné vers l'intérieur, intérieur tourné vers l'extérieur, vie et art, temps et éternité, attirance et indifférence, mysticisme et humanisme, instant et éternité, symbolique et allégorique. Mais la dualité n'est, finalement, que la manière dont les Occidentaux classent pratiquement tout par catégorie. Ainsi le discours des physiciens et celui des anthropologues sont tout à fait différents. Cependant, le lecteur doit savoir que la dualité est quelque chose que « nous absorbons avec le lait maternel », comme l'affirme Einstein. Elle s'installe en nous naturellement, et détourne notre attention de la causalité multiple. La réponse réflexe exprime le schéma de la dualité, celui de la relation de cause à effet. Le lecteur doit aussi savoir que les Américains, dont l'héritage culturel est nord-européen, appliquent naturellement ce schéma à la réalité; mais il est beaucoup moins évident pour eux de considérer les causes multiples d'un phénomène, contrairement à des individus élevés dans des cultures où l'on envisage les aspects multiples d'une réalité.

Compression et extension du temps

Les phénomènes de compression et d'extension du temps ne cessent de fasciner les Occidentaux. Le temps se comprime quand il passe plus vite. Ce phénomène se manifeste avec évidence dans des situations d'urgence; par exemple, quand quelqu'un pense qu'il va mourir (« J'ai revu ma vie entière en l'espace de quelques secondes »), ou quand il se trouve en danger de mort. Ce fut, par exemple, le cas du commandant Russ Stromberg, pilote d'essai dans la marine, un jour qu'il effectuait un vol d'essai à bord de l'appareil de transport AV-8C [8]. Son avion venait d'être catapulté du pont du porte-avions « Tarawa », quand Stromberg réalisa que le moteur de son appareil ne donnait plus aucune puissance. Il lui fallut, une fois revenu sur terre, quarante-cinq minutes pour dérouler le film des huit secondes pendant lesquelles il réagit à cette situation d'urgence, pour finalement se tirer d'affaire. Il raconta : « Je fus très surpris par la manière dont les choses se déroulèrent. Tout se passa lentement. *Après une seconde environ,* l'avion avait commencé à tanguer depuis une ving-taine de mètres, je compris que la situation était très grave » (c'est moi qui souligne). D'abord, Stromberg essaya de voir s'il pouvait allumer le moteur en coupant les mécanismes de limitation de la puissance au décollage. Cela ne marcha pas. Il n'y avait pas moyen d'allumer les moteurs de l'avion dans les cinq secondes qui restaient avant que l'avion ne heurte l'eau et n'explose. L'éjection était la seconde solution. Mais, là encore, s'éjecter au mauvais moment entraînait la mort certaine. Il eut, en l'espace de deux ou trois secondes, le temps de regarder autour de lui, et de tirer sur la poignée d'éjection au bon moment : à peine un mètre au-dessus de l'eau. Stromberg fut donc éjecté et, par chance, évita à quelques mètres près l'endroit où l'avion s'écrasa. Cette mal-heureuse petite description ne peut cependant rendre compte de toutes les alternatives entre lesquelles il dut vraiment choisir – au bon moment, dans le bon ordre, et sans panique. S'il avait agi en fonction du cours normal du temps, rien de tout cela n'aurait été possible. Et sans cette capacité d'étirer le temps, ancrée dans l'espèce humaine – dans ce cas ce fut une expansion à près de 300 % du temps normal – l'humanité n'aurait probablement pas survécu.

J'eus, une fois, une expérience similaire, bien que moins dangereuse, le jour où je me trouvai involontairement partager avec un puma un lieu sans issue. J'avais fait quelques affaires avec une espèce de naturaliste qui m'avait escroqué. Pour distraire mon esprit de l'idée de réclamer mon dû, et parce qu'il me soupçonnait d'adorer les animaux (je m'étais vivement intéressé à un « suisse * » qu'il portait dans sa poche), il me proposa de me montrer son nouveau pensionnaire, un puma. J'étais alors occupé à regarder le puma, quand je m'aperçus avec horreur que cet individu avait, par inadvertance (?), laissé la porte de la cage ouverte. Le puma était ainsi sorti, et nous nous trouvions tous les deux dans un couloir étroit. Je pris conscience de ce qui se passait quand je sentis quelque chose me frôler le mollet droit. Puis, au moment où je vis le puma lécher une tache de graisse juste à côté de mon pied, le temps ralentit. Tout ce que je savais par l'expérience de ceux qui s'étaient trouvés en face d'animaux sauvages défila à toute vitesse dans mon esprit : « Si tu as peur, l'animal va le sentir et te tuer. » Sur le moment, je n'eus pas peur. La peur ne vint qu'après, quand je me trouvai de nouveau en sécurité. Mais que faire ? Comment me sortir de ce pétrin ? Je mis à contribution mes années d'expérience des animaux ; et alors que je passais mentalement en revue et rejetais successivement une demi-douzaine de solutions et leurs scénarios, une seule me parut possible : devenir amis. Je découvris non seulement qu'on pouvait approcher ce puma, mais aussi qu'il ronronnait comme une Alpine Renault. M'étant ainsi assuré que je n'allais pas mourir sur-le-champ, je résolus pourtant de ne pas approfondir nos relations. Finalement, le puma (qui s'appelait Jim) se retrouva dans sa cage, et je partis, ayant complètement oublié la raison pour laquelle j'étais tout d'abord venu. Combien de fois, au cours de l'histoire de notre espèce, de telles situations se sont-elles produites ? Pour avoir connu, jeune, la vie de ranch, au fin fond du Nouveau-Mexique et de l'Arizona, occupé toute la journée à l'extérieur, j'ai appris que les situations d'urgence sont légion. Et la capacité de ralentir le cours du temps en cas d'urgence m'a sauvé la vie plus d'une fois.

---

* Écureuil de terre, petit rongeur d'Amérique.

160

Pour les citadins, coupés de la nature, emmitouflés dans le confort matériel et technique, il est difficile, voire impossible d'imaginer à quoi pouvait ressembler la vie de nos ancêtres. Mais quiconque a passé beaucoup de temps dans la nature sait qu'une espèce de jauge de variations temporelles, ancrée en nous, est nécessaire pour survivre. Et peut-être en a-t-on encore aujourd'hui besoin pour faire face à de nouveaux dangers, ceux de la vie citadine.

Concentration de soi et perception du temps

Le degré de concentration nécessaire pour exécuter un travail dépend de la vitesse à laquelle on perçoit le temps passer. Les circonstances qui mènent parfois une personne ou un groupe d'individus à se concentrer au point d'en « perdre toute notion du temps » ont des causes multiples. Quand ils échouent, les sportifs de haut niveau, dont on connaît l'exceptionnelle capacité de concentration, mettent fréquemment leur échec au compte d'un manque de concentration.

Toute espèce de concentration efface la conscience que nous avons habituellement du temps. Des exemples particulièrement impressionnants et bien documentés de ce type de phénomènes nous sont fournis par un domaine récemment développé, celui de la microchirurgie [9]. Les spécialistes de microchirurgie rattachent, sous contrôle du microscope, diverses parties du corps (bras, jambe, doigt, main, orteil ou œil). Ces spécialistes travaillent en équipe : l'organisation du travail en équipe permet, d'une part, d'effectuer ce type d'opérations exceptionnellement difficiles et astreignantes, et, d'autre part, soutient le chirurgien en lui redonnant énergie et confiance quand ses forces commencent à diminuer. Il est arrivé, lors d'une opération, qu'une équipe travaille vingt-quatre heures d'affilée (vingt-quatre heures et vingt minutes précisément) pour opérer une jeune fille de dix-huit ans qui s'était pris la main dans une presse : il avait fallu rattacher quatre doigts. Il s'agissait donc de coudre ensemble les terminaisons nerveuses, les muscles, les tendons, les vaisseaux sanguins, la peau, et d'effectuer ces opérations de manière à ce que les os fracturés puissent se souder. Le chirurgien dit : « Je n'avais pas conscience du temps. » Il faut aussi noter que des chirurgiens comme celui-ci doivent se maintenir en parfaite condition physique, éviter d'absorber de la caféine pendant les vingt-quatre heures qui précèdent l'opération; et aucun ne fume!

Images et temps

Ce qui se passait dans la tête de Mozart quand il composait est un autre exemple de perception du temps, presque impossible à reproduire en laboratoire. On peut seulement constater l'extraordinaire créativité de ce compositeur, et croire que ce qu'il disait traduit bien ce qu'il vivait en composant. Mais d'abord, pour situer ces considérations sur Mozart dans un contexte, notons qu'il existe deux façons de créer quelque chose [10]. Enfants déjà, nous avons vite appris que certaines personnes peuvent résoudre des problèmes d'arithmétique mentalement, alors que d'autres résolvent ces mêmes problèmes à l'extérieur de leur corps, avec du papier et un crayon, ou de la craie et un tableau noir. On peut aussi observer le même phénomène dans n'importe quel domaine : chorégraphie, architecture, dessin industriel, sculpture, peinture, écriture et composition, et même ski et danse. Les enseignants se trouvent préférer la seconde méthode : ils voient alors ce qui se passe et peuvent corriger les « fautes ». Ils ont ainsi l'impression d'être utiles et de maîtriser la situation. La première méthode, cependant, est à la fois plus rapide et plus créative.

Mozart et Beethoven pouvaient composer dans leur tête. Beethoven composait, par exemple, pour instruments à cordes, écoutait les résultats, puis ajoutait les cuivres pour essayer quelle sonorité ils produiraient. Mais, autant que je sache, il entendait sa musique dans son ordre de succession tout comme nous l'entendons quand un orchestre joue dans une salle de concert, le temps réel et le mental étant à peu près synchrones. Pour Mozart, les choses se passaient différemment. Quelque chose dans l'organisation de son système nerveux lui permettait de percevoir sa musique globalement, en une seule fois. Alors que le génie de Beethoven était peut-être situé dans l'hémisphère gauche du cerveau, celui de Mozart l'aurait été dans l'hémisphère droit, faisant de lui un compositeur doué d'une écoute holistique. Mais mon intuition me mène à croire qu'il n'y avait pas que cela. L'organisation du cerveau ressemble beaucoup à celle d'un hologramme [11]. L'information s'y accumule partout à la fois, et on ne peut donc localiser un souvenir dans un point du cerveau [12]. L'information semble aussi y être accumulée en couches; il arrive qu'un individu profondément choqué psychologiquement perde la couche du langage en conservant cependant les autres. Le cas de Mozart nous donne quelques indications sur le pouvoir qu'ont des individus de dépasser le temps – en fait, de se projeter dans le futur. Certains auditeurs savent, quand on commence à jouer un morceau de musique, comment il va se développer; car, comme Mozart, ils perçoivent le moment présent comme élément d'un ensemble homogène dont on joue successivement les différentes parties. Quand il composait, Mozart percevait manifestement le temps d'une tout autre manière que son confrère Beethoven.

Le psychologue Howard Gardner, dans le livre intitulé *Psychology Today,* qu'il a consacré à ces deux compositeurs, affirme ne pas être parvenu à croire que Mozart ait pu imaginer acoustiquement et simultanément tous les éléments d'une totalité aussi complexe qu'une symphonie. Beethoven, semble-t-il, pouvait entendre une musique mentalement, mais non pas en entendre les détails, contrairement à Mozart qui les percevait. Beethoven devait transcrire sa musique sur le papier, puis travailler à conformer le résultat écrit à l'image mentale qu'il avait (exactement comme Einstein devait traduire en mots puis en langage mathématique les images visuelles et physiques qu'il concevait). Quant à Mozart, il était probablement doué d'un esprit extraordinairement créateur, mais aussi d'une capacité de traduire simultanément ce qu'il imaginait. Souvenons-nous que tout système de notation et toute forme de projection, de par leur nature même, ne reproduisent qu'imparfaitement ce qu'on pourrait appeler leur original.

Ainsi, la musique écrite correspond rarement à la perfection et à l'harmonie de ce qu'on entend mentalement : ceci expliquerait en partie les difficultés qu'avait Beethoven à écrire sa musique. Ce compositeur, exceptionnellement sensible à l'harmonie, était connu pour modifier ses partitions jusqu'à ce qu'il trouvât enfin la note parfaitement juste.

La différence entre créer intérieurement et créer à l'extérieur de soi par l'intermédiaire de projections est fondamentale et essentielle. Il s'agit de deux processus complètement distincts. Il faut de dix à cinquante fois plus de temps pour accomplir quelque chose à l'extérieur de son corps qu'à l'intérieur. On peut considérer et rejeter plusieurs projets pendant le temps qui est nécessaire pour mettre quelques idées sur le papier. Les projections accélèrent le changement ou l'évolution, mais ralentissent la productivité, en particulier quand elle doit tenir compte d'un ensemble complexe d'éléments. Une autre différence essentielle consiste à percevoir un processus de manière continue ou, au contraire, en tant qu'ensemble d'éléments séparés. Ici encore, le mode extérieur continu est beaucoup plus lent. Il est plus difficile de fragmenter un projet pour le réaliser, que d'imaginer d'emblée, comme le font les artistes ou les savants, un ensemble complexe et de l'extérioriser ou le traduire en symboles. L'artiste et le savant font « surgir » de leur inconscient une idée pour ainsi dire sans forme, qu'ils matérialisent ensuite à l'extérieur de leur corps, sur du papier, une toile, dans de l'argile, ou sur le sol d'une salle de danse.

Age et temps

L'âge influe sur la manière dont les individus perçoivent le temps. Il s'agit là d'un phénomène bien connu. Nous le décrirons donc seulement brièvement en rapportant ce que nous avons entendu ou lu à ce propos : plus on vieillit, plus les années passent vite. A quatre ou six ans, une année semble interminable; à soixante ans, on commence à confondre les années, et il devient souvent difficile de les distinguer les unes des autres – tant elles passent vite! Il existe, bien sûr, à cela un certain nombre d'explications très simples. Pour un individu qui a vécu seulement cinq ans, une année représente vingt pour cent de sa vie; alors que la même année ne représente plus que deux pour cent de la vie d'un individu qui a déjà vécu cinquante ans. Mais puisqu'une vie est vécue comme un tout, nous aurions bien du mal à percevoir la durée d'une année en fonction de cette progression logarithmique. Un facteur culturel intervient aussi dans la perception du temps. Dans des cultures comme la nôtre, pour lesquelles le passé collectif s'estompe en s'éloignant, on considère ce qui s'est passé il y a vingt ans comme de « l'histoire ancienne » – il résulte de tout ceci une forte impression d'accélération du temps. Plus on a enterré dans le passé, plus le présent semble passer vite. Au contraire, dans les cultures qui s'attachent à garder leur passé en vie, au Proche-Orient par exemple, on considère que le monde quotidien prend son sens à partir du passé [13].

La perception du temps en fonction de l'importance du travail qu'on se propose d'effectuer

Considérons maintenant le rapport entre la quantité d'informations accumulées dans la mémoire et le savoir nouvellement acquis qui vient s'y ajouter. Un collégien de douze ans, ou même un bachelier et, d'autre part, le titulaire depuis vingt-cinq ans d'un doctorat ne sauraient avoir le même point de vue sur ce qu'on peut apprendre. J'allais sur mes soixante ans quand j'eus une occasion de m'en rendre compte : j'appris alors à piloter un avion. Tout ce que l'on doit apprendre à exécuter correctement et avec assurance équivaut à ce qu'il faut acquérir pour obtenir un diplôme élevé. Mais alors qu'on peut travailler des mois ou des années sans passer un examen, il est difficile de piloter un avion plus de quelques minutes sans devoir faire ses preuves. Au cours des atterrissages, le temps se comprime; tout là-haut, la piste d'atterrissage sur la gauche, on prend contact avec la tour de contrôle dont on se trouve encore éloigné, avant de s'intégrer dans le plan du trafic aérien. Il faut, à partir de ce moment, effectuer un grand nombre de manœuvres correctement et rapidement si l'on veut arriver au sol sain et sauf : ralentir à la vitesse appropriée, garder l'altitude nécessaire jusqu'au moment de prendre le dernier virage en direction de la piste, maintenir le moteur à la vitesse et à la température adéquates, mettre en marche le carburateur si le moteur n'est pas suffisamment alimenté, sortir le train d'atterrissage, garder à la fois une descente progressive et uniforme et un angle de descente approprié, de manière à avoir une distance d'atterrissage ni trop longue ni trop courte, maintenir l'appareil à une vitesse suffisante pour qu'il ne se trouve pas en perte de vitesse, et, pendant tout ce temps, garder le contact avec la tour de contrôle; observer les autres avions (il y en a toujours aux alentours), mais aussi le manche à air qui indique les changements de direction du vent, enfin surveiller, au sud-ouest, les tourbillons de poussière. Cette opération nécessite une constante mise au point, de façon à effectuer l'ensemble des manœuvres avec la coordination, l'organisation et le rythme appropriés. Puis, à partir du moment où on voit les chiffres à l'extrémité de la piste d'atterrissage devenir de plus en plus grands, et bien que l'approche se soit jusqu'alors bien passée, l'atterrissage n'en a pas pour autant eu lieu, et en l'espace de quelques secondes, il va falloir changer la vitesse et commencer à exécuter un nouvel ensemble de manœuvres, au cours desquelles tout se déroulera très rapidement, avec une faible marge de sécurité. En apprenant à piloter j'ai eu à bien des égards l'impression d'être de nouveau un enfant. Après avoir appris suffisamment pour savoir ce que je ne savais pas, le temps passa moins vite, mais je fus envahi par le sentiment que je ne maîtriserais jamais l'ensemble complexe des données nécessaires pour être à la fois efficace et en sécurité dans les airs. Je n'en ai pas moins fini par maîtriser ce qu'il fallait maîtriser, et par obtenir mon brevet de pilote comme je le souhaitais. J'ai encore appris beaucoup d'autres choses au cours de cette expérience : par exemple, la perception du temps peut parfois mystérieusement dépendre de l'importance du travail qu'on se propose d'exécuter. S'employer à faire son chemin pour faire partie d'une certaine élite influe nécessairement sur la manière dont on perçoit le temps. Demandez à un membre d'une académie comment il percevait le temps avant d'en devenir membre, et comment il le perçoit depuis qu'il en est membre.

Piaget

Jean Piaget fut l'un des penseurs européens les plus doués et les plus novateurs – un grand homme qui ne cessa jamais d'aimer apprendre, et qui sut garder « la capacité d'étonnement du savant [14] ». Il eut tellement souvent raison et contribua si largement à la connaissance du développement de l'enfant qu'on se sent presque coupable de critiquer quelque aspect, même restreint, de son travail. Piaget avait le don extraordinaire de mettre très précisément le doigt là où il y avait une différence. Néanmoins, comme nous tous, il appartenait à son temps et avait les préoccupations de son temps. Il ne savait pas très bien ce qu'était un niveau de culture primaire, et considérait le mode de « pensée logique » comme naturel – il correspondait, pour lui, à un potentiel ancré en chaque individu, apparaissant au cours du développement de l'enfant. Son analyse du temps chez l'enfant [15] commence par des considérations sur Newton, Einstein, Descartes, Kant, et autres sommités de la tradition philosophique et scientifique occidentale, et sur le monde qu'ils ont créé. Piaget expose ensuite des méthodes extraordinairement ingénieuses permettant de déterminer assez précisément à quel moment un enfant devient capable de maîtriser les données de ce monde – y compris ses postulats sous-jacents : par exemple, le fait que la perception soit un processus logique (ce qu'elle n'est précisément pas). Piaget prend quelque peu en considération le temps informel, et reconnaît, d'une certaine manière, que l'enfant ne perçoit pas nécessairement la durée comme une constante. Mais on ne trouve pas la moindre allusion à l'ensemble du processus perceptif en tant qu'il est non seulement acquis et modifié par la culture, mais aussi constamment influencé par un contexte; car, percevoir le monde, c'est une transaction [16]! Le travail de Piaget apporte beaucoup à la compréhension du processus d'acculturation en Occident, et des préoccupations essentielles de notre propre culture. Il ne faut cependant pas appliquer ses conceptions générales au développement des enfants d'autres parties du monde. Quand Piaget étudiait comment les enfants apprennent les règles fondamentales de fonctionnement du temps et de l'espace, il ne se rendait pas compte que l'enfant apprend en même temps notre propre système de logique. Il existe certainement des centaines de systèmes de logique différents dans le monde, certains caractérisés par un mode de communication riche en contexte, d'autres par un mode pauvre en contexte, et d'autres encore par un mode intermédiaire. La plupart sont acquis. Et comme les projections, ces systèmes omettent certains aspects de la réalité. Notre système, dans sa forme la plus développée, omet de prendre en considération le contexte d'un phénomène, d'une situation ou d'un message. Et il s'agit là d'une omission vraiment très significative.

Piaget a beaucoup à dire à propos de la perception du temps chez l'enfant [17]. Néanmoins, si sa méthodologie est satisfaisante pour le mode de pensée linéaire occidental, elle reste cependant limitée à notre culture. Je dis « limitée à notre culture », parce qu'on n'a pas encore appris à l'enfant à se méfier de ses sens : il ne sait pas encore que lorsqu'il sera adulte, dans le monde occidental, il pourra être abusé par l'illusion liée à la différence de taille entre plusieurs récipients équivalents *. Piaget identifie tout à fait justement le temps à l'espace [18]. Il omet par contre de distinguer le temps physique (voir chapitre I) du temps de culture primaire, c'est-à-dire du temps profane, et par là, ne nous donne pas une image claire de la perception et de la structuration du temps aux différentes étapes du développement de l'enfant. Dans *le Langage silen-*

---

* Hall fait ici allusion à un test psychologique sur la perception dans lequel on présente à un sujet des volumes de capacité identique mais de tailles apparemment inégales; et inversement, des volumes similaires, en réalité différents.

cieux, qui traite du temps informel, c'est-à-dire du temps non explicite, j'ai considéré le fait que les enfants essaient de comprendre la signification de termes comme « un moment », et « plus tard ». Leur signification, pour l'un comme pour l'autre, dépend très largement du contexte dans lequel on les emploie. Quand une mère dit à son enfant : « Je ne serai partie qu'un petit instant, mon chéri », elle ne veut pas dire du tout la même chose qu'une autre mère, sa voisine, qui prononce pourtant les mêmes mots. Les enfants doivent se débrouiller en grandissant avec ce type de données qui n'ont pas grand-chose à voir avec des discussions philosophiques sur la « signification du temps ». L'enfant veut vraiment savoir combien de temps perçu s'écoulera jusqu'au moment où sa mère reviendra, et comment il ressentira le moment pendant lequel il sera seul. Mais les mères, essayant d'apaiser leur propre culpabilité, leur angoisse, ne disent pas aux enfants ce qu'ils ont besoin de savoir. Elles leur manifestent cependant qu'il y a un temps que l'on mesure avec une « montre à vitesse variable » et que la vitesse de ses aiguilles dépend d'événements qu'ils ne contrôlent pas, ou peu. L'humeur et les états psychologiques ont une très grande influence sur la manière dont on sent le temps passer. Ceci expliquerait en partie la difficulté qu'ont les enfants pour acquérir le système temporel informel. La mère absente, le temps traîne, parce que l'enfant ne se sent rassuré, heureux et en sécurité que lorsqu'elle est près de lui.

Humeur et temps

Depuis très longtemps, l'influence de l'humeur sur la manière dont les individus perçoivent le temps – il fuit ou il traîne – est pour les Occidentaux l'objet d'un grand intérêt et d'innombrables spéculations. Qui n'a jamais eu l'expérience de passer un très agréable moment, absorbé au point d'en oublier le temps qui passe, et de soudain réaliser : « Ah mon Dieu ! J'étais si bien, je n'aurais jamais imaginé qu'il soit si tard » ? Dans la mesure où l'on n'entend que rarement des remarques de cette nature dans des pays de culture polychrone, le Liban ou la Syrie par exemple, il faut complètement reconsidérer la question de l'humeur en tant que facteur intervenant dans la perception du temps. Les choses se passent d'une certaine manière pour nous, dans notre culture. Mais dans combien d'autres encore? Parfois, l'humeur est un facteur secondaire dans le contexte psychologique d'un individu. D'autres facteurs, comme la dépression que nous avons mentionnée plus haut, ou même la température du corps peuvent être déterminants. Le professeur Hudson Hoagland, un célèbre physiologiste qui enseigna pendant des années à l'université de Clark, découvrit que la température du corps influence la perception du temps – et ceci n'est pas surprenant si on y réfléchit. Les températures élevées accélèrent les rythmes corporels et tout ce qui en dépend; alors que les températures basses les ralentissent. Les diabétiques, par exemple, ont fréquemment des températures inférieures à la normale; le temps leur paraîtrait ainsi passer plus vite. L'alcool a deux effets : d'une part, il stimule et rend gai, le temps passe donc d'abord plus vite, d'autre part il a un effet déprimant et il finit par donner l'impression que le temps traîne. Voilà pourquoi une gueule de bois peut sembler durer une éternité.

Les anniversaires

Les anniversaires sont une manifestation cyclique du temps. Mais à cause de la subtilité et du caractère omniprésent de nos mécanismes internes de mesure du temps, beaucoup d'entre nous réagissent intérieurement à des anniversaires dont ils ne sont même pas conscients. Un type de logique différent intervient ici. Un écrivain souffrait de dépression, chaque printemps, pendant des années. Cette dépression resta un mystère jusqu'à ce qu'il s'aperçût que ses parents avaient divorcé au printemps, et que son monde s'était écroulé quand sa mère qu'il aimait tendrement avait quitté la famille. Il parvint finalement à éclaircir ce mystère quand il réalisa qu'il avait habité dans beaucoup d'endroits liés de différentes manières au printemps. Il fallait cependant considérer cette dépression persistante indépendamment des divers environnements. Un type d'horloge interne avait en quelque sorte l'œil uniquement sur le temps. Les individus qui approchent la soixantaine font l'expérience de nombreux anniversaires cachés – anniversaires de triomphe, ou d'échec et de déception. Parfois, nous ne savons pas ce qui nous rend gai, ou au contraire, nous déprime, ou encore fait passer le temps plus ou moins vite – s'il s'agit d'une situation présente ou de quelque chose de passé que nous avons oublié.

Émotions, état psychique et temps

Loin de l'être aimé, le temps passe à une allure d'escargot, alors qu'un rendez-vous amoureux est terminé avant même qu'on se rende compte qu'on y est. La connaissance scientifique de l'influence de différentes émotions sur la perception du temps est restreinte. On suppose, en général, que les émotions positives accélèrent la vitesse du temps, alors que les émotions négatives la ralentissent. Mais ce n'est peut-être pas le cas. Et dans la mesure où des hormones liées aux états émotionnels ont maintenant été identifiées et sont accessibles aux recherches expérimentales, on devrait pouvoir entreprendre des expériences pour déterminer les effets de ces hormones sur la perception du temps.

Au cours des dernières années, un nombre croissant d'Américains se sont consacrés à la méditation, maintenant devenue l'objet d'un intérêt considérable [19]. Des psychologues intéressés par les effets de la méditation sur les individus ont mis au point des tests dans le but de découvrir ce que cette pratique met en jeu – quels sont les aspects physiologiques, psychologiques et neurologiques de la méditation. Les très nombreuses recherches faites à ce sujet ont démontré que la pratique de la méditation modifie le rythme des pulsations cardiaques, la tension artérielle, le rythme respiratoire, les réactions cutanées à l'application de courants galvaniques, et l'activité électrique du cerveau. La méditation constitue aussi un puissant antidote contre la tension nerveuse. Et les contraintes temporelles étant une des causes principales de la tension nerveuse dans le monde occidental, on peut aussi s'attendre à découvrir que la pratique de la méditation modifie la perception du temps. Une telle supposition est de fait fondée. Dans un article intéressant et perspicace sur ce sujet, Keith Floyd [20] décrit des situations dans lesquelles le temps ralentit d'abord, puis s'arrête complètement. Un individu perd la conscience du temps quand il se plonge dans un état de méditation très profond. Apparemment, cet état est distinct de celui de l'artiste dans son atelier, absorbé dans son travail ou de celui du savant qui, enfermé dans son laboratoire, « perd le fil » du temps. Mais il serait intéressant de savoir si ces deux états sont vraiment différents. Un moyen de le déterminer consisterait à choisir des savants et des artistes qui pratiquent aussi la méditation depuis suffisamment longtemps pour avoir acquis la compétence nécessaire, et à leur demander simplement de décrire en quoi ces deux états se ressemblent ou diffèrent. Un autre moyen serait d'appliquer aux artistes et aux savants l'étude de l'intensité de l'activité électrique du cerveau et du rythme des pulsations cardiaques précédemment effectuée sur des sujets en méditation. (Il faudrait dans ce cas nécessairement utiliser des appareils de télémesure puisque ni le savant ni l'artiste ne pourraient travailler immobilisés par une quantité de fils et d'appareils enregistreurs!)

On doit reconnaître que ces différents états sont, fonctionnellement, favorables aux êtres humains et représentent peut-être l'un des plus importants mécanismes informatifs qui permettent aux individus de savoir comment ils vont. On remarque d'autre part un fait extraordinaire et paradoxal : les activités les plus satisfaisantes, et qui apportent le plus, sont précisément celles au cours desquelles les individus ont l'impression que le temps passe extrêmement vite, ou perdent complètement la notion même du temps. Il existe un lien de parenté éloigné entre la capacité d'accomplir un grand nombre d'actions nécessaires pour sauver sa vie en cas d'urgence et le phénomène d'effacement du temps pendant la méditation. Nous avons le sentiment que l'être humain dispose ici d'un instrument trop peu utilisé et dont nous avons encore beaucoup à découvrir.

Le rôle de l'espace dans la perception du temps

Depuis 1976, un psychologue et professeur d'architecture de l'université du Tennessee, Alton De Long, fait des observations précises, dans des conditions attentivement contrôlées, sur la manière dont les individus différents perçoivent le temps selon l'échelle de l'environnement avec lequel ils sont en interaction. De Long démontre une fois pour toutes que le temps et l'espace sont fonctionnellement liés. La perception du temps est non seulement influencée par les multiples facteurs mentionnés précédemment, mais aussi par l'échelle d'un environnement.

Ce processus vraiment remarquable illustre, avec d'autres phénomènes, la logique inhérente au système nerveux central [21]. Apparemment, tous les êtres humains normaux ont ce type de logique. Elle est modifiée au niveau conscient par la culture, mais conservée au niveau inconscient. Mais que l'on soit conscient ou non de ce processus, si une partie du système est transformée, le système nerveux central essaie de développer des mécanismes d'adaptation [22]. Dans un travail précédent [23], j'ai considéré la capacité qu'a le système nerveux central de maintenir un équilibre. On sait que ce principe s'applique aussi aux sujets psychotiques. Dans le cas d'un schizophrène qui souffre de distorsions perceptives des limites de son corps, on observe que le cerveau essaie toujours de maintenir un équilibre logique. Ce type de distorsion engendre bien sûr une tension extrême chez un individu. Tout change : l'ensemble des relations au monde physique ainsi qu'aux autres individus, et cela en fonction de cette seule distorsion de la perception. M'entretenant de ce sujet avec un collègue psychiatre, le Dr. Harold Searles, je lui dis : « Si mes observations précédentes sont justes, ceux de vos patients qui ressentent une extension des limites de leur corps devraient avoir l'impression d'être légers, comme un ballon. » Searles me dit alors

173

que, ce jour même, une patiente lui avait apporté le dessin au crayon d'un objet ressemblant à un petit dirigeable avec des espèces de prolongements. Il s'agissait d'un autoportrait! La patiente portait en dessinant des chaussures lestées, de crainte d'être emportée, tellement elle se sentait légère [24].

On pourrait donc supposer que le cerveau développe effectivement des mécanismes d'adaptation comparables dans le temps. Or, c'est précisément le cas. Dans certaines conditions, les individus augmentent l'intensité de leur interaction avec un environnement afin de rester en accord avec l'échelle de celui-ci. Un environnement réduit au sixième de sa dimension normale peut effectivement « programmer » le système nerveux central de telle façon que des individus impliqués dans cet environnement maintiendront constant leur sentiment vécu du temps. Ce processus d'adaptation consiste en une accélération compensatoire de la vitesse de traitement de l'information, qui se trouve multipliée par six : dans cet environnement réduit, ce qui est perçu comme une heure de travail ne correspond en fait qu'à dix minutes du temps de l'horloge. Pour une échelle de 1/12, une heure de travail perçue correspond à cinq minutes de « temps réel [25] ». De plus, l'étude de l'activité électrique du cerveau entreprise par De Long dans le cadre de ses recherches, semble indiquer que c'est le cerveau lui-même qui est le mécanisme médiateur intervenant dans le processus de compensation. L'activité du cerveau s'accélère proportionnellement à l'échelle de l'environnement [26]. Il faut ici remarquer qu'au-delà d'une échelle de 1/12, l'influence de l'environnement commence à décroître, et l'environnement déterminé dans le cadre de l'expérience est alors simplement codé différemment par le cerveau. Mais nous ne savons pas pourquoi le point de rupture se trouve à l'échelle de 1/12 plutôt qu'à 1/20 ou 1/50. Cependant, cette proportion représente apparemment un des paramètres fondamentaux des structures perceptives d'un Occidental moyen. Des individus capables de travailler en fonction de proportions plus grandes ont sans doute un avantage exceptionnel et inexploré sur la plupart d'entre nous.

Comment De Long effectua-t-il ses expériences pour obtenir

des résultats aussi remarquables? Le procédé qu'il utilisa consistait en quelque sorte à jouer avec une maison de poupée aménagée. Ceux qui en ont fait l'expérience quand ils étaient enfants se rappelleront cette distorsion du temps qui se produisait quand ils étaient absorbés dans un jeu. De Long sélectionna quatre échelles d'environnement différentes : 1/24, 1/12, 1/6 et grandeur nature [27].

Les sujets de l'expérience portaient des masques leur cachant le champ de vision périphérique d'objets de grandeur nature. On demandait à ces sujets de se projeter mentalement à l'intérieur de l'environnement en s'identifiant à l'une des figures humaines placées là par les expérimentateurs. Les sujets n'étaient pas autorisés à toucher ces figures, mais on leur demandait d'imaginer librement une scène et d'indiquer le moment où, selon eux, trente minutes se seraient écoulées... L'expérimentateur leur donna le départ. Et les sujets signalèrent le moment où il leur semblait que trente minutes étaient passées, alors que l'expérimentateur mesurait l'intervalle de temps avec un chronomètre. De Long prit tout particulièrement soin de s'assurer que les sujets ne pensaient pas qu'on testait leur capacité de mesurer le temps. On leur demanda le jugement le plus subjectif possible (exactement comme lorsqu'on attend le médecin depuis une heure). Ils devaient se fier à leurs impressions pour déterminer quand les trente minutes étaient passées [28].

Que peut-on tirer de telles expériences? S'il est possible de les perfectionner suffisamment pour les reproduire en dehors du cadre expérimental, on peut envisager un avenir où, dans un certain nombre de situations, divers processus de prise de décision seraient accomplis dans un intervalle égal au sixième ou au douzième du temps normalement nécessaire. Après avoir familiarisé des individus avec l'influence des variations de l'environnement, on leur « donnerait » plus de douze heures de vécu en seulement une heure de temps. Cependant, De Long insiste sur le fait que des individus ne devraient pas être soumis à des environnements miniaturisés pendant des laps de temps dépassant ceux pendant lesquels ils travaillent normalement. Pour quelqu'un habitué à travailler huit heures par jour, le temps maximum d'immersion dans un environnement réduit à l'échelle 1/12 serait de quarante minutes. Mais nous ignorons combien de ces « journées » de travail de quarante minutes des individus pourraient passer dans de tels environnements, à des rythmes tellement accélérés. Mon intuition me porte à penser que l'espèce humaine devrait considérer avec la plus grande prudence des domaines de ce type, dont nous savons si peu et dont la perspective reste inexplorée. Ce qui a retenu notre attention dans ce chapitre, c'est la perception du temps et les facteurs qui l'influencent. Les expériences effectuées par De Long constituent une des rares études qui mettent en rapport la perception de la durée avec le contexte d'un environnement dans des conditions déterminées.

L'estimation du temps réel

La perception du temps est certainement profondément ancrée dans un contexte, et dépendante d'une situation. Mais qu'en est-il de l'autre côté de la médaille? Nous avons décrit comment, dans différentes situations et selon leur humeur ou les conditions dans lesquelles ils se trouvent, des individus ont l'impression que le temps passe plus ou moins vite. Mais comment les individus peuvent-ils bien faire quand il s'agit d'estimer le temps dans des situations de la vie courante, quand l'accomplissement d'une action est chronométré à la seconde près, comme des courses de descente en luge, à skis, ou des courses automobiles? Il se trouve qu'ils y parviennent extraordinairement bien. On s'est rendu compte, au cours des cinq dernières années, que les individus peuvent mentalement « voir » le temps très précisément, s'ils ont à le faire dans des situations particulières de la vie réelle, comme descendre une piste de ski qu'ils connaissent. Des entraîneurs, dans toutes sortes de sports, ont commencé à demander aux membres de leurs équipes de se chronométrer eux-mêmes en imaginant qu'ils parcouraient une piste ou un circuit sur lequel ils auraient plus tard à concourir. Les concurrents essaient de « voir » mentalement chaque partie de la piste, chaque virage, chaque bosse, et chaque ligne droite; ils parcourent la piste exactement comme ils le feront réellement au moment de la compétition. Des coureurs automobiles et des athlètes arrivent non seulement à des temps qui correspondent à la seconde près à leurs performances réelles, mais parviennent aussi de cette manière à s'entraîner efficacement. Cette méthode est plus sûre et plus économique parce qu'elle évite l'usure du moteur, le paiement des droits d'accès au circuit, des taxes de ravitaillement, et les frais de carburant. Les entraîneurs comme les concurrents considèrent comme valable la pratique acquise de cette manière. Les danseurs et les acrobates reconnaîtront ici le type de pratique mentale auquel ils sont habitués. Certains individus parviennent ainsi à une précision extraordinaire dans le chronométrage de ces parcours simulés [29].

Beaucoup de choses interviennent donc dans la manière dont on perçoit le temps : elle dépend d'une situation et d'une culture. Une fois encore, je suis vraiment sidéré par l'extraordinaire diversité et la formidable étendue des capacités dont dispose l'espèce humaine. Mais les êtres humains ont tendance à suivre des chemins tout tracés, ceux du temps par exemple.

Il serait profitable à l'humanité de mieux comprendre que, dans presque n'importe quelle situation, on peut avoir au contraire une attitude à la fois positive et active, et que le rôle du temps dans notre vie, la manière dont nous l'utilisons et le percevons, sont tout à fait essentiels. Nous le verrons dans les chapitres 9 et 10, c'est le balancier des dispositifs de synchronisation culturelle qui entretient l'harmonie entre les individus.

9

La danse de la vie

On peut maintenant affirmer que des séries complexes de rythmes entremêlés dominent le comportement des individus. Or, ces rythmes sont comparables aux thèmes de la partition d'une symphonie; ils constituent la clé de voûte des relations interpersonnelles entre époux, collègues ou organisations de types très divers, aussi bien dans les limites d'une culture que dans un contexte interculturel. Et on finira par prouver, j'en suis convaincu, que les processus définis par ces ensembles de rythmes sont impliqués dans presque chaque aspect du comportement humain.

Dans la mesure où notre propos est très nouveau, nous ne sommes pas surpris de constater que très peu de gens se consacrent à l'étude des rythmes [1], alors qu'un grand nombre d'astronomes étudient l'univers, ou que des savants cherchent un moyen de guérir le cancer. Le rythme est, bien sûr, l'essence même du temps, dans la mesure où des intervalles égaux de temps donnent à une série de phénomènes un caractère rythmique. La notion du rythme que nous envisageons ici englobe beaucoup plus que l'activité et les créations des musiciens et des danseurs, bien qu'elles fassent aussi partie du même ensemble.

Commençons par considérer les choses à petite échelle. Il y a presque trente ans, quand je commençai à me consacrer sérieusement à l'étude de la proxémie (l'étude de l'utilisation de l'espace et du comportement spatial humain [2]), il ne suffisait pas simplement d'observer que les Américains de culture occidentale n'aimaient pas qu'on les approchât trop au cours d'une conversation, et que la plupart répugnaient à ce qu'on les touchât de manière prolongée, ou refusaient tout contact sensoriel en général dans leurs relations avec des individus qu'ils ne connaissaient pas très bien. Les commentaires de nombreux Américains sur leurs relations proxémiques avec des Arabes ou des membres des cultures méditerranéennes étaient intéressants et significatifs; mais nous avions besoin d'en savoir davantage sur ce qui se passait vraiment. Par exemple, comment des individus savaient-ils que d'autres les approchaient trop? Quel type d'étalon de longueur utilisaient-ils alors? Quels étaient les fondements physiologiques sensoriels du comportement proxémique? Pour répondre à ces questions, des observations très diverses furent faites, et des techniques d'enregistrement utilisées. Une des méthodes les meilleures, les plus efficaces et fiables, fut le cinéma.

Je filmais alors plusieurs fois des individus en interaction dans des situations courantes : dans des lieux publics, dans des rues, des parcs, des fêtes et des soirées, ainsi qu'en laboratoire, dans des conditions déterminées. Ces films nous fournissaient non seulement un ensemble de données à étudier, mais aussi un document relativement durable auquel nous pouvions nous référer autant de fois que nous le voulions. Il existe de nombreuses méthodes différentes pour analyser l'interaction humaine sur film, comme sur bande vidéo. Mais je n'essaierai pas de décrire l'ensemble de ces techniques, il s'agit là d'un sujet technique réservé aux spécialistes [3].

Trois éléments apparaissaient d'emblée dans des films de recherche sur la kinésique (l'étude de la gestualité) et la proxémie : 1° des individus engagés dans une conversation maintenaient entre eux une distance très précise (avec une marge de tolérance de l'ordre du centimètre); 2° un processus rythmique se développait; 3° les individus étaient pris ensemble dans une danse dont les figures se déroulaient sans que les participants en aient pratiquement conscience. Le caractère non conscient de ce comportement était vrai, particulièrement des membres des cultures occidentales, alors qu'il était un peu moins marqué dans les cultures africaines dont les membres sont plus conscients des moindres détails des transactions humaines.

Nous avions donc d'une part filmé cette danse proxémique régulière, et, d'autre part, les petites expériences faites dans notre laboratoire vivant avaient produit des résultats similaires. Mes expériences ont, par exemple, consisté à faire reculer des individus à travers une pièce, c'est-à-dire à les guider jusqu'aux coins de cette pièce en avançant chaque fois d'environ un centimètre, tout en parlant avec eux. Mes sujets n'avaient pas conscience d'ajuster la distance qui les séparait de leur interlocuteur à peu près toutes les secondes : ils devaient se déplacer afin de conserver la distance à laquelle ils se sentaient à l'aise. L'interlocuteur lui-même semblait avoir peu d'importance; le comportement était le même qu'il s'agisse d'un observateur averti, d'un savant, d'un homme d'affaires, ou d'un employé d'un magasin. L'échantillon humain choisi pour l'expérience comprenait des personnes de tous les genres et de toutes les classes.

Je découvris ainsi un système de comportement qui se déroulait sous notre nez même, et dont nous ne connaissions pratiquement rien. Nous savions, cependant, que les membres de toutes les cultures se comportaient, entre autres, en fonction de modèles proxémiques. Et lorsque ces modèles proxémiques et les coutumes propres à une culture étaient violés, les individus réagissaient de manière facilement observable et prévisible.

Si on identifiait un tel type de comportement à travers l'étude de l'utilisation de l'espace par les êtres humains, que pouvait-on alors espérer trouver en étudiant le temps? On trouve, en fait, un ensemble de comportements tout aussi frappants, peut-être même encore davantage, comparables aux résultats obtenus avec les recherches proxémiques. La manière dont un individu structure son propre rythme est un processus extraordinaire et nous n'avons encore découvert qu'une fraction de toutes ses implications possibles.

J'entrepris, en 1968, un programme de recherches inter-ethniques dans le nord du Nouveau-Mexique [4], dont la population est composée de membres de trois cultures différentes : les Pueblo – Américains indigènes –, les Hispano-Américains, et les Anglo-Américains. Chaque groupe conserve sa propre identité, mais les membres de ces groupes se rencontrent, ont des relations d'affaires, assistent à des cérémonies, participent à la célébration de fêtes, font l'amour, se battent, et se trouvent mêlés, en proportions plus ou moins importantes, dans les rues et dans des lieux publics comme la « plaza » de Santa Fe. Les danses effectuées par les Pueblo en tant que représentations publiques de ce qui, dans d'autres circonstances, est l'expression de drames sacrés, constituent un matériau idéal pour la recherche cinématographique. Dans ce genre d'occasions, tout le monde photographie tout le monde : une caméra de plus ou de moins ne se remarque guère. Ayant moi-même passé mon enfance au nord du Nouveau-Mexique, je me rendis compte que je savais déjà en grande partie ce qui était enregistré sur la pellicule. Je n'étais cependant pas préparé à la richesse et à l'abondance des détails révélés par une analyse à la fois temporelle et kinésique de chaque image à l'aide d'un magnétoscope : un ballet ininterrompu se déroulait sous mes yeux. Chaque culture, bien sûr, avait sa propre chorégraphie, avec ses propres mesures, cadences et rythmes. A cela, s'ajoutaient les interprétations des individus ou des couples, dont la danse exprimait des sentiments ou un vécu propres. Et, sous-jacente à cet ensemble de manifestations culturelles et individuelles particulières, se dévoilait la vérité des rencontres interindividuelles – en particulier les rencontres entre individus appartenant à des ethnies différentes –, spécificité de comportements qui pouvaient être à l'origine de malentendus, de préjugés, et parfois même engendrer la haine. On observait la vie même se dérouler au fil de cette analyse pas à pas, image par image. Il devenait alors possible, pour la première fois, d'observer et d'étudier des phénomènes qui se produisaient en l'espace de fractions de seconde (c'est-à-dire trop rapidement pour être remarqués et analysés dans des circonstances normales). Les apparences s'effaçaient sous mes yeux, laissant apparaître d'autres réalités.

Ceci se produisit d'abord quand je commençai à étudier les modèles d'interaction des trois groupes peuplant le sud-ouest des États-Unis (les Américains de culture occidentale, les Hispano-Américains, et les Américains indigènes). Pour m'assurer que tout simplement je n'avais pas de visions, je pris la précaution de demander à John Collier fils – une des personnes les plus douées et perspicaces en matière de présentation visuelle de données interculturelles – d'examiner mes films. Collier avait passé son enfance dans le sud-ouest des États-Unis, dont une partie à Taos Pueblo. Dans sa jeunesse, un accident (une voiture l'avait renversé) détruisit en grande partie la zone auditive de son cerveau; mais ceci fut peut-être, d'une certaine manière, une bénédiction pour lui. Il fut en effet contraint d'utiliser des informations visuelles que la plupart d'entre nous sommes incapables de percevoir. Collier a fait d'extraordinaires portraits photographiques d'indigènes d'Amérique du Sud; je pensais, tant il me paraissait doué, qu'il était peut-être irrévocablement lié aux images fixes de la photographie. Mais, en utilisant mon magnétoscope pour examiner mes films, il vit aussi précisément ce que j'avais vu, et davantage encore. Impressionné par ce qu'on obtenait avec une simple caméra Super-8 tenue à la main, Collier commença bientôt à filmer des événements qu'il ne pouvait saisir sur des photographies. Avec son fils, Malcolm, lui aussi plein de talent, il a réalisé des livres remarquables décrivant des enregistrements de ce qui se passait réellement dans des classes d'Américains indigènes dont les enseignants étaient ou des Américains de culture occidentale ou des Indiens formés dans les écoles des Blancs, ou encore des Indiens et des Esquimaux n'ayant reçu aucune formation pédagogique. Ces études portaient sur un vaste ensemble de groupes, des Indiens du Sud-Ouest aux Esquimaux d'Alaska [5]. Là encore, les Collier trouvèrent des rythmes. Fait remarquable, auquel ils s'attendaient cependant : l'enseignant déterminait le rythme de la classe entière. Les classes dont les enseignants étaient des Américains indigènes n'ayant pas été formés par des Blancs avaient un rythme proche de celui d'une respiration naturelle et calme, ou des vagues de l'océan (environ six à huit secondes par cycle), c'est-à-dire beaucoup plus lent que le rythme effréné d'une classe de Blancs ou de Noirs dans des cadres urbains que fréquentent aujourd'hui la plupart des écoliers américains. Et les rythmes des Américains indigènes étant passés par les moules scolaires des Blancs restaient intermédiaires. Le matériau rassemblé par les Collier me fit comprendre une chose : les enfants indiens ne se sentaient suffisamment à l'aise pour s'installer et apprendre qu'une fois plongés dans le rythme propre à leur famille.

Revenons maintenant à mes propres documents filmés pour considérer une scène se déroulant sur un marché indien : une Américaine de culture occidentale, venue du Middle West, vêtue d'une robe de coton imprimé et coiffée d'un chapeau de paille à bord droit, s'efforçait d'être polie et aimable envers des gens qu'on lui avait appris à regarder de haut. Elle venait de s'approcher d'une table chargée de poteries, derrière laquelle était assise une femme de Santa Clara Pueblo. Je devais me rappeler, en observant la touriste américaine « entrer en scène », que ce qu'elle ferait ne serait peut-être pas volontaire. Elle regarda la femme pueblo et lui sourit avec condescendance. C'est alors que devant mes yeux, sur l'écran de projection, un microdrame commença à se dérouler. Se retenant pour garder son équilibre, la femme se pencha en avant, son buste s'arquant au-dessus de la table, puis elle leva le bras et le tendit lentement, jusqu'à hauteur d'épaule. Mon Dieu! Elle le brandissait comme une épée! Le doigt, pointé à seulement quelques centimètres du nez de l'Indienne, restait là, en l'air. Ne redescendrait-il donc jamais? Les lèvres de l'Américaine remuaient sans arrêt tout au long de l'échange : posait-elle des questions? Affirmait-elle quelque chose? Il n'y avait aucun moyen de le savoir; l'enregistrement avait été fait avec discrétion – sans perche ou microphone brandis à la figure des personnes filmées, sans, non plus, prise de son simultanée. Au bout d'un moment, l'Indienne détourna lentement son visage du doigt accusateur qui s'était si profondément avancé dans son espace personnel, puis exprima un dégoût évident. A ce moment-là seulement, le bras se baissa. La touriste se tourna, et s'éloigna lentement, un air hautain, suffisant, sur le visage. Durée totale de la scène : trente secondes.

Je me rendis compte, en analysant cet échange, qu'une partie de la communication – l'impact réel des sentiments non explicitement exprimés par la femme – ne passait pas seulement par le doigt pointé, mais aussi par une durée : celle de l'intervalle de temps pendant lequel le doigt était resté pointé. Cette durée traduisait le fait que la femme ne lâcherait pas prise, mais au contraire tiendrait bon, comme si elle épinglait un insecte sur une feuille de papier.

D'autres rencontres se produisirent, sans qu'aucune n'ait heureusement un impact aussi intense et prolongé que la précédente. Un autre touriste s'approcha d'une table dont apparemment personne ne s'occupait pour le moment. J'observai cette fois l'intervention de marqueurs territoriaux et le rôle qu'ils jouaient dans la scène qui se déroulait sur l'écran. Le touriste s'approcha trop près. Ses mouvements étaient manifestement désordonnés, et il risquait de bousculer la légère table de jeu remplie de poteries fragiles et coûteuses. Une belle jeune femme pueblo assise un peu plus loin se leva de sa chaise, redressa les épaules, s'avança lentement jusqu'à la table, et posa le bout des doigts sur le bord de la table : voilà comment on dit : « cette table est à moi », avec des mouvements et des gestes. Le touriste recula et continua sa conversation. Je pouvais affirmer d'après le contexte que pas un mot n'avait été prononcé sur ce qui s'était réellement passé pendant cette transaction. Les acteurs n'étaient probablement que très partiellement conscients de ce qui s'était passé, ou du fait que la communication entre eux s'établissait alors à des niveaux multiples.

Une question se posait alors : d'autres personnes pouvaient-elles remarquer de tels échanges? Ceux qui ne sont jamais allés dans le Sud-Ouest ou qui n'ont pas vécu dans cette région pendant des années pouvaient-ils aussi les observer? J'entrepris de trouver la réponse en reprenant un ensemble de procédés utilisés dans divers programmes de recherches, mais adaptés pour la circonstance. Ces programmes avaient démontré que la manière dont des individus perçoivent leur environnement dépend largement de la formation qu'ils ont reçue, ou de ce qu'on leur a appris à voir au cours de leur éducation. Chaque individu voit un monde légèrement différent de celui que voit n'importe qui d'autre. Et quand des individus appartiennent à des cultures différentes, leurs mondes peuvent être vraiment très différents. Le problème consistait à savoir si des étudiants pouvaient dépasser leur conditionnement premier et apprendre à voir autrement quand on leur soumettait de manière prolongée et répétée de courts passages de films.

A cette époque, à l'université de Northwestern, il était possible d'embaucher des étudiants, dans le cadre d'un des programmes d'aide du gouvernement, contre prélèvement d'un pourcentage sur la somme effectivement versée à l'étudiant. Cette aide me permit de risquer une somme limitée sur un type de recherches qui, à ma connaissance, n'avaient jamais été entreprises auparavant. Je demandai au bureau du personnel de m'adresser le prochain étudiant qui se présenterait en déclarant être à la recherche d'un travail. Bien sûr, les employés du bureau voulaient savoir quel type de travail serait demandé à l'étudiant et quelles compétences il ou elle devait avoir. J'expliquai alors que je préférais avoir le premier étudiant venu plutôt qu'un individu qui ait des compétences particulières. En fait, j'avais besoin de savoir si des étudiants, non exercés à l'analyse visuelle et ignorant tout des subtilités particulières aux rencontres interethniques dans le sud-ouest des États-Unis, pouvaient d'eux-mêmes, sans y être incités par quiconque, voir ce que j'avais vu, et faire la même interprétation que la mienne.

La première étudiante, Sheila, était spécialisée en anglais. Je lui montrai le magnétoscope, lui indiquai comment il fonctionnait, m'assurai qu'elle savait alors s'en servir, et lui demandai de procéder comme suit : « Regardez ces films plusieurs fois, jusqu'à ce que vous découvriez des détails que vous n'aurez pas remarqués la première fois. » Bien sûr, Sheila voulut savoir ce qu'elle était supposée voir dans ces films; je lui répondis que je n'en avais pas la moindre idée et que je voulais seulement qu'elle continuât à regarder même si elle mourait d'ennui. Je commençai alors à me sentir un de ces maîtres de recherche de l'espèce la plus tyrannique. Deux jours plus tard, Sheila passa la tête dans mon bureau, l'air préoccupé : « Docteur Hall, je ne vois rien, si ce n'est un groupe de Blancs qui se baladent et parlent avec des Indiens. »

Je lui répondis : « Sheila, il faut continuer. Vous n'avez pas regardé assez longtemps. Je sais que ce n'est pas facile, mais faites-moi confiance. » Elle s'y prit de toutes les manières possibles et imaginables, et choisit même parmi mes documents des films que je ne lui avais pas demandé de regarder. Mais cela n'avait pas d'importance, je savais qu'elle avait besoin d'une pause de temps en temps. Sa capacité à verbaliser ne lui était d'aucune utilité; elle apprenait à voir des choses d'une nouvelle manière, elle retournait au travail que je lui avais confié quand elle s'en sentait capable. Elle resta ainsi pendant trois semaines dans la pièce obscure, allumant le projecteur, passant et repassant les quinze mètres de film jusqu'à ce qu'elle ne supporte plus de voir une seconde encore ces Indiens et ces Blancs flâner sous le soleil du Nouveau-Mexique. Puis, un jour, alors que je désespérais qu'elle vît finalement quelque chose, Sheila se précipita dans mon bureau, manifestement excitée : « Docteur Hall, je vous prie, venez regarder ce film. » C'était évident, elle avait trouvé quelque chose. Elle avait arrêté le film sur l'image de la femme vêtue d'une robe imprimée : elle était donc là portant une robe de coton et un chapeau de paille à bord droit semblable à l'une de ces corbeilles à pain qu'on utilise chez nous. Sheila mit en marche le projecteur, et commenta : « Regardez cette femme! Elle pointe son doigt comme une épée qu'elle voudrait planter dans le visage de la femme indienne. Regardez donc ce doigt – la manière dont elle l'utilise. Avez-vous déjà vu quelque chose de pareil? Avez-vous remarqué comment la femme indienne a détourné son visage comme si elle venait de voir quelque chose de désagréable? » A partir de là, Sheila trouva chaque jour dans le film des nouveaux éléments qu'elle n'avait pas remarqués jusqu'alors. Elle eut d'abord quelques difficultés à accepter le fait que ce qu'elle voyait maintenant était présent sur le film pendant tout le temps qu'elle l'avait examiné; ce qu'elle n'avait pas vu dans un premier temps, et ce qu'elle parvenait maintenant à distinguer étaient en réalité identiques : ce n'était pas le film qui avait changé, mais elle-même.

Pour chaque étudiant qui travailla sur le film, le même

scénario se répéta : agacement, perplexité, ennui, recherches de documents intéressants, et soudain, alors que j'étais sur le point de renoncer, l'éclair se produisait : « Avez-vous vu cela ? » Pendant deux ans, tous les étudiants virent les mêmes choses, et dans le même ordre de découverte.

Plus tard, au Nouveau-Mexique, je décidai d'utiliser le même procédé comme test dans le cadre de recherches inter-ethniques. Mon problème était le suivant : des Hispano-Américains du Nouveau-Mexique, en fonction de leur système temporel et leur profond engagement dans les relations inter-personnelles qui en dépendent, mettent-ils autant de temps pour apprendre à lire des films que les Anglo-Américains monochrones, donc moins engagés à l'égard des autres ? Je ne fus pas très surpris de constater que les Hispano-Américains avec qui je travaillais, pour qui les relations interpersonnelles ont une importance particulière, lisaient avec une facilité remarquable des comportements de type non verbal, et apprenaient rapidement que les films contenaient différentes couches d'information. Particulièrement réceptifs aux changements d'humeur des individus qui les entourent, ainsi qu'au subtil mode de communication non verbal qu'ils établissent entre eux, les Hispano-Américains saisissaient beaucoup plus rapidement tous les éléments des films que les étudiants anglo-américains. Un week-end leur suffisait généralement [6].

Au cours des précédentes recherches consacrées à la communication non verbale en tant que facteur intervenant dans les relations interethniques, nous avions remarqué que les Noirs étaient encore plus réceptifs à la signification de signaux corporels subtils que les Espagnols du Nouveau-Mexique. Il doit sembler quelque peu surprenant à des individus dont la culture est essentiellement verbale de découvrir des différences considérables entre les capacités de divers groupes ethniques à percevoir et comprendre des signaux de communication non verbaux. Et quel dommage que ces capacités ne soient jamais prises en considération dans des tests d'intelligence !

Dans la culture américaine, et le système temporel qui la caractérise, les individus sont formés – à de rares exceptions près, par exemple, les adolescents qui voient vingt fois le même film – à ne voir qu'une représentation d'un spectacle. On évite même les rediffusions à la télévision, et on ne les regarde que lorsqu'on n'a rien de mieux à faire, ou si le film rediffusé est un classique. Nous exigeons la diversité et fuyons le déjà vu. Il en résulte une certaine superficialité, un certain manque de profondeur qui mène les individus à se détourner des choses simples de la vie parce qu'elles ne les satisfont plus suffisamment. C'est précisément ce modèle culturel que Sheila et les autres étudiants durent dépasser. Peu d'Américains ont appris à apprécier la répétition. Peut-être parce que les rythmes invisibles ne sont généralement pas reconnus dans notre culture; l'essence du rythme est en effet la répétition d'intervalles. Nos véritables rythmes sont ainsi dissimulés, sous-jacents, et existent sans que nous en ayons conscience. On peut seulement les observer sur une scène ou un écran, quand le talent d'acteurs les met en évidence, ou quand on procède à une micro-analyse au moyen d'un magnétoscope.

La synchronie interpersonnelle

Il est difficile d'écrire en anglais sur les rythmes. Nous n'avons pas le vocabulaire approprié, et notre culture ne possède pas les concepts adéquats. Nous avons, en Occident, l'idée que chaque individu est complètement indépendant des autres, et que notre comportement est déterminé par nous-mêmes, isolé du monde extérieur et des autres êtres humains. En fait, rien n'est plus éloigné de la vérité.

Nous avons parfois, dans certaines circonstances, le sentiment que des individus ont une bonne ou une mauvaise influence sur ce que nous faisons. Il y a des chances que nous ayons raison, et que nous devions effectivement prêter attention à ce sentiment. M'entretenant un jour avec un ami de ce tissu de rythmes qui lie les individus, je l'écoutai attentivement décrire une de ses expériences : « Nous prenions le petit déjeuner en famille, et ma fille, très vive, exceptionnellement sensible à l'humeur des autres, et au microcosme des relations humaines, occupait, à table, la place diagonalement opposée à la mienne. Le dos contre un mur, je tendis le bras pour me verser une tasse de café. Et mes doigts, sans que je m'y attende, lâchèrent la tasse à moitié pleine de café. Avant même que j'aie eu le temps de montrer mon embarras d'avoir été si maladroit, ma fille dit : " Est-ce ma faute ? " D'une certaine manière, sans s'en rendre compte, elle avait perturbé un rythme. Je ne sais pas comment elle avait pu s'en rendre compte. Je sais seulement qu'une exceptionnelle harmonie existe entre nous. » William Condon, dont l'œuvre sera brièvement abordée plus loin, pourrait donner quelques explications à ce propos : le très subtil tissu des rythmes corporels qui lient les individus les uns aux autres avait certainement joué un rôle dans cette situation – une espèce de rupture, ou un court-circuit s'était vraisemblablement produit au point crucial du déroulement d'une action. Les implications d'un phénomène de ce type sont assez incroyables – qu'elles soient bonnes ou mauvaises.

Condon affirme que, quand deux individus se rencontrent, leurs systèmes nerveux centraux se commandent ou s'entraînent mutuellement. Bien sûr, certains individus ont le pouvoir particulier de casser ou d'interrompre les rythmes d'autres individus. Mais ils n'en sont, dans la plupart des cas, même pas conscients. Et comment le seraient-ils ? Puisque, finalement, les accidents n'arrivent qu'aux autres ; ce sont en effet les autres qui laissent tomber et cassent des objets, trébuchent et tombent. Heureusement, il existe aussi un autre type d'individus : ceux qui, au contraire, sont toujours synchrones avec les autres – c'est un vrai bonheur –, sentent quel mouvement un autre individu va faire. Tout ce que l'on fait avec de tels individus est comparable à une danse ; même faire un lit peut être un amusement. Je ne connais aucun moyen d'apprendre à rester synchrone avec les autres ; mais je sais, en revanche, qu'il y a une différence considérable entre une relation dans laquelle on est synchrone et celle où on ne l'est pas.

La personnalité est sans doute un facteur important de synchronie dans les relations entre les individus, mais la culture y joue aussi un rôle déterminant. Les individus polychrones doivent rester synchrones; qu'ils échouent entraîne nécessairement le type de dissonance que nous avons évoqué précédemment. Je découvris ceci avec mes amis et voisins espagnols à Santa Fe, il y a plusieurs années. Nous construisions une maison, et travaillions tout proches les uns des autres; il devint d'ailleurs ainsi évident que les Espagnols étaient plus rapides et habiles. Il semblait que notre petite équipe de travail formait un organisme unique, composé de nombreux bras et jambes dont aucun n'entravait jamais l'activité de l'autre. Une telle synchronie joue un rôle important dans des situations où il s'agit de vie ou de mort, ou dans le fait que des individus se blessent ou non en travaillant. Par exemple, deux ou plusieurs hommes qui soulèvent une lourde poutre de charpente, en se tenant debout sur un mur, doivent se mouvoir avec une parfaite unité; autrement, l'un d'eux finit par supporter toute la charge et par être précipité du mur. Ce que je décris maintenant est une version simplifiée et ralentie de ce qui se passe sur un terrain de basket pendant des matchs de championnat, ou quand un bon ensemble de jazz commence vraiment à « vibrer », autrement dit, quand les joueurs forment un tout vivant, et que leurs respirations se fondent.

On observe une telle coordination au Japon où les gens travaillent à proximité les uns des autres, vivent et respirent en tant que groupe. Même les directeurs généraux de grandes entreprises comme Toyota [7] partagent fréquemment le même bureau pour faciliter la prise de décisions en accord les uns avec les autres, et se tenir réciproquement au courant des affaires en cours. Le résultat en est la place dominante qu'occupe le Japon sur les marchés industriels et de production mondiaux. Selon le modèle occidental en revanche, avoir un bureau fait partie du système de symboles qui marquent le prestige et le rang d'un individu dans une hiérarchie. Les cadres américains s'isolent les uns des autres – pour mieux se faire concurrence. Aux États-Unis, les directeurs généraux appartenant à une corporation doivent faire un véritable effort pour se réunir; dans le système américain, en effet, le statut d'un individu est intimement lié à l'espace qu'il occupe. Ce n'est pas par hasard que nous faisons référence à ce type de distinctions comme « insigne de la fonction » d'un individu.

Le statut est important. Pourtant, au Japon, les insignes sont différents. On accorde au groupe plus d'importance qu'à l'individu. Dans ce pays, les groupes vivent, travaillent, ou jouent en formant chacun une unité. Chez Toyota, les membres des équipes des chaînes de montage commencent la journée en faisant ensemble des exercices physiques; ils travaillent ensuite ensemble, mangent ensemble, habitent à proximité les uns des autres, dans des cités qui appartiennent à leur entreprise, et passent même des vacances ensemble. J'ai eu, autrefois, l'occasion de les voir travailler dans des espaces extrêmement réduits : je fus impressionné par la synchronie de leurs mouvements – synchronie nécessaire quand l'espace manque. Je pense que lorsque des méthodes plus développées permettront d'étudier les phénomènes de synchronie interindividuelle, la relation intime entre homogénéité culturelle, monochronie, prise de décision consensuelle, et proximité des membres d'équipes de travail, sera clairement démontrée. En fait, nous disposons déjà des moyens d'entreprendre des recherches de ce type, en utilisant les méthodes relativement simples que nous avons décrites précédemment. Cependant, indépendamment de ces études, je suis certain, pour avoir longtemps observé la synchronie interindividuelle, que les Japonais ont des méthodes qui permettent aux individus de travailler en restant davantage synchrones que les Américains ou les Européens. Ceci s'explique en partie par le fait que les Japonais sont davantage sensibles à la synchronie que ne le sont généralement les Occidentaux. Par exemple, les extraordinaires lutteurs Sumo doivent synchroniser leurs respirations avant que l'arbitre n'autorise le commencement du match, et le public sait parfaitement ce qui se passe. De la même manière, des Japonais engagés dans une conversation contrôlent fréquemment leur respiration afin de rester synchrones avec leur interlocuteur!

Amour, identification, synchronie et niveau de performance

George Leonard a étudié les rythmes des individus; il est ainsi convaincu que rien ne se produit entre des êtres humains qui ne corresponde à un certain rythme [8]. John Dewey s'est aussi intéressé aux rythmes. Dans son livre *Art as Experience,* il affirme : « L'intérêt commun qu'ont la science et l'art pour l'étude des rythmes constitue un lien de parenté entre ces deux domaines. » Dewey pense que les rythmes sont une des composantes de toute forme d'art : la peinture, la sculpture, l'architecture, la littérature et la danse.

J'ai eu un ami et collègue américain, le Dr Gordon Bowles, bilingue japonais-américain, et de plus de culture à la fois japonaise et américaine (avec un certain penchant pour les Japonais). Gordon aimait le Japon et les Japonais. Nous travaillâmes ensemble, un été, au nord de l'État de New York, à préparer des étudiants à des études et des recherches qu'ils voulaient entreprendre au Japon. De temps à autre, Gordon disparaissait pour quelques jours et, quand il revenait, je lui disais : « Gordon, tu étais encore avec des Japonais. » Et il répondait : « Oui, en effet. Des amis sont arrivés de Kyoto et je les ai rencontrés à Detroit. Nous avons passé de très bons moments ensemble. Mais comment le sais-tu ? » Je répondais à mon tour : « Je le devine à ta manière de bouger – à ton rythme. Pendant quelques jours tu bouges différemment, ton rythme change. Puis tu finis par reprendre ton rythme américain. Le rythme japonais influence toute ta manière d'être. »

Comme on peut le supposer, il existe une relation entre rythme et amour : ils sont intimement liés. En fait, on peut considérer que rythme et amour font partie d'un même processus. Les gens ne sont généralement pas synchrones avec ceux qu'ils n'aiment pas; au contraire, ils le sont avec ceux qu'ils aiment. Amour et rythme ont chacun des aspects tellement multiples qu'on peut facilement se méprendre sur leurs liens.

Après avoir passé des années dans des salles de classe, je remarquai que si je n'aimais pas mes étudiants, la classe ne marchait pas, et que son rythme, au lieu de se fixer, changeait continuellement. Certains jours, un rythme semblait s'établir ; d'autres jours par contre, plusieurs rythmes différents et opposés apparaissaient. Une classe où s'établit une certaine unité développe son propre rythme ; et ce rythme entraîne ensemble les étudiants et l'enseignant chaque fois qu'ils se rencontrent. Que signifie « aimer ses étudiants » ? Il semble d'abord déplacé de parler d'amour dans le cadre d'une classe d'une université, n'est-ce pas ? Je ne suis même pas sûr de pouvoir démêler et identifier les nombreux fils qui composent ce genre particulier de tapisserie. La classe peut constituer une projection de la famille : il est donc nécessaire à l'enseignant de neutraliser toute impulsion de la part des étudiants visant à lui attribuer un rôle parental. On devrait accepter que le plus grand plaisir pour un enseignant, la meilleure manière, pour lui d'aimer ses étudiants, est de savoir les observer et, de temps en temps, d'encourager chaque membre du groupe à développer ses talents. La confiance est aussi nécessaire pour permettre à chacun de développer sa propre manière de penser. Cela signifie que nous nous efforcions de donner le meilleur de nous-mêmes, de permettre au rythme du groupe de s'établir, et d'éviter à tout prix le rythme artificiel d'un programme fixe.

Quant aux relations interpersonnelles, on a observé que, quand un mari ou une femme s'engage dans une relation avec quelqu'un d'autre, son rythme change. Il semble y avoir une troisième personne dans la maison, et, d'une certaine manière, ils sont effectivement trois, dans la mesure où leurs rythmes sont présents.

Les individus ont souvent montré qu'il existe des différences considérables dans leurs rythmes fondamentaux. « Jane la rapide » et « John le lent » peuvent se rencontrer : ils ne devraient jamais se marier ou travailler ensemble. Ce sont des individus dont le rythme est très largement au-dessous ou au-dessus de la moyenne ; et s'ils parviennent, avec quelques difficultés, à synchroniser leur rythme avec celui d'un individu moyen, ils ne sont, par contre, pas capables d'approcher les extrémités de l'échelle des rythmes. La plupart des gens peuvent, pour ainsi dire, « accélérer » sans que nous le remarquions; et on sait combien ce processus d'« accélération » – ou de « ralentissement » – contribue à l'apparition du phénomène de stress. Tout le monde a pu faire ce type d'expérience. Qui, par exemple, n'a jamais été ralenti ou « talonné » par quelqu'un?

Tous les sportifs le savent : après la force et l'endurance, le rythme contribue largement à leur réussite. Les champions sont ceux qui « ont le rythme »; c'est pourquoi leurs mouvements sont si beaux et gracieux quand ils pratiquent leur sport. On peut difficilement considérer le motocyclisme comme un sport esthétique, et encore moins rythmique. Pourtant, le plus grand champion de moto-cross de tous les temps, Malcolm Smith, qui gagnait tous les grands prix de moto, avait un rythme particulier. Peu semblait lui importer de courir dans le désert, sur du sable, dans des cours d'eau, des broussailles, de la boue, sur des pistes de montagne rocailleuses, ou sur un sol absolument nu. Tous les autres coureurs tiraient sur le guidon de leur moto, manœuvrant leur machine parmi les pierres, les troncs d'arbres, les arbustes, et les mauvais chemins.

Un film sur Smith (*On Any Sunday,* avec Steve Mac Queen) montre au contraire l'harmonie et l'aisance avec laquelle ce coureur traversait n'importe quel type de terrain. Il établissait son rythme au commencement de la course, et ne s'en écartait jamais tout au long du parcours. Plus extraordinaire encore : cet homme qui dépassait tout le monde ne paraissait pas aller très vite. En fait, les autres concurrents, considérés individuellement, donnaient l'impression de rouler plus vite que Smith. C'était ahurissant de voir un homme rouler aussi tranquillement et immanquablement dépasser les fous démons de la vitesse.

George Bernard Shaw, l'écrivain irlandais qui connaissait si bien la nature humaine, a saisi ce type de phénomène dans un essai intitulé *Cashel Byron's Profession;* il y raconte l'histoire d'un collégien qui pratiquait la boxe et battit ses camarades les plus forts en utilisant simplement son rythme – sans fournir d'efforts. Il devint ainsi un champion de boxe, puis un honorable membre du Parlement, en lançant, à des moments particulièrement bien choisis, des attaques au cours des débats parlementaires. George Leonard rapporte le cas encore plus extraordinaire [9] de l'incroyable performance d'un ami qui essayait d'obtenir la ceinture noire en aïkido. Il écrit à ce propos : « Ses mouvements étaient si doux et harmonieux qu'ils semblaient s'emparer du temps lui-même et le faire aller à une allure plus tranquille... Au cours de l'examen, la rapidité et l'intensité des attaques augmentèrent, mais ses mouvements donnaient toujours l'impression que le temps passait plus lentement, à un rythme plus paisible, comme dans les rêves. » Le candidat maintint la cohérence rythmique de sa défense, bien qu'il fût attaqué simultanément par plusieurs adversaires. Il est paradoxal que la vitesse, qui dans des circonstances ordinaires ne pourrait être contrôlée, semble diminuer et devenir maîtrisable quand un rythme adéquat est établi.

En fait, une des vérités fondamentales du zen est que la tension, ou l'effort, est le pire ennemi du rythme. Aussi, quelle que soit la performance, plus le rythme est parfait, plus il est facile pour un individu de percevoir les détails de ce qui se déroule devant ses yeux.

On n'a jamais vu une personne exceptionnellement gracieuse manquer d'assurance naturelle ou d'une profonde confiance en soi. La clé est ici le rythme que des individus ont établi en eux. Ceux qui essaient d'acquérir de l'assurance dans leur comportement, ou d'améliorer leur performance et leur grâce, ne seront pas surpris d'apprendre que les méthodes les plus efficaces et satisfaisantes sont la gymnastique et les leçons d'élocution. La gymnastique – pratiquée sous l'œil attentif d'un professionnel – est l'élément le plus important et devrait avoir la priorité. Pour les individus qui manquent d'assurance ou d'énergie (apparemment, l'âge n'est pas une barrière), danser, chanter dans une chorale, jouer d'un instrument de musique, et même marcher peut contribuer à une harmonie corporelle, favorisant l'acquisition d'une certaine confiance en soi et d'un sentiment général de bien-être.

Ce que nous venons d'exposer annonce des possibilités de progrès, quand nous disposerons de connaissances suffisantes sur la synchronie; il deviendra peut-être alors possible de se servir de ce phénomène pour établir des diagnostics à fin thérapeutique, et de remédier ainsi à des troubles d'ordre très divers. Mon intuition me dit que la dépression, très répandue aujourd'hui, peut avoir pour origine le manque d'une synchronie profonde chez ceux qui en souffrent. Et il est certain que le degré de synchronie des individus les uns avec les autres doit beaucoup à leur possibilité de s'entendre.

Synchronie et cohésion de groupe

Il devrait maintenant apparaître clairement que deux événements ne peuvent être synchrones sans qu'un rythme n'intervienne. Le rythme est un élément fondamental de la synchronie. Un film montrant des enfants qui jouent dans une cour de récréation illustre ce principe. Qui aurait imaginé que des groupes d'enfants complètement disséminés dans la cour d'une école puissent être synchrones? Et pourtant, ils le sont effectivement (je rapporte ici, légèrement modifiée, une description que l'on trouve dans *Au-delà de la culture*). Un de mes étudiants choisit de travailler sur un film en essayant d'en extraire le plus d'informations possible. Dissimulé dans une voiture abandonnée, il filma des enfants qui jouaient dans la cour d'une école pendant la récréation. En regardant ce qu'il avait filmé, il eut d'abord l'impression de ne rien voir d'autre que des enfants jouant séparément dans la cour de l'école. Il passa ensuite le film plusieurs fois, à différentes vitesses – je conseille vivement à mes étudiants de le faire; il remarqua alors une petite fille qui bougeait beaucoup et qui ne semblait intégrée à aucun des groupes d'enfants. Elle se déplaçait dans toute la cour. L'étudiant l'observa et remarqua que, lorsqu'elle se trouvait à proximité d'un groupe d'enfants, ceux-ci étaient non seulement synchrones entre eux, mais aussi avec elle. Après avoir regardé le film un grand nombre de fois, il se rendit compte que cette fille, tout en sautant, dansant et tournant, orchestrait les mouvements de tous les enfants qui jouaient dans la cour! L'organisation de ces mouvements obéissait à une cadence – comme dans un film muet où l'on voit des gens danser. De plus, la cadence qui réglait le mouvement des enfants lui était familière! Ce rythme lui disait quelque chose. Il commença donc, avec un ami, grand amateur de musique rock, à rechercher de quelle cadence il s'agissait. Il ne fallut pas longtemps à cet ami pour prendre une cassette sur une étagère et la placer dans un magnétophone. C'était ça! Ils réussirent au bout d'un moment à synchroniser le début du film avec la musique enregistrée – un morceau récent de rock – et les trois minutes et demie de film restèrent alors synchrones avec la musique! Chaque cadence et chaque image du film étaient synchrones.

Comment expliquer un tel phénomène? Il ne correspond guère à l'idée que l'on se fait généralement de l'activité qui a lieu dans une cour d'école, ou de la manière dont on compose de la musique. En m'entretenant avec un collègue membre de l'université de Northwestern, sur les compositeurs et sur leur manière de trouver leur musique, je ne m'étonnai pas d'apprendre que, pour lui, et pour beaucoup de musiciens, la musique représente une espèce de consensus rythmique – un consensus constitutif de la culture profonde d'un peuple. Il est évident que les enfants ne jouaient ou ne bougeaient pas ensemble en suivant le rythme d'un morceau de musique particulier. Leurs mouvements obéissaient à une cadence profondément ancrée en eux, qu'ils partageaient à un moment donné. Ils la partageaient aussi avec le compositeur du morceau de musique rock qui, lui-même, l'avait certainement extraite de l'océan de rythmes dans lequel il était plongé. Et il n'aurait pu composer ce morceau s'il n'avait été en harmonie avec la culture profonde.

De tels phénomènes sont étonnants et difficilement explicables dans la mesure où nous ne savons que très peu de choses sur la synchronie humaine. J'ai cependant remarqué le même type de synchronie dans les films que j'ai réalisés dans des lieux publics où des individus se côtoyaient; et, bien qu'il n'y ait eu aucune relation entre eux, il existait, dans ce cas aussi, une synchronie qui se manifestait de manière subtile. Je trouvai extraordinaire que mon étudiant ait pu identifier ce rythme. Cependant, quand il montra son film aux autres membres de notre séminaire, ils eurent quelques difficultés à comprendre ce qui s'était passé en réalité, bien qu'il ait expliqué très clairement comment il avait procédé. Un directeur d'école pensait que les enfants « dansaient sur la musique »; un autre voulut savoir si les enfants « fredonnaient l'air » du morceau de musique. Ils exprimaient ainsi la croyance très répandue selon laquelle la musique est « fabriquée » par un compositeur, qui ensuite transmet sa « création » à d'autres, qui à leur tour, la transmettent à l'ensemble de la société. Les enfants bougeaient ensemble, mais, comme dans un orchestre symphonique, tous les éléments du groupe ne participaient pas toujours, certains restaient immobiles. En fait, ils participaient tous d'une certaine manière, et tous étaient synchrones, mais la musique était *en eux*. Ils l'apportaient dans la cour de l'école, en eux, en tant qu'élément de la culture dont ils étaient les membres. Et cela, ils le faisaient depuis toujours : ils avaient commencé par synchroniser leurs mouvements avec la voix de leur mère avant même de naître [10]. Cette considération nous mène au vrai pionnier du domaine fascinant des rythmes.

Avant la Renaissance, on concevait Dieu comme un son ou une vibration [11]. On comprend une telle conception parce que le rythme d'un peuple est vraisemblablement l'élément qui lie avec le plus de force les êtres humains entre eux. Je suis, en fait, arrivé à la conclusion que l'espèce humaine vit dans un océan de rythmes. Certains ne le perçoivent pas, alors que pour d'autres, au contraire, cela est tout à fait tangible : ce qui explique pourquoi certains compositeurs semblent vraiment capables de puiser dans cet océan, d'exprimer pour les autres des rythmes qui sont sentis, mais non encore exprimés, comme musique. Les poètes font la même chose, mais sous une forme différente.

Tedlock [12] rapporte l'existence d'un processus similaire chez les Indiens Zuñi Pueblo. Les chants zuñi sont composés pour les cérémonies annuelles. Un seul compositeur apporte un chant à la kiva avant qu'une danse ne soit effectuée. Il parle du chant, chante la partie préliminaire, puis récite une partie du chant lui-même (il s'agit de la partie du chant « soumise à discussion »). Si le chant offre suffisamment de possibilités, les membres du clan se mettent au travail, lisent le chant, le critiquent, ôtent des mots, en changent, et – c'est le plus important –, accordent les paroles à la mélodie. Tout doit s'accorder : les mots, la mélodie, et le message de la chanson. Tout doit parfaitement convenir. Parmi les cent seize chants qu'elle enregistra, Tedlock affirme que seulement 4 % furent considérés *co'ya,* ou beaux, et 26 % *k'oksi,* ou bons. Quand les chants sont vraiment beaux ou bons, et quand le public les aime, il demande aux danseurs de les exécuter de nouveau. Comme le bon jazz – qui jaillit du cœur des gens – la musique zuñi est jugée d'après la manière dont elle approche la réalité vivante des différents courants de l'océan de rythmes dans lequel les individus sont plongés. Les chants remplissent plusieurs fonctions : religieuse, cérémonielle; ils constituent aussi une source d'information et de contrôle social; ils décrivent en effet souvent de manière reconnaissable et évidente les actions des membres de la communauté. Dans la pensée occidentale, la religion est une chose, le contrôle social en est une autre. Les choses se présentent tout à fait différemment pour les Zuñi (ou pour n'importe lequel des groupes américains indigènes que je connaisse). Leur pensée est totalisante : la religion englobe tout, elle ne constitue pas un domaine séparé ou compartimenté de la vie. De ce fait les chants ont pour fonction de faire émerger et de formuler des sentiments et croyances non verbalisées du groupe, qui proviennent de la couche inconsciente. C'est pourquoi les chants considérés comme très bons sont *co'ya* (*co'ya* est l'harmonie à tous les niveaux).

Il existe une autre différence entre les Américains blancs et les Américains indigènes ou les Noirs : les deux derniers groupes sont plus proches de leur musique. La plupart des Noirs savent d'où vient leur musique – elle vient d'eux-mêmes. Les Pueblo, comme les Navajo et les autres groupes d'Indiens américains, considèrent la musique d'un peuple comme inséparable de sa vie; les chants représentent une part importante de leur identité. Ceci explique en partie pourquoi ils refusent que des étrangers enregistrent leurs chants sacrés pendant le déroulement de la partie publique des cérémonies. Une autre raison de ce refus est que le public a une fonction à remplir : il doit être présent par ses pensées bénéfiques ou par ses prières! Le rôle du public n'est pas de retirer quoi que ce soit à la danse; il est au contraire d'y ajouter quelque chose.

Les Américains indigènes ne sont pas seuls à avoir une cadence et un rythme propres reflétés dans leur musique. Chaque région et chaque ville des États-Unis a son propre rythme et sa propre musique. Un excellent exemple en fut récemment fourni par la première scène du film *Nine to Five,* avec les actrices Lily Tomlin, Jane Fonda et Dolly Parton. La talentueuse Dolly Parton chante tandis que des plans, au niveau du sol, montrent des jambes et des pieds descendant une rue. Une prise de vue extraordinaire sur des pieds et des chevilles qui marchent en cadence est suivie d'un plan sur trois métronomes, synchrones entre eux et avec le rythme de la ville. Ce n'était qu'un plan très court, mais j'en eus des frissons dans le dos! Goddard Lieberson, aujourd'hui décédé, percevait si intensément la force de ce que j'exprime maintenant qu'il passa les deux dernières années de sa vie à produire une émission de deux heures pour CBS, « Ils l'ont dit avec de la musique », avec Jason Robards et Bernadette Peters. Il s'agissait de raconter l'histoire des États-Unis en musique, en commençant par « Yankee Doodle » et la révolution industrielle, pour finir avec la Première Guerre mondiale et « Over There ». Selon Lieberson, ceci n'avait jamais été fait auparavant, et je ne peux comprendre pourquoi. Peut-être parce que nous ne concevons plus Dieu comme un son ou une vibration.

Différences de fréquences, signes précurseurs et feedback

« Feedback » est un terme emprunté au domaine de la cybernétique; il s'agit d'un mot technique inventé par Norbert Wiener [13]. La cybernétique est l'étude des mécanismes de contrôle. Quand il s'agit de gouverner un bateau, le rôle du pilote, comme du pilote automatique, est de corriger la tendance naturelle du bateau à dévier du cap établi pour un voyage. Le pilote utilise divers instruments et aides, boussoles, cartes du ciel et système inertiel, qui lui permettent de maintenir le cap. Le vent, la houle, les courants de l'océan et les défauts de la coque d'un bateau contribuent à le faire dévier du cap qu'il devrait tenir. Le rapport entre les forces qui font dévier le navire et celles qui, au contraire, le maintiennent sur le cap établi est ce qu'on appelle un feedback : c'est un échange d'informations au cours duquel il s'agit de déterminer le degré de déviation du navire et, en fonction de cette information, la correction nécessaire pour rétablir le cap. Les êtres humains – en fait, tous les organismes vivants – dépendent du feedback qui les lie à leur environnement humain et physique, pour maintenir un équilibre nécessaire à la vie. Un des éléments de la stratégie d'un mécanisme de feedback est de déterminer l'intervalle approprié à une action correctrice. Si la manœuvre de correction est trop rapide, elle déséquilibre le système sur lequel elle intervient; si elle est trop lente, le bateau, par exemple, s'écarte complètement de sa route, reprend son cap, le croise, et ainsi de suite. Par conséquent, la distance parcourue est plus grande qu'il n'était nécessaire, et le trajet prend la forme d'un serpent ou semble suivre les méandres d'un fleuve. L'intervalle critique de correction, que j'ai appelé rythme de feedback, est fonction de nombreux éléments; mais chez les êtres humains, ce rythme est déterminé culturellement au niveau primaire. Il suffit d'un léger dysfonctionnement dans le feedback pour empêcher les rythmes de s'accorder avec le processus de correction.

Dans un travail précédent, *Au-delà de la culture,* j'ai décrit la manière qu'ont les Espagnols polychrones du Nouveau-Mexique de prêter une attention toute particulière à l'état affectif des autres; ainsi, les plus subtils changements de l'humeur de quelqu'un sont immédiatement remarqués et commentés : « Que se passe-t-il Theresa? Il y a quelques instants tu étais gaie, maintenant tu es triste. Quelque chose ne va pas? » Ce type de perception rapide peut être efficace pour maintenir le moral d'un groupe, en particulier si ce groupe est composé d'individus qui s'entendent bien; mais il peut, par contre, mener à de désastreuses confrontations entre jeunes hommes. La même sensibilité et la même acuité de perception de signes non verbaux primaires associées à un machisme viscéral, à l'alcool, aux voitures de sport et aux armes contribuent à créer des situations difficiles. Dans la mesure où les Hispano-Américains sont davantage impliqués dans leurs relations aux autres que ne le sont les Anglo-Américains, le processus d'information réciproque établi entre eux est plus rapide, et entraîne une plus grande inconstance. Un modèle de comportement lié au précédent est celui du manque d'intérêt qu'ont les individus polychrones à établir des projets à long terme; ce type de projet est toujours difficilement réalisable dans des cultures polychrones, à moins que des éléments décisifs n'entrent en jeu. Les choses se passent rapidement, sans que l'on en considère généralement les conséquences.

Les Japonais utilisent des systèmes de communication ancrés en eux qui leur permettent de maintenir entre eux un contact affectif. Ceci est particulièrement important pour des équipes qui travaillent ensemble sur la base d'un certain nombre de tâches à effectuer au cours de la journée. Les schémas essentiels semblent être les mêmes quel que soit le niveau de hiérarchie où on se situe. Le matin, les Japonais commencent par communiquer à un niveau formel; au fur et à mesure que la journée avance, et si les choses se passent bien, le langage employé devient informel. Ils abandonnent peu à peu les titres (suffixes qui indiquent le statut de chaque individu par rapport aux autres). Ceci signifie que chacun sait, à chaque instant, comment la situation évolue. Contrairement aux Espagnols du Nouveau-Mexique, les Japonais n'ont pas une approche technique et détaillée des problèmes qui se posent; ils dépendent en effet très largement des informations que leur fournit leur environnement, et sont supposés savoir ce qui ne va pas. Il s'agit, en l'occurrence, d'un feedback rapide – un rythme journalier composé de plusieurs segments en interaction – qui maintient un accord entre les membres du groupe travaillant et vivant ensemble, et qui synchronise les composantes affectives du groupe. Je ne veux pas dire par là que tous les groupes et que tous les Japonais travaillent en complète harmonie; ce n'est pas le cas. Mais ils se comportent en fonction d'un idéal, d'une méthode, d'un rythme approprié, d'une forte pulsion qui les entraîne, dans les transactions qu'ils accomplissent au cours d'une journée, à passer d'un pôle (les relations formelles) au pôle opposé (les relations informelles), plus chaleureux et agréable.

Quel type de feedback interindividuel existe-t-il aux États-Unis? Cela varie considérablement en fonction de la classe et du groupe ethnique auxquels appartiennent les individus. Mais, même dans une société aussi diversifiée que la société américaine, il existe des normes sans lesquelles il serait difficile d'établir la synchronie nécessaire au fontionnement de tout système. Ce type de comportement n'est pas la mise en pratique d'une technique, de moyens verbaux, manifestes et explicites que l'on trouve dans des livres, ou d'instructions données par des spécialistes en gestion. Il s'enracine plutôt dans l'inconscient collectif des individus d'un pays.

En général, les Anglo-Américains, comparés aux Hispano-Américains, ont un rythme d'information réciproque très lent. Ils considèrent comme allant de soi qu'il se produise des changements d'humeur chez des individus. Au bureau, quand quelqu'un va mal, on suppose qu'il a des problèmes chez lui, et vice versa. Les Anglo-Américains évitent en général de se mêler ou d'intervenir dans la vie privée des autres. Ceci s'explique en partie par l'influence du système monochrone, compartimenté, et par la manière dont il renforce l'aspect extrêmement individualiste de notre culture. Les gens pensent souvent qu'ils sont seuls au monde; ainsi, ce n'est que justice qu'ils soient capables de résoudre leurs propres problèmes; ne pas le faire est un signe de faiblesse ou un manque de caractère. Que se passe-t-il quand quelque chose va mal? D'abord personne ne dit rien; quelqu'un finit par intervenir seulement quand il devient évident pour tous que la situation est vraiment impossible. Une de mes amies quitta l'emploi à temps partiel qu'elle occupait chez un homme exerçant une profession libérale qui avait l'habitude d'exploiter son personnel féminin. Elle lui dit simplement qu'elle était indignée par sa manière de gérer ses affaires et qu'elle quittait donc son emploi. Lui, à son tour, eut l'impression de pouvoir exprimer quelques-uns de ses sentiments à propos de son travail. Il est vraiment dommage qu'ils n'aient pu exprimer leurs sentiments plus tôt. Dans des relations de couple aussi, des individus mettent parfois des années avant d'exprimer ce qui les gêne. Il arrive qu'un individu s'engage dans un mariage ou une relation professionnelle dont le feedback est fiable et rapide mais, d'après mon expérience et ce que j'ai lu dans la littérature « populaire » (conseils pratiques, bandes dessinées, lettres aux spécialistes de presse), il faut généralement un intervalle de trois à six mois avant que la situation ne soit éclaircie. Parfois, plus de cinq ans doivent s'écouler avant que les griefs ne soient clairement exprimés. Les choses se passent tout à fait différemment pour les Japonais et les Hispano-Américains. Le feedback des Hispano-Américains est plus rapide que celui des Japonais, et celui des Japonais est beaucoup plus rapide que celui des Anglo-Américains.

10

Entraînement

Entraînement est le terme choisi par William Condon pour désigner le processus qui se produit quand deux ou plusieurs individus s'engagent dans une relation mutuelle par l'intermédiaire de leurs rythmes et que ces rythmes se synchronisent. Condon et moi-même pensons qu'on finira par démontrer que la synchronie commence à partir de la myélinisation du nerf auditif, autrement dit, six mois après la conception d'un individu : le fœtus commence alors à entendre. Immédiatement après la naissance, les mouvements du nouveau-né suivent le rythme de la voix de sa mère. L'enfant synchronise aussi ses mouvements avec la voix d'autres individus, quelle que soit la langue qu'ils parlent! On peut donc considérer comme innée la tendance selon laquelle les individus se synchronisent avec les voix qu'ils entendent autour d'eux. Le rythme particulier qu'ils acquièrent dépend de leur environnement culturel au cours de l'apprentissage de ces modèles. On a donc de bonnes raisons de penser que des êtres humains normaux sont capables d'apprendre à se synchroniser avec n'importe quel rythme humain à condition que cet apprentissage ait lieu suffisamment tôt.

Manifestement, quelque chose d'aussi profond que le rythme, acquis par un individu au début de sa vie, élément enraciné dans l'ensemble des codes de comportement inné de l'organisme humain, et partagé par toute l'humanité, ne doit pas seulement être important, c'est probablement un des éléments essentiels qui contribuent à la survie de notre espèce. Il est tout à fait possible de découvrir dans l'avenir que la synchronie et l'entraînement [1] sont encore plus essentiels à la survie des êtres humains que le sexe au niveau individuel, et aussi essentiels à leur survie que le sexe au niveau du groupe. Sans la capacité des êtres humains de s'entraîner mutuellement – ceci se produit dans certains types d'aphasie – il leur est pratiquement impossible de vivre. Le Dr. Barry Brazelton, un pédiatre de Boston, s'est consacré pendant des années à l'étude de l'interaction entre parents et enfants dès la naissance; il a décrit les multiples et subtils niveaux de synchronie qui s'établissent entre eux dans des relations normales, et il affirme que des parents qui battent leurs enfants n'ont jamais appris à synchroniser leurs propres rythmes à ceux de leurs enfants. Le rythme fait tellement partie de la vie de chaque individu qu'il n'en remarque pratiquement pas l'influence sur son comportement. Quelque part, dans le processus de synchronie, existe un lien entre l'expérience consciente normale, et l'expérience dite métaphysique. Il n'y a qu'un pas de l'océan de rythmes dans lequel tous les individus sont mutuellement entraînés, aux théories plus contemporaines sur le phénomène de précognition.

Mais considérons ici encore le rôle du rythme dans la vie des individus. Comment cet élément peut-il être si nécessaire à la capacité d'établir une relation d'entraînement avec les autres? Aujourd'hui, probablement parce que très peu de chercheurs se consacrent à ce domaine, il n'existe pas de théories généralement admises sur la synchronie [2]. On observe, cependant, que les rythmes courants, dont les fréquences restent moyennes, sont perceptibles à un niveau conscient : par exemple, les rythmes musicaux, ou les rythmes de danse, qui sont universels. Où que l'on se tourne sur cette terre, là où des individus sont présents, on observe qu'ils se synchronisent quand on joue de la musique. Mais il existe une conception fausse et très répandue concernant la musique. Parce que la musique a une cadence, on croit généralement que le rythme a son origine dans la musique. Mais au contraire, *la musique est un déclencheur extrêmement élaboré de rythmes déjà ancrés dans les individus.* Comment expliquer autrement l'harmonie intime que l'on observe entre ethnicité et musique? On peut aussi considérer la musique comme une projection assez extraordinaire des rythmes internes aux êtres humains.

Les rythmes musicaux font partie d'un très vaste ensemble de systèmes rythmiques humains dont les fréquences varient de 0,02 seconde (activité électrique bêta 1 du cerveau) * à des centaines ou peut-être des milliers d'années. Il faut des centaines d'années pour que les processus rythmiques à fréquence extrêmement lente, auxquels le théoricien et historien classique Arnold Toynbee s'est particulièrement intéressé, se développent complètement. La grandeur et la décadence des civilisations font partie de ces processus rythmiques lents.

Toynbee a fondé sa théorie sur l'observation réfléchie de la succession des civilisations qui, toutes, se caractérisent par une alternance régulière de périodes de grandeur et de déclin. Bien qu'il ne soit pas encore possible de prouver les affirmations de Toynbee, il semble cependant que le rythme de vie soit plus rapide, à notre époque, dans les civilisations de masse, dans une certaine mesure du moins. C'est, en tout cas, une opinion largement répandue. Si de tels rythmes existent, et s'ils accélèrent effectivement, nous pourrions nous adapter plus rapidement qu'autrefois aux changements dont nous devons déjà tenir compte.

Il y a toujours eu une grande cohérence dans la nature, et il serait très profitable d'en savoir davantage sur les relations et échanges rythmiques qui s'y produisent. Les êtres humains commencent seulement à reconnaître qu'il existe une unité sous-jacente à l'extrême diversité des phénomènes naturels. Il nous faut comprendre que « le rythme est la caractéristique essentielle de l'organisation naturelle »; et il nous appartient d'apprendre le plus possible comment ces extraordinaires processus interviennent dans notre vie.

Condon parvient ici mieux que d'autres à cerner l'essentiel : « Il existe une cohérence profonde dans ce que nous percevons et pensons. Nous n'inventons pas cette cohérence, nous la

* Voir schéma, p. 210.

découvrons... Nos idées et hypothèses sont dérivées de l'observation très précise et complète de phénomènes, et elles s'en trouvent clarifiées... En établissant ou en trouvant des distinctions dans le monde, nous ne le morcelons cependant pas de manière à détruire son unité... Le temporel est essentiel et implique l'histoire. Il existe beaucoup d'histoires; mais, bien que l'histoire soit multiple, elle n'est cependant pas discontinue [3]. »

Je m'accorde avec Condon pour penser que la nature (la vie) est paradoxalement à la fois discontinue et continue – simultanément et de manière non contradictoire. J'affirme aussi que la nature ne se limite pas au monde physique : elle inclut l'homme et les productions de l'homme. Rien n'est exclu de la nature, et certainement pas les micro-rythmes qui tissent les liens des individus entre eux.

Condon est un philosophe qui s'intéresse à la phénoménologie; il a appris ce qu'est la kinésique d'abord avec le professeur Raymond Birdwhistell de l'université de Pennsylvanie, puis avec le psychiatre Albert Scheflen, aujourd'hui décédé. Condon découvrit rapidement deux choses : d'abord, il touchait à un domaine de recherche étonnamment riche, ensuite, personne à cette époque ne voulait s'engager dans ce domaine, ou n'avait la patience de vraiment le développer. La logistique temporelle nécessaire pour mener à bien ce type de recherche est impressionnante. Condon passa un an et demi (quatre à cinq heures par jour) à étudier quatre secondes et demie d'un film du professeur Gregory Bateson, montrant une famille en train de dîner. Condon utilisa cent trente copies de cette séquence de quatre secondes et demie, chaque copie pouvant être visionnée cent mille fois. Il doit se passer vraiment beaucoup de choses au cours d'un dîner familial pour retenir l'attention d'un chercheur pendant un an et demi. Et il se passe effectivement beaucoup de choses, peut-être plus que l'on en découvrira jamais.

Condon savait que s'il voulait s'engager dans une analyse aussi minutieuse, il lui faudrait utiliser les films 16 mm avec prise de son simultanée, images numérotées, une notation codée permettant au chercheur d'analyser les mouvements de chaque partie du corps et les paroles les accompagnant, ainsi qu'un magnétoscope spécialement conçu pour pouvoir faire avancer ou reculer le film d'une seule image à la fois. Tous ces procédés devaient être employés de manière à permettre d'enregistrer le comportement comme un continuum. Une des caractéristiques qui différenciait le travail de Condon d'autres recherches sur le comportement était la réalisation d'un enregistrement continu – synchrone – de chaque manifestation du corps dans le temps, y compris les mots prononcés. Condon réussit effectivement à identifier les unités constitutives de l'organisation du comportement. En ce sens, Condon et moi-même avons eu des objectifs de recherche similaires pendant des années. Considéré dans le contexte du comportement humain, le temps est organisation. Cependant, les vues de Condon incluent davantage d'éléments que les miennes. Par exemple, le processus rythmique de synchronie est profondément associé au processus de constitution du moi d'un individu; en effet, le rythme est inhérent à l'organisation et, de ce fait, joue un rôle constitutif essentiel dans l'organisation de la personnalité. Il est impossible de séparer le rythme d'un processus et celui d'une structure; en fait, on peut se demander s'il existe un rythme sans succession ni organisation d'éléments. Les modèles rythmiques pourraient s'avérer être des aspects fondamentaux de la personnalité de base différenciant un individu d'un autre.

Tous les rythmes humains ont leur origine au sein du soi des individus : ils sont d'abord des processus de synchronie interne [4]. Même les rythmes de l'activité cérébrale sont des indicateurs fiables, associés quasiment à tout ce que les individus font : ils varient pendant le sommeil, indiquent le type de sommeil qu'a un individu, et s'il rêve [5] ou non. On ne s'en étonnera donc pas, Condon a établi que chacune des six différentes fréquences d'activité électrique du cerveau est associée à une partie spécifique du spectre des rythmes constitutifs du processus de synchronie individuelle interne. Les fréquences de l'activité électrique du cerveau sont associées au langage de la manière suivante :

Delta	Phrases	1-3 par seconde
Thêta	Mots	4-7 par seconde
Alpha	Mots courts et phonèmes (sons)	8-13 par seconde
Bêta I	Phonèmes courts	14-24 par seconde
Bêta II	Phonèmes	25-40 par seconde

La fréquence delta d'une seconde est apparemment un rythme fondamental du comportement humain. Selon Condon, des phrases énoncées (maîtresses) correspondent à un intervalle de temps d'une seconde qui lie précisément trois phrases plus courtes. Ces trois phrases, à leur tour, comprennent chacune de deux à trois mots (il y a en tout neuf mots) qui sont constitués de vingt-cinq phonèmes (sons), (voir le diagramme ci-dessous). Chaque mouvement corporel est synchronisé de façon précise avec ces quatre niveaux de rythmes hiérarchiques.

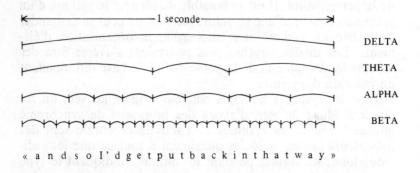

Ce fragment de discours enregistré sur un film à la vitesse de 94 images par seconde (presque quatre fois la vitesse normale) dure seulement une seconde. Pendant cette seconde, le bras du sujet qui parle, est exactement coordonné avec le modèle de fréquence thêta; le clignement de ses yeux est en synchronie avec le modèle de fréquence bêta; le rythme alpha

210

est en synchronie avec la parole, ou vice versa [6]. Condon affirme : « Ces rythmes fondamentaux semblent devenir partie intégrante de l'être même de l'individu... Tout son corps participe à ce rythme et à ses complexités hiérarchiques. » En fait : « L'harmonie et l'unité entre parole et mouvements du corps que l'on observe dans un comportement normal sont vraiment impressionnantes. » Gardons à l'esprit que ce sont là les mots d'un homme qui a passé la majeure partie de chaque jour, durant les dix-huit dernières années, absorbé par l'observation et l'enregistrement de ces extraordinaires modèles.

La théorie de George Leonard affirme que les rythmes peuvent rendre compte de phénomènes psychiques très divers, et il est possible que le travail de Condon permette finalement d'expliquer certains autres aspects de ce que l'on considère aujourd'hui comme relevant du psychique. Ceci explique pourquoi une certaine forme d'« entraînement » est établie quand deux systèmes nerveux centraux sont mutuellement engagés. Et il ne nous semble pas exagéré de penser qu'une certaine forme d'entraînement à distance se produise entre individus. Condon a démontré, à plusieurs reprises [7], que lorsque des individus conversent ensemble, chacun d'eux a sa propre synchronie interne, et qu'il s'établit aussi une synchronie interindividuelle; mais encore, que l'activité électrique de leur cerveau se fond en une seule séquence unifiée. Quand des individus parlent ensemble, leurs systèmes nerveux se mêlent comme les engrenages d'un système de transmission.

Toutes ces considérations peuvent être appliquées au diagnostic et au traitement de la schizophrénie, et se rapportent aussi aux études mentionnées précédemment [8], concernant un sujet schizophrénique dont les aberrations perceptives se manifestaient par une impression de projection des limites de son corps, au point de remplir entièrement l'espace dans lequel il se trouvait. Des distorsions perceptives de ce type terrifiaient parfois le patient dans la mesure où quelqu'un qui entrait dans la pièce s'introduisait nécessairement à l'intérieur de son corps! Le travail de Condon révèle un autre type d'arythmie – particulièrement effrayant – qui se manifeste chez des enfants schizophrènes et autistiques, et chez des sujets dyslexiques. Ces enfants sont contraints d'affronter des distorsions perceptives à la fois spatiales et temporelles. Chez les sujets schizophrènes étudiés par Condon, les deux côtés du corps n'étaient parfois pas synchrones. Dans certains cas, un œil du patient regardait la caméra, alors que l'autre fixait le thérapeute, puis un œil se fermait et l'autre restait ouvert [9].

Sans les magnétoscopes récemment mis au point, il serait impossible d'isoler, identifier et examiner les mouvements d'un corps qui se produisent en l'espace de fractions de seconde, à une vitesse dépassant ce que l'on peut normalement percevoir à l'œil nu. On remarquait, cependant, la pression exercée sur les autres quand ces enfants étaient en interaction avec eux. Il était impossible aux enfants étudiés par Condon, et probablement aux autres enfants présentant les mêmes troubles, d'établir une relation d'entraînement appropriée. Quand il est impossible d'établir une relation de ce type avec soi-même, il devient aussi impossible de le faire à l'égard des autres. Et ne pas pouvoir établir une relation d'entraînement empêche aussi toute relation.

Étant donné l'engagement interindividuel que suppose une relation d'entraînement, et d'après les observations faites sur la manière dont une petite fille dirigeait et coordonnait les rythmes inconscients de groupes d'enfants jouant dans la cour d'une école (voir chapitre précédent), il est tout à fait possible que, non seulement l'activité électrique du cerveau de plusieurs individus soit synchrone quand ils parlent ensemble, mais aussi que ces rythmes soient intégrés au plus vaste ensemble des rythmes du groupe dont ils se trouvent faire partie à un moment donné. Et, bien qu'il soit maintenant encore difficile de prouver cette hypothèse, elle pourrait être démontrée – ou au contraire réfutée – par un chercheur suffisamment perspicace et disposant d'un matériel de contrôle approprié pour enregistrer l'activité électrique du cerveau d'individus formant des groupes, séparés les uns des autres par une certaine distance.

Une recherche de ce type, décrite dans mon *Handbook for Proxemic Research,* utilisait quatre éléments : 1° un système de notation; 2° des films montrant des individus en interaction; 3° un magnétoscope; 4° un programme informatique (DATAGRF). DATAGRF était spécialement élaboré pour montrer quand des individus sont ou non en synchronie; dans quelle mesure ils ne sont pas en synchronie, autrement dit, quelle est l'importance de leur « retard » sur les autres; enfin déterminer l'intensité de la transaction. Ce programme n'était pas parfait : par exemple, il ne rendait pas compte des diminutions et augmentations de vitesse; mais, comme le travail de Condon, il enregistrait effectivement des événements dans le temps, et pouvait traiter un grand nombre de variables de manière à ce que chacune soit comparable aux autres, toujours dans le temps.

Quel effet l'absence de synchronie a-t-elle sur un groupe ou sur un seul individu? La dynamique d'un groupe peut être perturbée. Je me souviens avoir été très impressionné par mes premiers films montrant des groupes en public. Des petits groupes étaient synchrones, mais aussi tous semblaient, à certains moments, faire partie d'un rythme plus vaste.

Il m'était évident depuis un certain temps que les Indiens américains avaient un rythme propre. Chez les Indiens qui se parlent, quelque chose apparaît avec évidence que j'avais souvent observé mais que je n'ai pu analyser que lorsque j'ai disposé d'un matériel approprié : leur rythme est syncopé. Une main commence un geste, s'arrête à mi-course, et l'autre main le termine. Les deux côtés du corps d'un individu agissent en synchronie avec ce qu'il dit. La culture occidentale, linéaire, verbale, à organisation fermée (constituée de domaines séparés les uns des autres), dans laquelle les chiffres ont un rôle important, implique de la part de ses membres le développement de l'activité de l'hémisphère gauche du cerveau. Et certains films montrent que les Occidentaux utilisent surtout un côté de leur corps, et ne développent pas un mouvement ou un geste d'un côté à l'autre, comme le font les Noirs et les Indiens.

Des différences dans les modèles de comportement provoquent parfois une certaine angoisse chez des individus qui ont appris à refouler le langage du corps. Les rythmes interindividuels constituent un mode de communication très puissant à l'intérieur d'un groupe. Les messages rythmiques sont une des composantes fondamentales du processus d'identification – une force cachée qui, comme la pesanteur, maintient une cohésion entre divers groupes. J'eus l'occasion d'observer ce phénomène chez un de mes étudiants – un jeune homme doué, marié à une femme noire. Il vivait avec la famille de sa femme, et avait le plus grand mal à acquérir même les façons de marcher les plus simples des Noirs. En fait, il n'y parvint jamais. La jeune sœur de sa femme passait des heures à essayer de lui apprendre à marcher comme un être humain : car elle était angoissée, mal à l'aise de le voir marcher comme une planche avec pieds articulés. Il s'agissait pour lui, en partie, d'acquérir le rythme approprié.

Les faits que j'invoque paraîtront peut-être peu probants. Bien que les différences que j'ai étudiées parmi trois groupes culturels soient apparentes quand on s'attache à considérer leur comportement sans trop de préjugés, les informations détaillées fournies par Condon sont plus décisives. Il dit, à propos des Noirs : « Quand on soumet le comportement des Noirs à une micro-analyse, on observe dans leurs gestes et dans leurs mouvements un *très beau rythme syncopé*. Par exemple, l'étude minutieuse des gestes d'un Noir m'a montré que, souvent, il bougeait la main et le bras droit au moment où il prononçait la première consonne d'un mot, puis associait à ce premier mouvement celui du bras gauche, plus rapide, en synchronie avec la voyelle; il bougeait simultanément les deux bras plus lentement quand il prononçait la consonne terminale. C'est tout son corps qui le faisait... Les Blancs, par contre, gardent plutôt un rythme continu, au sens où l'on n'observe pas chez eux de contrepoint syncopé, marqué par un côté du corps par rapport à l'autre [10] » (les italiques sont ajoutées). Le lecteur doit se souvenir que lorsque Condon décrit ce qu'il voit, il décrit des événements qui se produisent en l'espace d'une fraction de seconde. Si on se réfère au diagramme considéré précédemment dans ce chapitre, ce rythme syncopé correspond aux fréquences électriques alpha et bêta du cerveau. Dans les mouvements des Américains indigènes, la syncope est beaucoup plus facile à enregistrer, plus évidente, et plus lente (elle correspond probablement aux fréquences thêta et delta). En fait, le rythme propre à l'accomplissement de transactions courantes entre Indiens de l'ouest des États-Unis est significativement plus lent que celui des Blancs ou des Noirs. Comment des différences de ce type influencent-elles la manière dont le comportement particulier à un groupe ethnique est perçu par d'autres groupes ethniques? Si un individu qui n'est pas en synchronie avec un groupe peut, à lui seul, perturber ce groupe, quel effet peuvent alors avoir des différences rythmiques aussi fondamentales que celles que nous venons de décrire? Elles ne sont certainement pas insignifiantes.

Dans les cultures occidentales, les individus maintiennent un équilibre dans leurs relations et évitent de nombreuses confrontations parce qu'ils sont généralement capables de percevoir des signes précurseurs dans le comportement des autres. L'ensemble de ces signes leur permet de déterminer quand quelque chose est sur le point d'arriver, et de réagir en conséquence s'ils le jugent nécessaire. Il existe beaucoup de manières de pressentir l'avenir, mais un exemple particulier de signe précurseur est le laps de temps qui s'écoule entre le moment où quelqu'un dit quelque chose et celui où il agit en fonction de ce qu'il a dit. L'interprétation inadéquate du temps qui s'écoule entre le moment où une menace est proférée et celui où elle est mise à exécution est un élément très significatif d'incompréhension entre cultures différentes.

Quand un Occidental dit qu'il va faire quelque chose, et ne passe pas à l'acte au bout d'un certain temps [11], on suppose que rien ne se fera. Ceci fonctionne même dans le domaine juridique : la loi de prescription repose sur ce modèle. Aux États-Unis, selon l'État où un délit a été commis, on ne peut poursuivre les auteurs de la plupart des délits s'ils ne comparaissent pas devant un tribunal dans un délai de trois à sept ans après le délit. Aussi, un prisonnier qui n'est pas jugé dans le délai spécifique après son arrestation (généralement entre soixante et quatre-vingt-dix jours après l'arrestation) doit être libéré. Cette loi pèse bien sûr lourdement sur les cours de justice; mais elle est au moins en accord avec le mode de fonctionnement de notre culture, ce qui en dit long sur la manière dont les choses se passent dans d'autres secteurs du domaine juridique.

Quel est maintenant le modèle indien pueblo? Quelques années avant la publication de ce livre, les Indiens d'un village du Nouveau-Mexique provoquèrent un conflit dont les Blancs ne comprirent jamais la plupart des éléments. Les Indiens de Santo Domingo Pueblo – situé à mi-chemin entre Santa Fe et Albuquerque, au Nouveau-Mexique – firent savoir aux autorités bureaucratiques intéressées qu'ils fermeraient une route construite par l'État à travers le territoire pueblo, s'ils n'obtenaient pas des arrangements au sujet de la priorité de passage sur cette route. Des années passèrent sans que rien n'arrive. Personne ne pensait s'entretenir avec les Indiens à propos de la route qui donnait accès à un grand barrage d'État, à des chantiers d'aménagement sur les rives du Rio Grande, à un autre village pueblo et à deux villages hispano-américains. Au département d'État responsable de la construction des routes, on pensait que l'affaire était oubliée. Puis un jour, la route dut être réparée, et on la repava sans prendre la peine de consulter les Indiens. Alors, un beau matin ensoleillé, les gens qui se rendaient à leur travail à Cochiti Dam trouvèrent la route coupée par une barrière de sécurité en acier. Pour s'assurer qu'elle serait vraiment efficace, les Indiens avaient creusé un énorme fossé à travers l'ancienne route, juste derrière la barrière. Un panneau expliquait que la route se trouvait sur des terres indiennes, que les habitants de Santo Domingo exerçaient leurs droits de fermer la route, et qu'il était absolument INTERDIT DE FRANCHIR LA BARRIÈRE!

Les Blancs réagirent comme si les Indiens de Santo Domingo avaient complètement perdu la tête; les Indiens ne comprirent pas pourquoi. Le gouverneur du village indien remarqua : « Je ne sais pas pourquoi ils ont été si surpris. Après tout, les panneaux indiquant que nous fermons la route étaient empilés devant chez moi depuis un an et tout le monde les a vus. Que pensaient-ils que ces panneaux pouvaient signifier? » Voilà un excellent exemple de la manière dont notre environnement culturel nous apprend à prêter attention à certaines choses et à en ignorer d'autres. Les panneaux étaient tangibles et tout à fait réels pour les Indiens; mais l'invisible laps de temps écoulé avait bien plus de poids pour les Blancs. Finalement, une nouvelle route fut construite et les Indiens obtinrent un droit de passage satisfaisant. Entre-temps, les gens qui utilisaient habituellement l'autre route furent obligés d'emprunter une mauvaise route et faire ainsi un détour de je ne sais combien de kilomètres.

Doug Boyd décrivit un autre exemple dans *Rolling Thunder;* il s'agissait cette fois de l'histoire d'un sorcier shoshone dans le Idaho. Le gouvernement faisait arracher des forêts de pins pour créer des espaces de pâture pour le bétail. Les Indiens étaient en colère, mais ne savaient pas vraiment que faire, et ne pouvaient décider quelle action entreprendre. Mais ils pouvaient au moins constater ce qui se passait. Les Shoshone montèrent dans leurs automobiles, et se rendirent sur place pour voir les bulldozers déraciner, à l'aide de chaînes, des arbres par milliers. On imagine comment des Occidentaux auraient réagi : ils se seraient jetés devant les bulldozers, auraient crié, hurlé, fait circuler des pétitions et établir des injonctions. Il n'y aurait ainsi pas eu de doute pour le gouvernement qu'une fois l'action de protestation commencée, elle se serait poursuivie jusque devant les tribunaux. Mais loin de devenir complètement hystériques, les Indiens ne faisaient rien d'autre que de rester là, à regarder et à poser des questions à un ami blanc venu pour prendre quelques photographies. Des années plus tard, les Indiens décidèrent qu'il était alors temps d'agir; et quand ils intervinrent, le programme entier fut interrompu.

Les Shoshone n'ayant d'abord rien fait d'autre que parler, les Blancs pensaient qu'ils continueraient à ne pas réagir. Pour les Indiens, les Blancs doivent appartenir, semble-t-il, à la catégorie d'individus qui réagissent nerveusement. J'ai observé pendant des années le fonctionnement de modèles de ce type, et je suis maintenant convaincu que le comportement des individus se détermine presque toujours dans les limites assez étroites de leur propre système de rythmes. Si deux systèmes ont des fréquences très différentes, et si aucun effort n'est fait

217

pour les accorder, le résultat peut être désastreux. La frange du processus rythmique constituée par l'accroissement de signes précurseurs est un des facteurs de désaccord et d'incompréhension entre groupes ethniques; mais d'autres aspects du comportement des êtres humains méritent aussi d'être considérés.

Le processus de synchronie interactionnelle ou d'entraînement s'établit entre membres ou groupes de culture différente, non seulement quand les rythmes des individus sont synchrones, mais aussi quand les interlocuteurs accélèrent et ralentissent simultanément au cours du développement de la séquence consonne-voyelle-consonne (C-V-C). Autant qu'on ait pu l'observer, les mouvements du corps ralentissent avec la prononciation d'une consonne et accélèrent avec la prononciation d'une voyelle [12] – ceci semble constituer un phénomène universel. Aux États-Unis, quand des Noirs sont en interaction avec des Blancs, on observe que les Blancs ont tendance à ralentir leurs mouvements avec la prononciation d'une voyelle; les Noirs ne le font pas et donnent ainsi l'impression de réagir ou de s'exprimer avec une intensité étrangère aux Blancs. Cette intensité peut paraître menaçante à quelqu'un qui n'y est pas habitué. Cependant, il serait au moins utile aux Blancs de savoir que de telles distinctions existent. Quant aux Indiens Pueblo, aucune analyse n'a été faite de la manière dont ils rythment la séquence consonne-voyelle-consonne. Mais mon expérience me laisse penser que leur rythme traîne encore davantage que celui des Blancs dans la prononciation des voyelles.

Une raison importante explique les fréquentes dissonances entre les Indiens Pueblo et les membres de la culture occidentale dominante : les conditions particulières qui doivent précéder un événement sont différentes dans chaque culture. En Occident, on suppose par exemple que l'amour est une condition nécessaire pour qu'un mariage ait lieu; alors qu'au Moyen-Orient, où les mariages sont arrangés, d'autres conditions sont prises en considération. Si tout se passe comme il faut, l'amour vient presque automatiquement après le mariage [13].

Dans les cultures occidentales, acheter un terrain et disposer de l'argent nécessaire précède généralement la construction d'une maison. Les Pueblo du Nouveau-Mexique ont d'abord le terrain, et, si l'argent leur manque, des parents leur procurent la somme dont ils ont besoin pour construire une maison. Cependant, pour les Pueblo, une condition, complètement étrangère à la plupart des Occidentaux, doit précéder une telle entreprise, et s'applique à toutes les affaires importantes : avant même qu'une seule pelletée de terre ne soit retournée, toutes les pensées justes doivent être présentes. Les Pueblo croient que les pensées ont une vie propre ; ces pensées vivantes sont partie intégrante de toute construction humaine et en constituent à jamais un élément. Les pensées sont un matériau aussi essentiel que le ciment et les briques. Construire quelque chose sans que les pensées justes en fassent partie est pire que ne rien construire du tout.

Pensons un instant à ceci. Qu'est-ce que cela signifierait dans une culture comme la nôtre? Nous ne pourrions plus programmer quoi que ce soit à l'avance parce que personne ne serait capable de déterminer le temps nécessaire pour avoir ces « idées justes ». Parvenir à les avoir dans sa propre tête en même temps que les autres demande parfois beaucoup de temps – ce qui peut mener au fait que le rythme général de la culture soit beaucoup plus lent que celui d'une culture où tout se produit en fonction d'emplois du temps imposés par d'autres. Les horaires et les programmes, comme nous l'avons noté précédemment, séparent les individus et les isolent les uns des autres. Les idées justes, au contraire, les rassemblent, et peuvent être un facteur de cohésion et de solidarité dans un groupe. Quand un Blanc construit une maison, l'idée qu'il consolide le groupe dont il fait partie est la dernière qui vienne à son esprit de propriétaire. En fait, construire une maison peut même éveiller des sentiments de jalousie chez des collègues, des amis et des voisins.

Le caractère du rythme est aussi différent. Les Blancs commencent tout avec une majuscule ou des équivalents (noces, cérémonies, inaugurations, etc.) : ainsi tout le monde sait quand quelque chose commence – à quel moment exactement. Si on considère des ensembles de rythmes plus vastes comme ceux de la musique, alors notre musique est à peu près aussi douce que le coup de pistolet qu'on tire au début d'une course. En réalité, le puissant effet de l'ouverture de la *Cinquième Symphonie* de Beethoven (Ta Ta Ta Taaa) s'explique en partie par le fait qu'elle est parfaitement en accord avec un des thèmes dominants, profondément ancrés dans la tradition occidentale. Mais, quelle dissonance quand les membres d'une culture Ta Ta Ta Taaa sont en interaction avec des membres d'une culture qui, loin de faire beaucoup de bruit au début d'un événement, s'y « glissent » et ne commencent vraiment que lorsque leurs pensées sont adéquates!

Parfois aussi, une culture développe des rythmes dont une seule génération ne peut percevoir qu'une partie; dans ce cas, personne n'entend jamais la symphonie dans sa totalité. Ceci s'applique à la culture maori de Nouvelle-Zélande – selon un ami, Karaa Pukatapu qui, au moment où j'écrivais ceci, était sous-secrétaire aux Affaires ethniques en Nouvelle-Zélande. Il décrivit en détail le lent processus de développement et d'exploitation des talents propres aux individus d'une culture qui s'étend sur des générations ou des siècles avant de s'accomplir pleinement. Il donna ce commentaire : « Ce que nous savons demander des siècles pour s'accomplir, nous voulons le faire du jour au lendemain! » Les Occidentaux s'efforcent de comprimer des processus rythmiques longs en périodes courtes. Il en résulte pour eux un sentiment d'échec; par exemple, quand leurs enfants ne deviennent pas exactement comme ils l'auraient souhaité. Les Maori pensent, au contraire, qu'il faut parfois des générations pour créer une personnalité vraiment équilibrée.

Ceci ne signifie pas que les Maori naissent psychologiquement différents des Occidentaux, ni ne suggère qu'il existe quelque rythme inné du type de ceux que nous avons considérés. Mais la capacité – en fait, la pulsion – à rester synchrone est innée, et quels que soient les rythmes particuliers développés dans une culture, la plupart de ses membres y adhèrent. On ne devrait jamais oublier, cependant, que chaque culture développe au cours des siècles ses propres rythmes; et dans la mesure où les individus les acquièrent très tôt, ils sont souvent traités inconsciemment comme s'ils étaient innés. Il faut le talent et la perspicacité de Lawrence Willie, professeur de Civilisation française au collège Douglas Dillon à Harvard, pour comprendre et faire comprendre combien le rythme propre à la langue que l'on apprend (en l'occurrence, le français) sert dans l'acquisition de cette langue.

On observe une autre forme d'entraînement dont beaucoup d'individus font l'expérience, et pour laquelle nous n'avons, dans notre culture, aucune explication scientifique valable. Je fais ici référence au concept de « synchronicité » utilisé par Carl Jung et décrit par lui dans un article qui porte ce titre, ainsi que dans ces derniers travaux [14]. Les Occidentaux pensent généralement toute réalité en termes de cause à effet. Ceci s'explique en partie par l'influence qu'exercent notre langage et notre système temporel sur notre mode de pensée, qui ne nous laissent d'autre possibilité que de donner à nos pensées une structure linéaire qui considère un objet après l'autre. « Post hoc, ergo propter hoc » (après le fait, donc à cause du fait) est un cliché ancien, utilisé par la linguistique descriptive universitaire pour rendre compte de l'effet du langage sur la pensée. Il fait partie de notre tradition de pensée, et ce n'est pas le genre de chose que l'on s'attend à entendre d'un vieil Indien Navajo aux cheveux longs. La synchronicité est exactement le contraire : selon ce mode de pensée, les événements sont perçus simultanément par plusieurs individus dans plusieurs endroits différents; on sait ainsi que des individus séparés dans l'espace ont fait l'expérience des mêmes sensations et émotions.

Jung a écrit : « Nous ne pouvons imaginer un autre monde régi par de tout autres lois, parce que nous vivons dans un monde spécifique qui a contribué à former nos esprits et à établir nos structures psychiques fondamentales... Nos concepts de temps et d'espace n'ont qu'une valeur approximative, et il existe de ce fait un vaste champ de possibles déviations mineures et majeures [15]. » Qu'est-ce qui, dans son expérience, a mené Jung à ces conclusions? Sans aucun doute, il fit des expériences extraordinaires, dont nous résumerons maintenant quelques exemples.

Jung retournait chez lui en train, après s'être rendu dans une autre partie de la Suisse. Il ne parvenait pas à se concentrer sur son travail. Il était déprimé et très préoccupé par un patient qu'il avait traité ces dernières années. Ce patient avait été dominé (étouffé même) par une femme qu'il aurait dû quitter, ce qu'il n'avait pas fait. Jung regarda alors sa montre, et il apprit plus tard, qu'à ce moment précis, alors qu'il avait ces pensées et ces émotions, son patient s'était suicidé. Une autre fois, un ami lui envoya un livre qui traitait précisément d'un sujet sur lequel il travaillait alors, et dont il avait terriblement besoin pour résoudre un problème. Cette anecdote est intéressante à cause de l'effet qu'elle eut sur le destin de Jung : elle contribua à dissiper chez lui l'idée qui le harcelait selon laquelle il était seul dans le monde parce qu'il travaillait dans un domaine tout à fait nouveau. Mais Jung avait en quelque sorte raison de se sentir isolé dans la mesure où il avait rompu avec Freud (avec qui il avait été très lié), et avait dû continuer à travailler seul. Dans une culture comme la nôtre, à moins de déchirer le voile qui sépare le subconscient du conscient, un individu de l'envergure de Jung se sent nécessairement seul. De la pensée de Jung on peut retenir que les Européens ont créé un monde conscient dans lequel la plupart des gens vivent toute leur vie, sans se rendre compte qu'il en existe un autre, celui de l'inconscient, beaucoup plus proche des rythmes unificateurs propres à chaque culture. Jung a appelé ce monde l'« inconscient collectif »; et l'évidence qu'il existe un monde où les êtres humains sont « synchrones » semblait lui donner des forces et le rassurer.

J'ai fait aussi de très nombreuses expériences – qui souvent n'étaient pas uniquement dues au hasard – du même type que celles de Jung. Le phénomène de synchronicité dans mon travail et les domaines auxquels je m'intéresse, a été particulièrement frappant, tout au long de ma vie. La veille du jour même où j'écrivais ces lignes, un collègue dont je n'avais plus de nouvelles depuis des années, m'appela de très loin pour me dire des choses qui se révélèrent entrer complètement dans le cadre de mon livre. Il resta une heure au téléphone! Dans d'autres circonstances, j'ai perçu dans mon propre corps des sensations qui étaient aussi présentes dans le corps de quelqu'un d'autre. La seule explication que je puisse donner est qu'il existe une forme de synchronie à un niveau inconscient, qui transcende l'espace et parfois le temps. Nous sommes habitués au fait de parfaitement nous synchroniser en dansant avec les autres – en fait, nous sommes parfois tellement en synchronie avec eux que nous devinons même ce qu'ils vont faire. La synchronicité dont parle Carl Jung n'est qu'un pas de plus sur le même chemin. Je pense, pour ma part, qu'on expliquera tout à fait ces phénomènes en explorant le domaine de l'ensemble des rythmes humains, et en étudiant comment ils sont liés aux champs des énergies terrestres. Et apprendre à utiliser ce niveau de synchronie consistera simplement à se mettre en accord avec soi-même, comme le font les Japonais quand ils pratiquent l'art du zen.

On peut aborder le sujet du rythme de nombreux points de vue; et beaucoup d'aspects en ont été étudiés. Le lecteur trouvera un autre type d'approche dans les travaux de Eliot Chapple [16], un anthropologue qui s'est particulièrement consacré à l'étude des rythmes biologiques et aux autres rythmes qui y sont associés.

11

Dieu est dans les détails

La pièce à grand succès d'Arthur Miller, *Death of a Salesman,* a fait pleurer les hommes. L'idée principale de cette pièce est l'abîme qui sépare le monde des valeurs techniques, des affaires et de l'argent, de celui des valeurs de la culture informelle (fonds de la culture primaire) qui structure la vie des individus. L'avarice, la cupidité, et le fait que les hommes d'affaires ne reconnaissent pas les obligations qu'ils ont à l'égard de leurs employés (au sens où ils ne tiennent pas compte de leur système informel de pensée et de comportement), entretiennent depuis longtemps des sources de tension entre le monde des affaires et le reste de la société. La pièce de Miller ne décrit qu'un exemple. Le conflit qui donne vie à la pièce se situe au cœur de problèmes analogues à ceux dont dépendra finalement le sort de notre petite planète, et la survie ou l'extinction de l'humanité. Autrefois, les êtres humains avaient le luxe de satisfaire l'ego de leurs chefs en les suivant à la guerre. L'humanité a ainsi vécu des milliers de siècles de luttes désastreuses. Des nations et des villes furent détruites, et des millions de gens tués, mais jamais le monde entier ne fut anéanti! L'espèce humaine doit aujourd'hui faire face à un autre problème : celui d'un pouvoir de décision technique centré sur le moi. Or, il s'agit maintenant de savoir si nous pouvons continuer à nous offrir ce luxe. En quoi peut-on assimiler le destin du monde à la pièce d'Arthur Miller et à la tension entre niveaux de culture informelle et technique? On ne peut facilement répondre à cette question; la réponse, en effet, renferme une difficulté due à la manière dont le système nerveux humain est organisé. En tant qu'êtres humains, notre première préoccupation dans la vie n'est pas tant de satisfaire les souhaits et désirs des autres que d'organiser nos propres énergies de manière à nous sentir à l'aise et à éviter l'anxiété. Nous nous étendrons plus tard sur ce sujet.

Se sentir à l'aise relève en grande partie du niveau de culture informelle, et du fait d'être plongé dans un environnement familier ou non. La culture informelle, ou culture fondamentale, constitue le fondement sur lequel reposent les relations interpersonnelles. Toutes les petites choses que les gens considèrent comme allant de soi, et qui font de la vie avec les autres un plaisir ou un fardeau, dépendent du fait de partager des modèles informels. L'informel a quelque chose d'extraordinairement fluide et organique – comme si l'enveloppe propre à chacun, qui normalement sépare les individus, pouvait s'étendre (et elle le peut effectivement); ainsi, quand les choses se passent bien avec les autres, on forme alors avec eux un seul organisme. L'informel est intimement lié à l'étude du temps comme processus culturel. Mais, comme la pièce d'Arthur Miller, il peut aussi être la métaphore de problèmes plus vastes.

Contrairement au technique, qui est concentré, et qui fragmente, définit et nécessite un contrôle, l'informel est omniprésent. Dans des cultures comme les nôtres, la sagesse collective non dite se situe au niveau informel. Et c'est essentiellement à ce niveau que s'enracine la force créative et innovatrice d'une culture. Le niveau informel est le siège de l'inconscient collectif et, par conséquent, la menace ultime pour le démagogue. Il existe une chose que les hommes d'affaires ont appris lentement et que les gouvernements doivent encore apprendre : la puissance, la force et les valeurs de survie d'un peuple s'enracinent dans un système sain et actif de culture informelle.

Un élément distingue l'informel : contrairement à d'autres formes de communication, il n'existe à ce niveau *ni émetteurs, ni récepteurs, ni messages facilement identifiables.* Tout réside dans le processus lui-même, qui déclenche dans les individus les réponses appropriées. Et quand ceci se produit, tout le monde est parfaitement synchrone. Dans les termes de ce que nous avons précédemment considéré, l'informel est un mode de communication très riche en contexte. On comprend donc facilement que, dans des domaines aussi pauvres en contexte que celui des affaires ou du gouvernement, on soit peu disposé à prendre en considération des processus aussi complexes, et qu'on ait autant de difficultés à les comprendre.

Les modèles de culture informelle ne sont jamais imposés : ils se développent naturellement dans des situations de la vie courante, et ils résistent à l'épreuve du temps. Leur origine est dans les individus eux-mêmes. Ils sont partagés et aussi perçus par chaque individu, constituant un impératif dans la structure de l'identité d'un groupe. En fait, ces modèles lient l'individu au groupe – ils sont le ciment qui assure l'unité du groupe. Dans les domaines des affaires et de la politique, cependant, on ne cesse de les négliger comme insignifiants et trop particuliers. C'est peut-être dommage, mais chacun cherche effectivement dans le domaine des affaires des modèles de réussite, et pense pouvoir y apprendre comment réussir; de la même manière, chacun voudrait trouver, dans la vie des célébrités du monde du spectacle, un modèle de vie et des aspirations. Pourtant – en dépit de leur pouvoir et de leur fortune – les célébrités sont loin de fournir le genre de modèle dont les citoyens du monde ont aujourd'hui besoin.

Parce qu'on peut enseigner comment manier des chiffres, les écoles de commerce ont fait de leur mieux pour « rationaliser » la gestion des individus et des ressources; avec succès parfois, mais non toujours. On a parfois aussi été très critique à l'égard de nos écoles de commerce – même des meilleures – parce qu'elles accordent une trop grande part de leur enseignement aux chiffres, à la théorie, et négligent l'apprentissage de la compréhension des individus. Un récent article sur ce sujet affirme : « ...un nombre croissant de directeurs les considèrent [les titulaires d'un MBA *] comme d'arrogants amateurs, qui connaissent les chiffres mais manquent de l'expérience de la fabrication des marchandises, et ne savent pas

* Master in Business Administration.

non plus comment traiter les individus [1] ». Il s'agit là de défauts qui, selon les critiques, se répercutent sur les méthodes de gestion dans leur ensemble. On se plaint aussi de l'étroitesse des perspectives et de la spécialisation à l'extrême. On peut comprendre le point de vue des écoles de commerce parce que la théorie, les chiffres et l'étude des données sociales se prêtent à l'analyse et peuvent être enseignés. La meilleure manière d'acquérir la connaissance des modèles informels c'est de prendre des exemples concrets, sur le tas. Il est important de se rappeler que les écoles de commerce jouent aussi un rôle sur le marché, et que le client, comme le commerçant, veut des procédures que les administrateurs puissent facilement comprendre. Il existe un feedback, opérant avec un retard de plusieurs années, entre les écoles de commerce et le milieu des affaires même. On a récemment affirmé, dans les milieux d'affaires, que les écoles de commerce n'enseignent rien sur la manière de conduire les rapports humains. Néanmoins en tant que consultant, j'ai pu observer le comportement d'hommes d'affaires dans des situations concrètes : ils n'ont qu'une appréciation *minime* du rôle de la culture informelle et de l'état d'esprit des travailleurs dans l'ensemble du processus des affaires. Pour certains, l'état d'esprit compte à peine; il n'y a qu'une réalité : celle des chiffres. Beaucoup de dirigeants « se défilent » de sorte que la part la plus importante des affaires est négligée. *Nous devons non seulement apprendre comment fonctionne la culture d'autres peuples, mais aussi la culture informelle de notre propre peuple!*

La législation américaine ignore particulièrement le fondement informel de notre culture. Quand des gens se consacrent à un problème qui leur tient autant à cœur que celui de l'ancienneté, ils ne parlent pas de quelque chose de secondaire que l'on puisse écarter péremptoirement. Et il existe littéralement des centaines de modèles de ce type qui font partie de notre vie. La plupart des gens ne peuvent décrire les règles informelles, mais ils réagissent quand elles sont violées. Inévitablement, la tension entre les préceptes de la culture informelle et ceux de la culture technique persiste et représente un des plus grands défis à la gestion moderne.

On a beaucoup entendu parler d'une autre tension : il s'agit de la différence entre culture masculine et culture féminine, en partie responsable de la difficulté qu'ont les femmes à intégrer les rangs des dirigeants moyens et supérieurs. Margaret Hennig et Anne Jardim ont exploré ce sujet, et ont fourni une étude exhaustive des cas de vingt-cinq femmes qui, dans toutes les régions des États-Unis, ont réussi à « intégrer » les sphères dirigeantes supérieures. Dans leur livre à succès intitulé *The Managerial Woman,* les auteurs rapportent les entretiens approfondis et perspicaces auxquels elles ont procédé. Leurs résultats confirment un point souvent violemment nié par les plus engagées des féministes : les hommes et les femmes ont des cultures différentes – des cultures informelles différentes. Les attentes des hommes et des femmes, leurs stratégies, leurs attitudes à l'égard du travail et de leurs collègues sont tout à fait distinctes. Voici un résumé des différences informelles subculturelles, qui distinguent les deux sexes, telles qu'elles sont définies par Hennig et Jardim.

Parce que les femmes ont une culture informelle différente de celle des hommes, on suppose qu'elles ont aussi un rapport différent à leur métier pour ce qui concerne le temps. Et c'est effectivement le cas. Contrairement aux femmes, les hommes évaluent les effets à long terme sur leur carrière de tout ce qu'ils font. Les femmes ont beaucoup plus tendance à considérer leur travail comme une activité isolée dans laquelle elles s'investissent pleinement, mais il leur faut plus de temps pour reconnaître l'importance de leur carrière en tant que telle, et considérer leurs activités et leurs relations aux autres selon ce point de vue. Les hommes considèrent les perspectives à long terme et ont tendance à supporter les personnalités difficiles, en particulier celles de leurs directeurs. Les hommes pensent souvent ainsi : « Ce poste n'est que l'un d'une série d'autres postes qui constituent une carrière au cours d'une vie. Alors pourquoi me mettre dans une situation difficile parce que quelqu'un est dur avec moi ? » La différence entre hommes et femmes n'est nulle part aussi marquée que dans la manière dont les deux sexes envisagent le présent dans son rapport au futur. Contrairement aux hommes, les femmes distinguent souvent le poste qu'elles occupent de leur carrière. Les hommes considèrent la profession qu'ils exercent à la fois dans le présent et dans le contexte d'une carrière. Les femmes séparent ces deux éléments et s'attachent essentiellement à exécuter un travail sans envisager leur carrière. Les hommes ne parviennent pas généralement à distinguer leur carrière et le poste qu'ils occupent de leurs objectifs personnels; la carrière fait partie intégrante de la vie d'un homme. Pour les femmes, la carrière est une chose, la vie personnelle en est une autre. Le rôle de la femme, au sens le plus traditionnel, se situe toujours essentiellement dans sa vie non professionnelle, alors que pour un homme, la carrière passe avant la vie personnelle. Pour les hommes, c'est ce qu'ils font qui est essentiel, pour les femmes, ce qu'elles sont. Considérons seulement la signification profonde de cette question : « Que faites-vous ? », ou : « Que fait votre mari (ou votre père) ? » Poser cette question à une femme peut sembler absurde, en particulier si c'est un homme qui la pose. Tout ceci constitue un handicap pour les femmes qui travaillent dans des organisations avec des hommes. On considère comme allant de soi que les hommes consacrent leur vie à leur carrière; alors que les femmes doivent prouver que leur carrière ne sera pas interrompue et qu'elles s'y engagent à long terme. Quand ils se trouvent confrontés à un problème nouveau, les hommes se demandent : « En quoi cela me regarde-t-il ? », ce qui veut dire : quelles sont les implications à long terme, et quelles seront les répercussions sur ma carrière ?

On élève les hommes pour qu'ils deviennent des coéquipiers; les femmes, non. Les implications de cette importante différence sont multiples. Quand ils n'aiment pas certains des membres de l'équipe, les hommes ont l'habitude de dissimuler ces sentiments, parce que l'équipe, comme leur avenir, en pâtirait. Les femmes sont davantage susceptibles de prendre les choses personnellement. Bien qu'elles ne l'explicitent pas, un thème parcourt le livre de Hennig et Jardim : le temps individuel est une chose, le temps de l'équipe en est une autre, complètement différente. L'équipe passe avant tout; c'est pourquoi la famille passe souvent à l'arrière-plan chaque fois que l'entreprise prend la liberté de décider des mutations de personnel sans prendre en considération le bien-être de la famille. Seule l'équipe compte. Les hommes, élevés pour devenir coéquipiers et dirigeants, doivent planifier l'avenir. S'ils ne le font pas, l'équipe peut en pâtir. Ceci ne signifie pas que les femmes ne soient pas capables de planifier, ou que les hommes le fassent mieux – en fait, beaucoup de femmes sont de meilleures planificatrices que les hommes. Il s'agit seulement pour les femmes d'acquérir l'habitude de penser à planifier l'avenir quand elles ont des responsabilités – dans les termes de Hennig et Jardim, elles doivent commencer à se demander : « En quoi cela me concerne-t-il ? »

Cette question renferme un paradoxe. Apparemment, elle semble servir les intérêts de l'individu. Le paradoxe est que la question a son origine dans la culture masculine; ainsi, l'acceptation de la validité de la question de la part de femmes qui occupent des postes de direction représente aussi une acceptation de la réalité de la culture masculine. Un pas vers l'acceptation de soi-même en tant qu'individu est lié à la reconnaissance de la validité de l'identité profonde d'un autre être humain : c'est passer d'une tentative pour amener les autres à se conformer à ses besoins personnels, au fait de leur permettre d'être eux-mêmes, en ayant à faire face à toutes les adaptations que cela peut comporter. La « volonté de puissance », après tout, n'est ni plus ni moins qu'une projection du besoin de contrôler ses propres énergies – un syndrome qui, dans toute son ardeur dévorante, peut masquer la réalité de personnalités environnantes.

Kierkegaard avait raison! Pour se développer, et même pour survivre, les êtres humains ne peuvent finalement éviter de faire le premier pas; par exemple, le pas que doit faire une femme américaine face à sa propre inquiétude – son angoisse –, pour accepter la validité de la question que ses collègues masculins se posent depuis des années : « En quoi cela me concerne-t-il ? »

Outre son intérêt intrinsèque et son opportunité, l'étude de Hennig et Jardim est riche d'implications. Si des différences aussi profondes et significatives existent entre les versions féminine et masculine de notre culture, et si tout ceci est considéré comme allant de soi dans le comportement des individus, alors pensons à l'effet de telles différences dans le contexte international!

Les hommes et les femmes, qui dirigent notre nation, semblent avoir des difficultés particulières pour comprendre que la manière dont la culture modèle le comportement influence, d'une façon significative, ce qui arrive dans le monde. Au sens où nous l'entendons ici, la culture est presque complètement séparée du processus politique. Il existe, parmi les peuples du monde, des différences idéologiquement neutres : il existe des systèmes monochrones ou polychrones, des cultures dont le mode de communication est riche ou pauvre en contexte, des modes d'organisation ouverts ou fermés, des modes de planification à long terme ou à court terme, des pouvoirs de décision centralisés ou décentralisés, des manières de travailler individuellement ou en équipe – et toutes ces différences peuvent être modifiées. Si les habitants de Manus [2] étudiés par Margaret Mead ont pu s'asseoir et refondre délibérément leur culture dans le but de l'adapter au XXᵉ siècle, nous devrions être capables d'en faire autant.

Mais pourquoi se donner la peine d'essayer de comprendre, de faire valoir, d'apprendre la culture de quelqu'un d'autre? Pourquoi se donner la peine d'apprendre un nouvel ensemble de règles et de manières de communication? N'est-ce pas une tâche trop subtile, trop complexe et trop mal définie? Peut-être. Mais la récompense est parfois très grande, et les alternatives inimaginables. D'abord, nous devons être disposés à admettre que les habitants de cette planète ne vivent pas dans un seul monde, mais dans de nombreux mondes différents, dont certains, si on ne les comprend pas adéquatement, peuvent anéantir, et anéantissent effectivement les autres.

Le temps peut être considéré comme une métaphore d'une culture dans son ensemble. Et bien que nous n'ayons pratiquement rien dit du temps physique, un physicien, I. I. Rabi a, lui, une remarque à faire. Traitant du temps, le lauréat du prix Nobel, de l'université de Columbia, déclara : « La véritable réponse fut seulement trouvée dans ce siècle par Einstein qui dit, en effet, que *le temps est simplement ce que lit une horloge*. L'horloge peut être la rotation de la terre, un sablier, le rythme d'un pouls, l'épaisseur de dépôts géologiques, les vibrations mesurées d'un atome de césium [3]. » Les italiques sont de nous. Ces horloges ont toutes une chose en commun : chacune d'elles est un mécanisme physique. Une grande partie de ce dont nous avons discuté dans ce livre s'accorde avec les affirmations d'Einstein et Rabi. Cependant, les horloges d'une culture ajoutent des dimensions au temps physique, dans la mesure où chaque horloge représente un type d'organisation particulier. Comme les astrolabes élaborés de la Renaissance, qui constituaient des modèles mécaniques de notre système solaire, les modèles culturels du temps représentent aussi des modèles de tout ce qui compose une culture. Il vaut la peine d'examiner plus longuement la métaphore de l'astrolabe. C'est comme si chaque culture avait son propre modèle de l'univers, et vivait en fonction de ce modèle. De plus, dans quelques cas au moins, les modèles sont conçus de telle manière qu'ils peuvent littéralement s'anéantir mutuellement s'ils empiètent l'un sur l'autre, ou s'ils sont trop proches l'un de l'autre : c'est le cas pour les modèles monochrone et polychrone.

Carlos Fuentes apporte un soutien inattendu à ces considérations. S'adressant à un public universitaire, l'auteur, mexicain, porte-parole littéraire des pays en voie de développement d'Amérique latine, dit : « La question décisive qui concerne le temps est de savoir si nous vivrons ensemble ou si nous mourrons ensemble... L'Occident a été amoureux de son image du temps linéaire et continu... Il a condamné à mort le passé en tant que tombeau de l'irrationalité, et célébré le futur comme porteur de la perfection [4]. » Selon Fuentes, notre reniement du passé a mené à la dégradation de la moralité et au reniement des enseignements du passé. Les concepts temporels ont aussi eu pour conséquence le reniement des droits comme de la réalité d'autres cultures. Fuentes dit : « *Nous nous connaîtrons les uns les autres, ou nous exterminerons les uns les autres.* » (C'est moi qui souligne.)

Fuentes a clairement identifié notre dilemme; toutefois, dans son argumentation, exemple typique de logique polychrone et fondamentalement situationnelle, manquent quelques liens. Néanmoins, comme n'importe qui sur cette terre, Fuentes connaît les deux mondes dont il parle ; et on ne peut facilement écarter son point de vue. La seule critique que j'adresserai à son argumentation concerne la manière dont il pense que les Américains envisagent le futur. Aux États-Unis, le futur est un rêve. Certains parviennent à réaliser ce rêve, d'autres non. Je pense que le futur n'est pas vraiment réel pour nous. S'il l'était, comment pourrions-nous traiter de façon aussi terrible les autres et notre environnement ? Et comment notre gouvernement et nos hommes d'affaires pourraient-ils agir aussi aveuglément en niant la réalité d'autres cultures, obligeant, par leur stupidité culturelle, le monde à s'aliéner ? Pour les Américains, il n'y a, semble-t-il, de futur qu'immédiat ou à court terme.

A observer mes compatriotes pendant des années, j'ai remarqué deux choses qui ressortent particulièrement : notre conception déformée et inadéquate du passé et du futur, et le fait que nous ne reconnaissons pas la réalité du temps intériorisé – de notre propre temps. Le temps est le seul bien que nous ayons dans cette vie ; et je crois que la vie pourrait être plus riche et avoir davantage de signification si chacun en savait plus sur le temps et sur la manière dont il l'affecte personnellement. Alors, peut-être, le futur commencerait à prendre une certaine réalité, et nous pourrions agir de manière plus réaliste.

J'ai fait de mon mieux, dans ce livre, pour ébaucher les contours de ce qui, un jour, sera un domaine de recherche actif, d'une importance majeure, de grande portée pour tout le monde. J'ai beaucoup de raisons de penser que la science du temps occupera dans le futur une place plus importante : par exemple, parce que les êtres humains, dans le monde entier, sont depuis toujours intimement liés au temps. Si les théories de Marschack sont justes [5], les enregistrements des saisons et des phases de la lune gravés sur des côtes de mammouth par les chasseurs acheuléens de l'ère glaciaire représentent les premiers pas de l'humanité vers le savoir scientifique – les premières projections du cerveau humain.

Beaucoup plus tard, à l'âge du bronze, Stonehenge [6] fut seulement l'un des centaines sinon des milliers d'ensembles primitifs construits pour enregistrer et prévoir les déplacements du soleil, de la lune et des autres planètes. En ces temps-là, tous les individus vivaient dans le temps, et on suppose qu'ils n'étaient pas coupés du temps comme beaucoup le sont aujourd'hui.

L'étude du temps, qui a mené l'espèce humaine à la fois dans l'univers et jusqu'au cœur de l'atome, est aussi la base d'une grande partie de la théorie sur la nature du monde physique. De plus, elle a retenu l'attention de philosophes et de psychologues qui ont essayé de définir la nature du temps et la perception qu'on en a.

Dans la deuxième moitié de ce siècle, les horloges biologiques ont fourni la preuve, pour la première fois, que toute forme de vie est réglée intérieurement et extérieurement par des rythmes synchrones avec la nature. Bien que peu de gens aient reconnu le temps comme culture [7], l'étude du temps comme produit et comme moule de l'esprit humain au sens culturel ne fut pas entreprise avant que la seconde moitié de ce siècle ne soit largement entamée. Alors que l'étude du micro-temps et du temps non conscient, propre au niveau de culture primaire, fut développée plus tard [8], le travail de pionnier sur la synchronie entrepris par William Condon [9] ainsi que mes propres recherches sur le temps comme système non conscient de communication demandent à grands cris à être poursuivis.

Le travail de Condon, en particulier, annonce un stade culturel : celui où il sera possible de réaliser un court métrage ou des séquences télévisées montrant des individus en interaction en public – des échantillons pris au hasard – qui fourniront des informations sur le degré de tension dont chacun fait l'expérience. Le degré de synchronie ou de disynchronie sera aussi instructif que des échantillons de sang. On pourrait aussi utiliser la manière dont les individus se synchronisent pour évaluer précisément le taux d'acculturation. Les études faites par les Collier dans des classes d'Américains indigènes et d'Esquimaux sont aussi prometteuses en ce qu'elles permettent de mesurer la cohérence et la réussite de l'apprentissage de leur environnement par des individus [10].

Il reste beaucoup d'investigations à faire sur le rôle du temps comme cadre organisateur de la vie. Des systèmes fondamentaux comme les modèles monochrone et polychrone sont comme l'huile et l'eau, ils ne se mélangent pas dans des circonstances ordinaires. Dans une culture comme la nôtre, monochrone et dominée par des horaires, des groupes ethniques, qui concentrent leurs énergies sur les groupes primaires et les relations primaires comme la famille et les relations humaines, considèrent comme presque impossible de s'adapter à des horaires rigides et à d'étroits compartiments de temps. Or, ce pays pourrait faire encore bien pire que suivre l'exemple de l'ancien membre du Congrès, Ben Reifel, un Indien Sioux qui enseigna techniquement à son peuple comment être à l'heure à l'école ou pour prendre le bus dans la réserve [11]. Reifel réalisa qu'il ne suffisait pas de dire à des individus polychrones d'être à l'heure ou de planifier l'avenir. Car, le temps, en ce sens, est comme un langage : en effet, avant qu'un individu n'ait maîtrisé le nouveau vocabulaire et la nouvelle grammaire, et ne puisse se rendre compte qu'il existe vraiment deux systèmes différents, aucun effort de persuasion, quel qu'il soit, ne peut changer son comportement. L'écrivain Richard Rodriguez [12] a, certes, beaucoup à dire sur l'importance de l'enseignement du langage et de la culture dans les écoles. Mais jusqu'à présent, les écoles ont même manqué d'une structure théorique qui permette de décrire des systèmes culturels primaires.

Les êtres humains sont une espèce si extraordinairement riche et douée, avec des potentialités qui dépassent tout ce que l'on peut imaginer que, de mon point de vue, il semblerait que notre tâche stratégique essentielle soit d'apprendre le plus possible à nous connaître nous-mêmes. Aujourd'hui, la plupart des capitales du monde semblent régies par des mentalités de l'âge de pierre et des façons de penser datant de la même époque pour tout ce qui touche l'humain. Si les découvertes acquises par l'étude des individus et de leurs efforts pour faire face à la vie ont quelque signification, c'est celle-ci : il existe un rapport direct entre l'image inexprimée qu'ont les gens d'eux-mêmes et leur conception de la nature humaine.

Je pense que, plus les hommes connaissent leur extraordinaire sensibilité, leurs talents illimités et leur grande diversité, plus ils sont capables d'estimer leur propre valeur comme celle des autres. Ce fait, on peut le supposer, aura finalement pour conséquence d'atténuer notre tendance à soumettre ou détruire toute différence; car l'espèce humaine est loin d'avoir suffisamment de respect pour ses propres capacités. En ce qui me concerne, la vision du futur n'est pas tant celle du développement de nouvelles technologies que celle du développement de connaissances sur la nature humaine.

Je n'ai envisagé, dans ce livre, qu'un petit coin de la nature humaine, et de plus je l'ai étudié au microscope. J'y ai observé toute une nouvelle dimension ou un ensemble de dimensions à explorer. Car Dieu est vraiment dans les détails! Et je ne pense pas un instant, quant à moi, qu'il ait projeté que nous nous éliminions les uns les autres de la surface de la terre.

Appendice 1

Carte du temps

Le mandala du temps met plusieurs choses en évidence. On remarque, premièrement, quatre paires dont les catégories sont liées l'une à l'autre par une relation fonctionnelle : 1° sacré et profane; 2° physique et suprasensible; 3° biologique et personnel; 4° synchronie et micro-temps. Deuxièmement, les positions de temps opposées sur le mandala ont aussi un type de relation particulier les unes aux autres. Le temps sacré et le temps personnel sont individuels, et le peu que l'on sache du suprasensible laisse penser qu'il partage un même rythme avec la synchronie (voir chapitre 10). Ces éléments communs, tels que le rythme, constituent des liens entre les différents types de temps. Troisièmement, les deux axes qui vont du bas à gauche vers le haut à droite, et du haut à gauche vers le bas à droite, font intervenir d'autres dimensions : collectif, individuel, culturel et physique. Quatrièmement, la partie gauche est explicite et technique (pauvre en contexte), alors que la droite implique la considération d'une situation (riche en contexte). On déduit de tout ceci que des ensembles de relations ordonnées lient les différents types de temps les uns aux autres.

Le mandala permet aussi de classer par catégories les périodes historiques et les cultures. Les Hopi, par exemple, vivaient traditionnellement dans un enrivonnement presque entièrement dominé par le temps sacré. Les quatre catégories situées dans la partie régie par le concept de « groupe » sont contenues dans une seule cellule et traitées comme telle. La conscience du temps synchronique est davantage développée en Afrique noire que dans les cultures occidentales. Aux

237

Indes, le temps suprasensible et le temps sacré semblent ne faire qu'un. Aux États-Unis, on fait peu de distinctions entre temps profane et micro-temps. On remarque aussi que, quand une culture accentue un ensemble différent de celui qui prédomine dans une autre culture, les résultats sont parfois extraordinairement significatifs.

Carte du temps

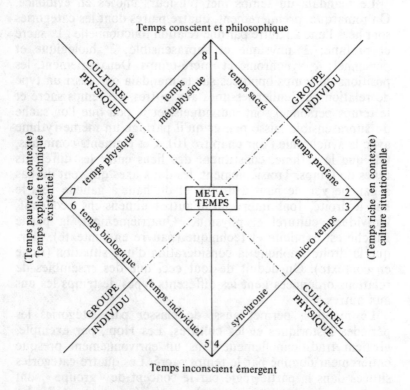

Temps conscient et philosophique

CULTUREL PHYSIQUE

GROUPE INDIVIDU

temps métaphysique

temps sacré

(Temps pauvre en contexte) Temps explicite technique existentiel

temps physique

temps profane

(Temps riche en contexte) culture situationnelle

META-TEMPS

temps biologique

micro temps

GROUPE INDIVIDU

CULTUREL PHYSIQUE

temps individuel

synchronie

Temps inconscient émergent

Note : Pour considérer des systèmes complémentaires, il est nécessaire de mentionner le méta-temps, niveau auquel se situent les concepts intégrant toutes ces dimensions de temps.

Appendice 2

Considérations sur les contrastes des cultures japonaise et américaine, et sur le concept de *MA* en particulier.

C'est par le concept de *MA* que l'on approche le plus près de la compréhension du temps japonais. *MA* est à la fois temps et espace. On ne peut donc considérer les deux séparément. Comme n'importe quoi, et en particulier le zen, *MA* ne se prête pas à une description technique. Apparemment, *MA* est à la base de presque tout, et constitue une composante importante de la communication. Il y a des années, j'ai observé que les Occidentaux prêtent une attention particulière à la disposition des objets, alors que les Japonais prêtent cette attention aux espaces – les intervalles, *MA* – qui sont occupés. Pour ce qui concerne la parole, cela signifie que les silences entre les mots ont aussi un sens et sont aussi significatifs. Au Japon, les Américains sont connus pour ne pas tenir compte du *MA* dans la structuration de leurs exposés, quand ils sont en entretien, donnent une conférence, ou participent à une réunion. Par conséquent, un orateur américain qui s'adresse à un auditoire japonais donne l'impression de le talonner en ne lui laissant jamais une occasion de reprendre sa respiration ni de penser à ce qui se dit. Souvenons-nous que les modèles de communication riche en contexte l'exigent. Est-ce donc surprenant que les Japonais et les Américains perçoivent différemment le même exposé?

MA représente beaucoup plus qu'un silence entre des événements (notre interprétation), ou que des événements ponctués par des silences. Les Japonais ont des difficultés à expliquer ce qu'est *MA* parce que *MA* fait partie de la culture de base japonaise (la culture informelle, non consciente, primaire). J'en ai cependant entendu ou lu une explication qui pourrait satisfaire le besoin de détails des Occidentaux, caractéristique du mode de communication pauvre en contexte. Il se pourrait très bien que, comme dans le zen et le tir à l'arc ou le zen et l'art de l'épée, il faille en faire l'expérience pour commencer à le comprendre. Mais je pense que nos stéréotypes continuent à fonctionner. Chaque peuple voit le monde à sa manière : le monde qu'il voit est celui qu'il a créé – c'est pourquoi il lui semble si familier. Très rares sont les individus qui comprennent la complexité et perçoivent la beauté du processus interculturel. Le contexte de la culture japonaise a des aspects tellement multiples qu'il est pratiquement impossible de la décrire aux Occidentaux. La description qui suit est pour une large part extraite du catalogue de l'exposition « *MA* » de Arata Isozaki présentée au Cooper-Hewitt Museum de New York [1]. Il s'agit là d'un des bons exemples qu'on peut trouver pour rendre compte d'une manière quelque peu explicite du rôle du contexte dans la culture japonaise. Peu importe que le lecteur ait le sentiment d'avoir tout à fait compris ou non la « signification » des divers aspects de *MA;* je doute, en effet, que cela soit possible. Il devrait plutôt s'attacher à considérer la manière dont les concepts sont affirmés, quels rapports ils ont entre eux, et comment on devrait être capable de penser pour produire un tel système.

On distingue dans *MA* neuf types d'expérience différents : *Himorogi, Hashi, Yami, Suki, Utsuroi, Utsushimi, Sabi, Susabi,* et *Michiyuki.* On peut comparer les neuf types de *MA* à neuf chapitres d'un livre ou neuf scénarios écrits par différents auteurs. Les thèmes de base restent fixes mais le traitement est différent chaque fois qu'on l'entend. Toute l'histoire est fondamentalement japonaise. Et si peu d'éléments sont familiers à l'esprit occidental qu'il nous reste une conclusion : il existe un système de pensée dont les origines remontent à des milliers d'années, et qui n'a subi que peu ou aucune influence de l'Occident.

Himorogi représente deux choses : le lieu sacré dont descendent les Kami (les premiers dieux prébouddhistes et préshintoïstes) et le moment précis où cela se produisit. *Himorogi* rappelle la théorie du « big bang » sur la création de l'univers.

Au Japon, le moment où quelque chose se produit est très important. Les Japonais y voient un peu la concentration de l'essence d'un événement dans un éclair momentané; c'est exactement le contraire de la notion hopi selon laquelle un grand nombre d'éléments exigent la répétition de petites cérémonies étalées dans le temps. Selon notre propre mythe de la création, tel qu'on le trouve dans la Bible, il fallut à Dieu six jours pour créer le monde et un septième pour qu'il se repose; au commencement, une distinction fut ainsi établie entre le temps du travail, profane, et le temps de Dieu, sacré. On trouve des représentations symboliques de *Himorogi* dans les centaines de temples, lieux saints et jardins qui abondent dans les paysages urbains et ruraux japonais. Ils sont généralement constitués de quatre piliers qui marquent les limites d'un carré, et d'un cinquième au milieu. Les quatre piliers sont entourés d'un cordage. On trouve aussi une autre version : il s'agit d'une plate-forme surélevée avec un arbre ou un arbuste au milieu; deux bottes de paille sont suspendues du milieu du tronc de l'arbre.

Autant d'éléments qui rappellent chaque jour aux Japonais les multiples liens au passé et l'importance du moment précis. Au Japon, temps et création font partie d'un même processus. La présence de lieux sacrés dans chaque quartier constitue un constant rappel visuel du fait que le passé profond est toujours présent. Même dans les quartiers les plus actifs et modernes de Tokyo, il existe un square de cent mètres carrés, dédié à l'esprit de Masakado Taira, un seigneur de la guerre tué dans une bataille au Xe siècle... Il serait très téméraire de suggérer le déplacement du monument, bien que l'espace sur lequel il est édifié soit estimé à dix millions de dollars.

Hashi signifie « relier ». Il souligne les fonctions de relais à la fois dans le temps et dans l'espace, et donne aux constructions une signification particulière, presque sacrée. *Hashi* signifie aussi l'espace entre deux choses, le temps entre deux événements, et implique une division du monde. *Hashi* représente aussi les bords, les intervalles, et le fait de relier des éléments. Ce livre est un exercice de *Hashi*.

Yami est le monde des ténèbres dont les Kami proviennent

et auquel ils retournent. Traditionnellement, les Japonais croient que les Kami se répandirent dans le cosmos et qu'ils étaient conscients du soleil, dont les mouvements divisèrent l'espace et le temps. Le soleil créa le jour, la nuit et la vie sur terre. *MA* est maintenu dans une absolue obscurité et le mot *Yami* combine la signification obscurité *(yo)* avec la transition de l'obscurité à la lumière *(yamu)*. Pour cela, *Yami* rappelle l'image de l'univers entier. On trouve aussi cette métaphore dans la disposition de la scène nô qui est constituée au premier plan d'un espace réduit pour « ce » monde-ci, et derrière d'un espace plus vaste pour « l'autre » monde – celui des esprits – et de *Hashi* qui relie les deux mondes. Au Japon, le monde du présent et le monde des morts sont beaucoup plus proches qu'ils ne le sont en Occident.

Suki MA signifie ouverture; mais à cause de son étymologie, ce mot renferme une connotation de « goût » et du concept français de « chic » *(furyu)*. On peut difficilement rapprocher *Suki* des concepts occidentaux; mais, bien que je n'en sois pas certain, il est possible que notre métaphore « une ouverture de temps », « une ouverture d'opportunité », ou l'« ouverture de vulnérabilité [2] » de Alexander Haig ait un certain rapport avec *Suki.* A propos de *Suki,* les auteurs du catalogue de l'exposition *MA* développent assez longuement l'origine et l'évolution de la maison de thé pour la cérémonie du thé. Conçue à l'origine sur le modèle d'une simple hutte d'ouvrier, la maison de thé symbolise une réaction contre le style architectural prétentieux du XVIᵉ siècle. Pendant la cérémonie du thé, le maître veille à la disposition des ustensiles qui sont utilisés dans la cérémonie du *tana* (tablette) : c'est une autre manière de rappeler non seulement le passé et la tradition, mais aussi l'art d'établir des relations et de communiquer avec les autres de manière subtile et symbolique. Certains maîtres de cérémonie du thé jouissaient d'une grande considération parce qu'ils disposaient les objets selon la personnalité et les préférences de l'invité.

Le *tana* se trouvait dans le *yoko* (alcôve), dont l'idée de *tokonama* tire son origine. Le *tokonama* est l'endroit le plus important de la maison; on l'utilise pour y exposer de très beaux parchemins, des objets d'art, et des objets choisis parce qu'ils sont appropriés à la saison ou à une occasion particulière. L'invité s'assied dos au *tokonama*. Par sa simplicité, le *tokonama* peut symboliser le renoncement à d'autres choses, telles les manières prétentieuses; il peut aussi symboliser la subtilité, l'art, les honneurs faits aux invités, et les rappels saisonniers du passage du temps. Ici encore, le passé et le présent sont unis dans un unique symbole.

Utsuroi englobe le processus de changement dans sa totalité. Typiquement, il commence par le commencement : *Utsu* (vide) et *hi* (activité de l'âme) constituent *Utsuroi* (changement). Deux thèmes importants sont présents dans *Utsuroi* qui est lié conceptuellement à *Himorogi* – qui désigne à la fois l'époque à laquelle les Kami habitaient le vide et les changements de la nature au cours du temps. Au Japon, le temps et la nature sont intimement liés. Comme on peut le supposer, les métaphores visuelles japonaises diffèrent de multiples manières dans le contexte de *Utsuroi*. L'esprit, les arbres et l'herbe sont des symboles de la croissance et du changement. Le flétrissement des feuilles et des fleurs est aussi très significatif. En Occident, les saisons jouent un rôle essentiel dans la manière dont nous nous représentons le temps. Au Japon, ce qui se passe pendant les saisons symbolise le temps. Là encore, il existe un déplacement de l'image plus vaste vers les représentations spécifiques qui renforcent les modèles mentionnés précédemment. On ne parvient pas à exagérer l'influence des liens à la nature. Tout dans la nature rappelle aux individus l'existence du temps. Les vagues et les courants dans l'océan, et leur mouvement perpétuel, symbolisent l'éternité.

Utsushimi représente le physique projeté dans la réalité, et *Utsushimi MA* est le lieu où la vie est vécue – la maison ou le foyer. Le foyer est un modèle réduit de l'univers et contient des autels et des lieux consacrés à Bouddha et aux autres dieux. *Utsushimi* est lié à *Utsuroi* et *Suki,* et marque ainsi l'absence de catégories bien définies du type de celles que nous avons en Occident.

Sabi – comme *Utsuroi* et *Himorogi* – évoque des images

du « moment précis », mais il comprend quelque chose d'autre, une autre force inéluctable dans la vie : le processus de la mort, de la désintégration, et le cycle de la vie. *Sabi* c'est la pensée que tout traverse des étapes, de la naissance à la désintégration. *Sabi* évoque des sentiments de dissolution et de disparition proche. Il s'agit ici de rappeler aux individus que le temps est lié aux processus de la nature, et que la phase dont on parle est la phase finale d'un long processus.

Susabi MA est originellement rattaché aux jeux pratiqués par les Kami. Il y a quelque chose d'étrange dans *Susabi*, quelque chose de plus que paradoxal. On a l'impression d'un déploiement de folie – violations des règles esthétiques –, grandes constructions sur des espaces trop restreints; kitsch; calligraphie plaquée sur n'importe quoi; et un manque général d'harmonie. *Susabi* est peut-être le symbole des temps modernes. Si tel est le cas, nous pourrions utiliser une métaphore similaire en Occident.

Michiyuki a trait aux pauses – pauses et arrêts au cours de voyages. Par exemple, sur la route de Kyoto à Tokyo se succèdent cinquante-trois gares. Chacune d'elles fut choisie parce qu'elle offrait une vue exceptionnellement belle, ou une particularité du paysage. De la même manière, on rencontre souvent dans les jardins traditionnels japonais des pierres de gué disposées de telle façon que l'on doit s'arrêter, regarder vers le bas puis de nouveau vers le haut, et, ce faisant, voir chaque marche selon une perspective différente. *Michiyuki* a quelque chose d'un programme, mais les intervalles ne sont jamais les mêmes. Ils sont cependant programmés à l'avance.

La lecture de ce qui précède me rappelle qu'il n'existe aucune manière de traduire adéquatement, d'une vision du monde à l'autre, sans une connaissance plus approfondie de la nature humaine. Je crois sincèrement qu'il existe des relais *(hashi),* mais que les fondations de ces relais sont profondément ancrées en nous, à un niveau que l'individu moyen doit encore explorer. Cette généralisation s'applique aussi bien à l'Orient qu'à l'Occident; bien que les Orientaux soient davantage habitués à penser à ce type de problème.

Si un Occidental pouvait comprendre *MA,* cela lui donnerait une certaine sensibilité pour la perception intérieure du temps au Japon. On devrait garder à l'esprit plusieurs réserves. Les Japonais vivent dans deux mondes, et dans la mesure où ces mondes se côtoient, les Japonais passent de l'un à l'autre, d'un moment à l'autre, comme les électrons autour du noyau de l'atome changent d'orbite. Les deux mondes sont, bien sûr, le traditionnel et le moderne. Le moderne est dans une large mesure ce qui se diffuse depuis l'Occident, mais ceci est parfois trompeur parce qu'on ne peut jamais savoir exactement où on se trouve.

Le fait de passer d'un monde à un autre a un équivalent dans les relations quotidiennes des individus : il s'agit du passage du monde du moi public et formel *(tatemae)* au moi privé *(honne)*. Le premier est cérémonieux et ritualiste, attaché à la considération du statut; le second est informel, chaleureux, intime, amical et égalitariste. Savoir comment progresse une relation, c'est savoir comment se fait la transition entre la définition privée et la définition publique des situations. Une étude des règles informelles d'estimation du temps qu'il faut pour que ces transformations s'opèrent devrait s'avérer très révélatrice. Il existe sans doute un horaire, ou plutôt plusieurs horaires, chacun ayant sa signification propre.

Il devrait être maintenant assez clair que la culture japonaise consiste en de multiples transformations. Apprendre à vivre avec les choses est une qualité estimable et importante des Japonais. En Occident, des aspects significatifs de la vie ont été jusqu'à présent très résistants au changement. La nature des relations sexuelles, du mariage, les manières de vivre ensemble des deux sexes ont énormément changé ces dernières années : par contre, d'autres aspects de notre culture ne semblent pas changer : par exemple, nos pouvoirs de décision très centralisés, notre manière d'utiliser la négociation comme moyen d'accomplir des relations déjà modifiées, et la structure fondamentale de notre système temporel. L'extrême importance que l'on accorde à la mode dans notre société est une récente caractéristique des domaines commerciaux, sociaux et universitaires qui ne présage pas beaucoup de stabilité pour notre culture. Que quelque chose soit nouveau a pour nous beaucoup plus d'importance que toute autre considération. Excepté les antiquités qui appartiennent à une catégorie particulière, quelque chose ou quelqu'un de vieux évoque pour nous des images de rebut, quelle que soit leur valeur propre. Tout ceci s'accorde avec les programmes très serrés qui règlent nos vies aujourd'hui, dans le domaine des affaires, comme dans l'établissement de plans. Les Japonais sont aussi atteints par ce microbe. « Nous devons être à la page et avoir ce qu'il y a de plus récent. »

Il existe une seule différence importante et profonde entre les manières dont les Japonais et les Occidentaux traitent le temps : le temps est imposé de l'extérieur par les Occidentaux. Et même si les horaires et les valeurs comme la promptitude sont intériorisés, notre système fondamental a ses origines à l'extérieur de l'individu. Au Japon, le contraire est vrai : les origines du temps sont à l'intérieur de l'individu. Les hommes d'affaires étrangers en visite pour la première fois au Japon ont probablement l'impression que tout se déroule selon une programmation serrée; mais je n'ai pu m'empêcher de percevoir ce que je voyais dans ce pays comme un artefact de notre propre civilisation – une caricature technique empruntée pour recevoir les Européens et les Américains. Au Japon, tout change en fonction de chaque nouvelle situation; ainsi, l'accent mis sur la situation, très développé dans la culture japonaise, présente de nombreuses énigmes pour un étranger. Chaque chose change dans une situation nouvelle. Je donnerai un conseil aux Européens qui visitent le Japon : il faut maîtriser quelques situations essentielles et s'y tenir, et quand une nouvelle situation se présente, demander l'aide d'un intermédiaire habile. Ceci est difficile pour les Américains et les Européens du Nord, parce qu'aucun de nous ne semble accepter le fait que nous ayons besoin de recevoir des leçons.

NOTES
GLOSSAIRE
BIBLIOGRAPHIE

Notes

Introduction

1. L. Doob, « Time : Cultural and Social Aspects », 1978.
2. E. R. Leach, *Critique de l'anthropologie*, 1968.
3. N. E. Howard, *Territory and Bird Life*, 1920.
4. R. Ornstein, *The Psychology of Consciousness*, 1975.
5. T. Tsunoda, *Nihon-jin No No – The Japanese Brain*, 1978.

Chapitre 1

1. E. E. Evans-Pritchard, *Les Nuer*, Paris, Gallimard, 1978.
2. F. A. Brown, « Living Clocks », 1959; W. S. Condon, « Neonatal Entrainment and Enculturation », 1979. A. Einstein, *La Relativité : la théorie de la relativité restreinte et générale, la relativité et le problème de l'espace*, 1972.
3. R. Benedict, *Zuñi Mythology*, 1969.
4. J. B. Priestley, *Man and Time*, 1964. L. W. Simmons, *Soleil hopi : l'autobiographie d'un Indien hopi*, 1968. D. R. Sol, « Timers in Developping Systems », 1979.
5. M. Éliade, *Le Sacré et le Profane*, 1969. J. Fraser, *The Voices of Time*, 1965; E. Hall, *Au-delà de la culture*, 1979; P. T. Libassi, « Biorhythms : The Big Beat », 1974.

Chapitre 2

1. Shoseki est un des premiers maîtres du zen connus des spécialistes du zen. Son nom est mentionné dans l'ouvrage de Karlfried Graf von Dürckheim intitulé : *Hara : The Vital Center of Man*, 1962.
2. Dans les années 30, les droits des femmes n'étaient pas encore un sujet dont on parlait, aux États-Unis en général, ni chez les Navajo. On employait seulement les « chefs de famille », comme les définissait le gouvernement fédéral.

3. B. Whorf, *Language, Thought, and Reality,* 1956.
4. H. S. Colton, *Hopi Kachina Dolls,* 1949. Kennard, *Hopi Kachinas,* 1938. Les poupées kachinas hopi sont davantage connues des Blancs que les danseurs qui servent de modèles pour leur fabrication. Les poupées sont des petites répliques des danseurs.
5. E. H. Kennard, *Hopi Kachinas,* 1938.
6. L. W. Simmons, ed., *Sun Chief,* 1942.
7. F. Kabotie, *Fred Kabotie, Hopi Indian Artist,* 1977.

Chapitre 3

1. Hall, *Au-delà de la culture,* 1979. Ces deux systèmes temporels sont aussi considérés dans cet ouvrage.
2. Les exceptions sont les grandes et importantes minorités qui ont leurs origines en Espagne (Hispano-Américains, Cubains, Portoricains, Espagnols du Mexique et d'autres pays d'Amérique latine). Le modèle polychrone tend à être associé à des liens familiaux étroits, et à des communautés familiales très étendues. On se demande si ce n'est pas un artefact de la culture informelle dans une situation comme celle d'une centaine de parents qui arrivent sans prévenir, ou en prévenant peu de temps avant, et qui formulent des exigences. Les Juifs, les Arabes et les Espagnols ont la caractéristique culturelle commune d'avoir des liens familiaux étroits, et des cercles d'amis très vastes; et bien qu'il y ait des exceptions, ils tendent tous à être polychrones.
3. Le chapitre 4 est consacré à cette notion de contexte.
4. Hall, *Au-delà de la culture,* 1979. Le chapitre 15 de cet ouvrage est consacré à l'importante question de l'identification.
5. Pour compliquer cette conversation, les Japonais n'aiment pas dire non; de ce fait, ils développent d'innombrables formes d'excuses qui ont, en fait, le même résultat. Je savais que je donnais l'impression de dire non d'une manière détournée, simplement pour lui sauver la face; ce n'était cependant pas le cas. Je n'ai vraiment aucun contrôle sur la publication de mes livres à l'étranger.

Chapitre 4

1. Hall, *Au-delà de la culture,* 1979.
2. Une partie de ce qui suit a fait l'objet d'une communication de l'auteur au cours d'un entretien au BDW Deutscher Kommunikationsverband à Bonn au printemps 1980.
3. Voir Paul D. Mac Lean, 1965, pour une étude du cerveau passionnante, prometteuse, et qui explique beaucoup d'aspects du comportement humain.
4. Le continuum de messages lents et rapides décrit ici est une version

quelque peu révisée de celle qui est rapportée dans *Le Langage silencieux,* Edward T. Hall, 1984.

5. M. Korda, *Power,* 1975; et *Success,* 1977.

6. Chaîne de télévision PBS, remarques préliminaires de Leonard Bernstein à la *Sixième Symphonie* de Beethoven, Vienne, Autriche, le 28 février 1982.

7. Rapporté dans le *Washington Post* du 10 juin 1981, article de Judy Mann.

8. Voir E. T. Hall, *La Dimension cachée,* 1971, pour davantage d'informations sur les effets subtils de l'espace sur le comportement humain.

9. Aux États-Unis, la construction de tours d'habitation a eu des conséquences désastreuses. Le projet de construction de logements Cabrini-Green à Chicago, et le projet Oliver Wendell Pruitt Igoe à Saint-Louis (Missouri) furent de tels désastres que plus aucune importante tour d'habitation à loyer modéré n'a été construite aux États-Unis depuis plus de vingt ans. Néanmoins, à Hong Kong, les Chinois qui forment une population homogène et disciplinée ont utilisé les tours d'habitation avec beaucoup de succès. A Londres, l'histoire des tours est mitigée. Mon ami et collègue Ernö Goldfinger, architecte et dessinateur, dit que, quand les populations homogènes et stables des quartiers populaires de Londres sont logées dans une même tour, les choses se passent très bien. Mais quand ces populations londoniennes sont mélangées à de nouveaux arrivants dans les Iles britanniques et logées sous le même toit, alors des troubles importants peuvent se préparer. Les éducateurs ont même déterminé un pourcentage au-dessus duquel le caractère d'une classe change complètement. La proportion est de 1 pour 3. Quand le tiers d'un groupe quelconque ou plus est mêlé à un groupe homogène, la situation de ce dernier devient instable. La question de l'homogénéité et de l'hétérogénéité est complexe, difficile à saisir; elle sera plus amplement considérée dans le dernier chapitre de ce livre. Ni l'une ni l'autre ne sont mauvaises, à condition de disposer à l'avance d'informations suffisantes pour tirer profit des aspects positifs et éviter les aspects négatifs.

10. Dans le contexte des sociétés occidentales, les familles marginales (indépendamment de leur appartenance ethnique) semblent avoir en commun un manque total de programmation. La programmation de type monochrone est généralement pour eux inexistante ou ne se pratique qu'à très court terme. La plupart sont à l'extrême limite de la survie dans des situations que l'on ne peut qualifier que de précaires. Ceci ne représente pas seulement une mauvaise utilisation, mais signifie que le modèle temporel et les modes d'intégration à l'ensemble de la société ne sont pas utilisés. Ne pas prendre en compte ce modèle temporel dans des programmes d'aide sociale est inhumain, coûteux, et condamne les bénéficiaires à la pauvreté éternelle et à la marginalité.

11. Cette école était gérée d'après le principe selon lequel il faut

traiter la famille entière pour vraiment aider l'enfant. Cette règle s'applique à pratiquement toute famille polychrone.
12. L'auteur est redevable au Dr. Gabrielle Palmer pour son compte rendu sur le temps des Équatoriens, résumé ici.
13. Quand on peut compter sur quelqu'un pour ne pas voler et qu'on ne ferme pas tout à clé, c'est que cet individu a intériorisé les contrôles sociaux ; si, au contraire, on doit tout fermer à clé pour qu'il reste « honnête », alors les contrôles sont extérieurs.
14. Hispano-Indiens. L'Amérique centrale et l'Amérique du Sud furent colonisées par les Espagnols et les Portugais. La combinaison – des colons de la péninsule ibérique du XVIᵉ siècle et des Indiens indigènes – a produit un ensemble de cultures nationales qui, bien que très différentes les unes des autres, partagent des systèmes de communication fondamentaux : les langues espagnole et portugaise, ainsi que les systèmes spatiaux et temporels propres au niveau de culture primaire.

Chapitre 5

1. E. E. Evans-Pritchard, *Les Nuer,* 1978.
2. P. Bohannan, « Concepts of Time Among the Tiv of Nigeria », 1953.
3. Il y a bien sûr, dans les cultures occidentales, des catégories d'activité qui peuvent être interrompues plus facilement et avec moins de préjudice que d'autres. Aucune logique apparente n'est attachée à ces catégories. Si quelqu'un est assis ou écrit des lettres, si on le sert dans un magasin ou même s'il parle à quelqu'un d'autre, on peut l'interrompre. Pour prévenir toute interruption, il faut que soit manifestée l'importance de l'activité ou du statut de la personne qui s'y livre ; il faut que cette importance soit inhabituelle.
4. Dans ce chapitre, les considérations sur les Quiché sont presque entièrement basées sur le travail du Dr. Tedlock. Le Dr. Tedlock consacra trois périodes de recherches sur le terrain de 1975 à 1979 au Guatemala, dans le village de Momostenago, sur les hauts plateaux. Les interprétations des contrastes entre les cultures quiché et américaine sont les miennes, bien que je les aie discutées avec le Dr. Tedlock. Le lecteur qui veut en savoir davantage peut se référer à son livre intitulé *Time and the Highland Maya,* 1981. C'est, à ma connaissance, le seul travail de parfait savant qui décrive ce que les gens font vraiment, comparé à ce qu'ils disent à d'autres qui restent simplement assis et regardent ou bien ne prennent que des notes. Ayant appris et pratiqué la divination quiché, elle s'est mise dans la position de quelqu'un qui, se trouvant à l'intérieur, regarde vers l'extérieur, contrairement à la position plus conventionnelle de celui qui est à l'extérieur et regarde à l'intérieur.
5. Les Américains, même s'ils gardent une grande quantité de docu-

ments, sont rarement en accord avec leur passé. A titre personnel, ils essaient : 1° ou de s'en débarrasser, cf. le syndrome de recommencement ; 2° ou d'adopter une attitude infantile à son égard et de s'y complaire, blâmant leurs parents pour toutes les mauvaises choses qu'ils ont faites dans leur vie sans faire eux-mêmes quoi que ce soit ; 3° ou de le renier ; 4° ou d'y renoncer et de le réifier, comme on le fait dans le Sud.

Chapitre 6

1. En un sens, une grande partie du travail que j'ai accompli au cours des années est plus proche du mode de pensée zen que du modèle newtonien qui sous-tend aujourd'hui une grande partie des sciences humaines. Néanmoins, dans la mesure où j'ai reçu une éducation occidentale, mon approche est inévitablement occidentale, sur presque tout.

2. R. Benedict, *The Chrysanthemum and the Sword*, 1946 ; Von-Dürckheim, *Hara : The Vital Center of Man*, 1962 ; E. F. Fromm, D. T. Suzuki, et *al.*, *Zen Buddhism and Psychoanalysis*, 1960 ; F. Gibney, *Japan, the Fragile Superpower*, 1979 ; E. Herrigel, *Le Zen dans l'art chevaleresque du tir à l'arc*, 1972 ; H. Kato, « Mutual Images : Japon and the United States Look at Each Other », 1974 ; F. Maraini, *Japan : Patterns of Continuity*, 1979 ; M. Matsumoto, « Haragei », 1981 ; D. T. Suzuki, *Zen and Japanese Culture*, 1959 ; E. F. Vogel, *Japan as Number I*, 1979.

3. D. T. Suzuki, *Essais sur le bouddhisme zen*, 1972 ; E. Herrigel, *Le Zen dans l'art chevaleresque du tir à l'arc*, 1972 ; et d'autres ouvrages trop nombreux pour les mentionner tous.

4. E. Herrigel, *op. cit.* E. T. Hall, *Le Langage silencieux*, 1984.

5. E. Herrigel, *op. cit.*

6. R. Ornstein, *The Psychology of Consciousness*, 1975.

7. Dans les messages pauvres en contexte, le texte est détaillé et ne laisse que peu de place à l'imagination ; voir chapitre 4.

8. L. W. Simmons, *op. cit.*

9. La plupart des art martiaux ne sont rien d'autre que.. des arts. L'épéiste et l'archer sont au même niveau, en tant que praticiens du zen, que le philosophe et le prêtre. Dans toutes les catégories, il existe des maîtres.

10. Matsumoto, *op. cit.*

11. E. T. Hall, *La Dimension cachée*, 1971.

12. Le Japon est une société d'obligations ; « *on* », par exemple, est l'obligation qu'un individu a envers son empereur, ses maîtres et ses seigneurs. On ne peut jamais s'acquitter de « *on* ». On peut s'acquitter des obligations réciproques – *gimu* et *giri* – mais elles sont différentes l'une de l'autre. *Gimu* n'est pas limité dans le temps, et indépendamment de la mesure selon laquelle on s'acquitte d'une faveur ou d'une subven-

tion, l'obligation reste. *Giri,* d'autre part, peut être acquitté complètement, et se trouve limité dans le temps. *Giri* est une manière de vivre et d'accomplir son travail. Voir R. Benedict, *op. cit.*

Chapitre 7

1. Les chapitres 9 et 10 sont consacrés au rythme et à l'entraînement.
2. Voir E. T. Hall, *La Dimension cachée,* 1971, pour des informations plus détaillées sur la centralisation en France.
3. Il est important de mentionner que les procédures selon lesquelles il faut rendre compte d'une situation financière ne sont pas largement connues à l'extérieur des cercles financiers. M'entretenant de cette question avec mon ami Lawrence Wylie, professeur de civilisation française au collège Douglas Dillon à Harvard, j'appris que, en dépit de ses années d'expérience en France, il ne connaissait pas ce modèle, exactement comme un professeur d'américain moyen ne le connaîtrait pas si la situation était inversée. On pourrait, cependant, logiquement présumer qu'un modèle comme celui-ci, dont beaucoup dépend, se présente quelque part dans la culture française. Et bien que des situations similaires existent aux États-Unis, elles sont considérées comme très « louches » ; on s'explique ainsi le fait que les Américains soient scandalisés quand ils sont confrontés au syndrome français qui consiste à remonter le temps.
4. Ces dernières années, le rôle de programmes politiques basés sur un seul thème est devenu si frappant qu'on ne peut plus l'ignorer. De tels programmes sont de la dernière absurdité quand le bien-être général du pays est en cause. Si notre pays se situait un peu plus haut dans l'échelle des contextes, une telle question ne se poserait pas. Le problème est de savoir si des intérêts particuliers n'affaibliront pas finalement la nation au point qu'elle ne puisse survivre.
5. L'ouverture ou la fermeture d'une partition est un processus qui a déjà été décrit (L. Halprin, *The R.S.V.P Cycles,* 1970 ; E. T. Hall, *Au-delà de la culture,* 1979) : deux stratégies différentes produisent des résultats différents. Une « partition » – pour employer ce terme de musique – peut être une liste d'achats ou un programme visant à envoyer un homme sur la lune. Une stratégie fermée réussit si le résultat suit la partition établie à l'avance et atteint les objectifs fixés, par exemple, qu'un homme marche sur la lune. Une partition ouverte échoue quand rien de nouveau ne s'ajoute au projet initial. Les deux existent dans la tradition musicale (classique = partition fermée, jazz = partition ouverte) ; les musiciens indépendants peuvent violer la tradition et adopter l'une ou l'autre des deux approches. Toute activité, quasiment, peut être caractérisée comme relevant de l'une ou de l'autre.
6. Voir Hall, *Au-delà de la culture,* 1979, chapitres 6, 7 et 8 pour davantage d'informations sur les stratégies de mise en contexte.

7. Pour une description des modes formel, informel et technique, voir mon livre *le Langage silencieux,* 1984.

8. J. F. Berry, articles dans le *Washington Post,* les 29 mai et 3 juin 1981.

Chapitre 8

1. *Homo neanderthalensis* – le précurseur de l'homme moderne – (70 000-37 000 av. J.-C.) « utilisait des symboles, de l'ocre, et célébrait des rites mortuaires (avec des fleurs, même)... » (Alexander Marschack, « Ice Age Art », 1981); autant d'indications solides permettant de penser qu'il croyait en un au-delà, et qu'une religion commençait à se constituer.

2. A. Marschack, *Les Racines de la civilisation: les sources cognitives de l'art, du symbole et de la notation chez les premiers hommes,* 1972.

3. J'ai longuement considéré le sujet des projections dans mon livre, *Au-delà de la culture.*

4. Un travail en cours est consacré à cet extraordinaire sujet.

5. A. Korzybski, *Science and Sanity,* 1948.

6. Ce processus a été reconnu pour la première fois dans la Bible, quand les Israélites reçurent l'ordre de ne pas adorer des idoles.

7. M. Church, *Time and Reality: Studies in Contemporary Fiction,* 1963. (Il s'agit d'un exemple.)

8. *Washington Post Magazine,* le 9 novembre 1980, article de Walter Schapiro.

9. S. L. Englebardt, « The Marvels of Microsurgery », 1980.

10. Je considère ce sujet dans mon livre *Au-delà de la culture* dans le domaine des images.

11. Pietsch, *Schuffle Brain,* 1981; K. H. Pribram, *Languages of the Brain,* 1971.

12. Le cerveau est un organe extraordinaire dont toutes les parties sont en interaction. Pour un court résumé, voir le chapitre 12 de mon livre *Au-delà de la culture.*

13. E. T. Hall, *Le Langage silencieux.* Ce type de différence entre familles culturelles se prête aussi à un examen rigoureux.

14. M. W. Piers, Erickson Institute Outrider, n° 18, automne 1980.

15. J. Piaget, « Time Perception in Children », 1981.

16. F. P. Kilpatrick, voir ci-dessous notes 22 et 28, et mes livres *La Dimension cachée* et *Au-delà de la culture.*

17. J. Piaget, *Le Développement de la notion de temps chez l'enfant,* 1981.

18. J. Piaget, *La Représentation de l'espace chez l'enfant,* 1981.

19. P. Carrington, *Freedom in Meditation,* 1977. Cet ouvrage est un des plus mesurés et scientifiques parmi les nombreux rapports consacrés à ce sujet.

20. K. Floyd, « Of Time and Mind : From Paradox to Paradigm », 1974.

21. Notons que la logique inhérente au système nerveux central est différente de la logique aristotélicienne. La logique inhérente au système nerveux est assez proche de la logique topologique. Il s'agit d'une logique des relations dans laquelle les formes peuvent changer sans modifier les relations.

22. L'ensemble de la psychologie transactionnelle est consacré à l'étude de ce processus. Voir F. P. Kilpatrick, *Explorations in Transactional Psychology,* 1961.

23. E. T. Hall, *Au-delà de la culture,* 1979.

24. Il existe de nombreux types de schizophrénie, et cet exemple ne décrit qu'une partie de la symptomatologie d'un seul type, lequel n'est pas particulier aux États-Unis. Dans une série d'entretiens avec le Dr. Paul Sivadon, un psychiatre belge exerçant en France et spécialisé dans un type de thérapie qui prend en compte l'environnement total, j'ai appris que les symptômes décrits étaient bien connus de lui et qu'ils lui étaient suffisamment familiers pour qu'il développe une seule manière de les traiter. Il donnait simplement aux patients davantage d'espace qu'ils ne pouvaient en remplir.

25. A. De Long, « The Use of Scale Models in Spatial-Behavioral Research », 1978 ; « Spatial Scale and Perceived Time-Frames », avec J. F. Lubar, « Scale and Neurological Function », 1978.

26. Ces résultats correspondent tout à fait aux conclusions de Floyd *(op. cit.)* basées sur l'étude de l'activité de sujets en état de méditation. En fait, Floyd affirme : « ...Ce que nous pensons comme temps est simplement une fonction des taux basaux de l'activité électrique de notre cerveau, une pratique et fascinante fabrication de la conscience. »

27. De Long, *op. cit. :* 125, 190, 38, et 96 sujets furent utilisés ; c'est-à-dire, 125 sujets pour l'environnement à l'échelle de 1/24, 190 pour l'environnement à l'échelle de 1/12, et ainsi de suite. Chaque échelle était représentée par un certain nombre de décors ; salles d'attente, salles de séjour, pièces de réception, etc.

28. Comme on peut s'y attendre, Alton De Long découvrit que l'estimation du temps dépend des fonctions corticales supérieures ; ainsi, quand ses sujets essayaient d'estimer le temps intellectuellement, toute l'expérience était invalidée. Ceci met en évidence quelques-unes des difficultés liées à ce type de recherche. Certaines procédures fonctionnent très bien avec les centres supérieurs du cerveau, d'autres non. En fait, Kilpatrick *et al.* (1961), démontra que les processus profondément intégrés de la perception de l'espace dépendent des fonctions corticales conscientes : la connaissance intellectuelle du fait qu'une pièce était déformée n'avait aucune influence sur la manière dont les sujets percevaient l'espace.

L'anxiété, cependant, était un autre problème. Les sujets anxieux s'accrochaient à leurs déformations perceptives plus longtemps que des sujets normaux. Notons que tous les temps « perçus » mesurés se rapportaient à une base de 30 minutes. Pour l'environnement à l'échelle de 1/12, le temps moyen écoulé (estimé égal à 30 minutes) était 2,44 minutes ou 1/12, 29. Autrement dit, il y a a 34/100 de 1 % d'écart ou environ 1/3 d'un point de pourcentage. L'échelle de 1/24 entraînait un temps écoulé de 1,36 minute (1/22 au lieu de 1/24). Pour l'échelle de 1/6, le temps était de 5,01 minutes (1/5, 99 au lieu de 1/6) ou une déviation de 1/10 de 1 %. Pour ceux qui s'intéressent aux statistiques, De Long situe le seuil de signification à 0,5 pour mille.

29. Dave Schultz, reporter du *Gannett News Service,* décrit assez longuement comment Debbie Genovese – la championne de luge des États-Unis – traverse un processus qu'elle appelle « pré-visualisation » : « Vous fermez vos yeux et pensez à chaque centimètre du parcours et à ce que vous allez faire... Vous pensez au départ, et à chaque virage vous pensez au moment où vous allez prendre un virage, et où vous le quitterez. Vous faites la course dans votre tête tout le long du parcours, jusqu'en bas de la pente. Cela doit prendre autant de temps de penser le parcours que de faire la course elle-même... C'est étonnamment précis. »

Chapitre 9

1. On reconnaîtra bientôt, je crois, dans le rythme l'ultime unité dynamique de construction, non seulement de la personnalité, mais aussi de la communication et de la santé.

2. La proxémie est l'étude de l'utilisation de l'espace par l'homme (y compris ses habitudes territoriales et les distances qu'il établit entre lui et les autres), en tant qu'élaboration culturelle particulière. Les observations proxémiques comprennent la manière dont les gens établissent des distances personnelles et y réagissent, ainsi que la conception de maisons et de villes en tant qu'elle est déterminée par des considérations culturelles. Voir le glossaire de ce livre et Hall, 1963, 1964, et 1974.

3. Il existe maintenant une Society for the Anthropology of Visual Communication qui constitue une branche de l'anthropologie.

4. Cette recherche fut financée par une subvention du National Institute for Mental Health.

5. J. Collier, *Alaskan Eskimo Education,* 1973, et *Visual Anthropology,* 1967.

6. A cause de la manière dont j'organisai mes recherches, il ne fut pas possible de reproduire les conditions universitaires qui étaient davantage contrôlées. Cependant, les résultats des tests furent suffisamment proches pour satisfaire les besoins que j'avais à l'époque. Aussi, les résultats correspondaient à tout ce que je savais sur les deux groupes.

7. *CBS Reports,* 29 janvier 1981; une émission d'une heure sur les constructeurs d'automobiles japonais.

257

8. G. Leonard, *The Silent Pulse*, 1981.

9. G. Leonard, *op. cit.*

10. W. Condon, « Neonatal Entrainment and Enculturation », 1979; W. S. Condon et L. W. Sander, « Synchrony Demonstrated Between Movements of the Neonate and Adult Speech », 1974.

11. R. M. Schafer, *The Tuning of the World*, 1977.

12. B. Tedlock, « Songs of the Zuñi Kachina Society : Composition, Rehearsal, and Performance », 1980.

13. N. Wiener, *Cybernetics*, 1948.

Chapitre 10

1. Bien que la synchronie et l'entraînement semblent signifier la même chose, ils concernent chacun des aspects différents d'un même processus. La synchronie est le phénomène manifeste et observable; alors que l'entraînement désigne les processus internes qui rendent possible ce phénomène; par exemple, deux systèmes nerveux « se commandent mutuellement ».

2. Joseph McDowell (1978) essaya sans succès de reproduire le travail de Condon. Il eût peut-être réussi s'il avait fait la même chose que Condon, et utilisé le même matériel; mais ce ne fut pas le cas. Pour davantage d'informations concernant la raison pour laquelle McDowell ne réussit pas à vérifier les affirmations de Condon ou à reproduire son travail, voir J. B. Gatewood et B. Rosenwein, 1981.

3. W. S. Condon, « An Analysis of Behavioral Organization », *Sign Language Studies*, 13, 1978.

4. On observe des aberrations de la synchronie individuelle dans le bégaiement, les attaques, la maladie de Parkinson, de nombreuses formes de « maladresse », ou quand les gens bougent de manière disgracieuse.

5. G. G. Luce, J. Segal, *Sleep*, 1966.

6. En plus des exemples donnés, Condon a étudié avec un oscilloscope 242 phrases, 365 mots consécutifs, et 1 055 sons consécutifs avec le même résultat.

7. W. S. Condon, « Method of Micro-Analysis of Sound Films of Behavior », 1970; W. S. Condon et W. D. Ogston, « Speech and Body Motion Synchrony of Speaker-Hearer », 1971.

8. E. T. Hall, *La Dimension cachée*, 1971.

9. W. S. Condon, communication personnelle, 1979.

10. W. S. Condon, communication personnelle.

11. La quantité de temps dépend de la situation et du contexte. Jusqu'à présent, personne n'en a énoncé les règles. Si la mère dit qu'elle va donner une fessée à Johnny s'il vient encore une fois avec des pieds boueux, et si elle ne le fait pas dans la demi-heure qui suit le moment où elle découvre la boue dans la salle de séjour, il y a des chances qu'elle ne lui donne pas de fessée du tout. Ou bien, si le directeur de

l'école dit qu'il donnera un prix de cent dollars au projet scientifique le plus créatif, et qu'il ne l'a pas fait dans les trente jours qui suivent la fête de la science, il n'a probablement pas l'intention de donner un prix. En règle générale, plus l'enjeu est important, plus on dispose de temps avant de devoir agir.

12. W. S. Condon, « Neonatal Entrainment and Enculturation », 1979.

13. E. T. Hall, *Le Langage silencieux.*

14. C. G. Jung, « Synchronicity : An Acausal Connecting Principle », *The Structure and Dynamics of the Psyche,* seconde édition, 1969. *Ma vie : souvenirs, rêves et pensées,* 1978.

15. Jung, *op. cit.,* 1978.

16. Eliot Chapple, *Culture and Biological Man,* 1970.

Chapitre 11

1. *Time,* 4 mai 1981, « The Money Chasers ».

2. M. Mead, *New Lives for Old : Cultural Transformation – Manus, 1928-1953,* 1956.

3. I. I. Rabi, « Introduction », *Time,* 1966.

4. C. Fuentes, Honnold Lecture, Knox College, Galesburg, ill., 1981.

5. A. Marschack, *op. cit.,* 1972.

6. G. S. Hawkins, *Stonehenge Decoded,* 1965.

7. Evans-Pritchard, *Les Nuer;* Bohannan, « Concepts of Time Among the Tiv of Nigeria », 1953.

8. E. T. Hall, *Le Langage silencieux;* B. L. Whorf, *Language, Thought and Reality,* 1956.

9. La publication des œuvres complètes de Condon est toujours en préparation. Le lecteur est donc, pour le moment, renvoyé à la bibliographie de ce volume.

10. J. Collier, *op. cit.,* 1973; et *op. cit.,* 1967.

11. Superintendant des Indiens Sioux, Reifel donna l'ordre strict qu'aucun bus scolaire de la réserve n'attende un Indien en retard. Les horloges des écoles furent réparées et synchronisées, et les écoles fonctionnèrent selon un horaire strict. Reifel savait qu'il valait mieux, pour les membres de la tribu, manquer le bus de la réserve que le travail dans la ville de l'homme blanc.

12. R. Rodriguez, *Hunger of Memory,* 1982.

Appendice 2

1. L'exposition Cooper-Hewitt consacrée à MA (l'espace-temps japonais) était une variante de l'exposition montée à Paris par Arata Isozaki et son collaborateur pour illustrer le thème du « Japon aujourd'hui », à la fin des années 70.

2. Le général Alexander Haig, l'ancien secrétaire d'État du président Ronald Reagan, fut l'objet d'une avalanche de commentaires dans les médias en octobre et novembre 1981 à cause de certains traits de sa personnalité qui le faisaient apparaître hypersensible et révélaient qu'il n'était pas facile d'avoir affaire à lui. On utilisa à cette époque le terme de « fenêtre de vulnérabilité ».

Glossaire

Apprentissage d'une culture. Le processus d'apprentissage d'une culture se déroule généralement par étapes. Des enfants âgés de six ans sont plus avancés dans ce processus d'apprentissage que des enfants de trois ans; alors que des adolescents l'ont presque achevé, ou dans de nombreux cas ont l'impression de l'avoir achevé; ceci est parfois une source de tension entre eux et des individus qui ont acquis complètement une culture. Le processus d'apprentissage d'une culture se distingue de celui d'acculturation qui implique un groupe entier, comme celui des Américains indigènes, dont certains sont si profondément acculturés qu'on ne les distingue pas des membres de la société dominante

Chaîne d'actions. Il s'agit d'un terme emprunté au domaine du comportement animal pour décrire un processus interactionnel dans lequel une action en déclenche une autre selon un modèle uniforme. Faire la cour à quelqu'un est un exemple assez complexe. Fixer un rendez-vous ou inviter quelqu'un à dîner en est un autre. L'essentiel est que les deux parties jouent des rôles différents et indépendants : A invite B, qui doit alors répondre jusqu'à ce que le paradigme soit achevé. Si la chaîne est cassée en un point, elle doit entièrement recommencer. La vie est pleine de chaîne d'actions. En fait, on ne les a pas répertoriées; une liste préliminaire n'a pas non plus été établie même pour une seule culture. L'élément essentiel, dans la mesure où les êtres humains sont en cause, c'est que les pas ou les étapes sont particuliers à chaque culture (Hall, 1976).

Contexte riche et contexte pauvre. La richesse ou la pauvreté d'un contexte fait référence à la quantité d'informations contenues dans un message comme fonction du contexte dans lequel il est communiqué. Dans un message très riche en contexte, la plus grande partie est dans le contexte, alors que très peu de signification est contenue dans le message transmis. Un mode de communication pauvre en contexte est comparable à l'interaction avec un ordinateur – si l'information n'est pas explicitement définie et le programme suivi à la lettre, la signification est déformée. Dans le monde occidental, le domaine juridique se carac-

261

térise par un mode de communication pauvre en contexte, en comparaison avec des transactions courantes de nature informelle. Des individus qui se connaissent depuis des années ont tendance à utiliser un mode de communication riche en contexte.

Culture fondamentale. Voir *Niveau de culture primaire.*

Déclencheur. Le concept de déclencheur est intimement lié à la théorie de la communication dans ses applications à la culture. Implicite dans l'œuvre de Charles Hockett (1958 et 1964), la théorie du déclencheur est tout à fait en rapport avec les modèles de communication riche ou pauvre en contexte. Quand le niveau de contexte baisse et que les messages deviennent de plus en plus techniques – et longs – les déclencheurs deviennent plus complexes. Bien que beaucoup de déclencheurs soient linguistiques en eux-mêmes, ils ne sont pas restreints au langage. En fait, ils adaptent tout le processus de la communication à ce que l'on sait d'une culture ; il est ainsi possible de considérer le langage et la culture comme éléments d'un même processus. L'essentiel de la théorie de la communication du déclencheur est le suivant : le fonctionnement du déclencheur se résume dans le fait que le langage déclenche chez l'individu qui reçoit le message une réponse déjà programmée (elle est présente génétiquement ou elle a été acquise). Quand on considère la communication dans l'espèce humaine, on n'a jamais affaire à une *tabula rasa.*

Entraînement. On observe des phénomènes d'entraînement dans le monde physique comme dans le monde organique. Les lucioles ont tendance à développer un comportement d'entraînement observable quand elles luisent ensemble. Quand les fréquences d'oscillateurs électroniques sont suffisamment proches, ils s'entraînent avec les fréquences les plus rapides ; et les pendules qui fonctionnent l'une à côté de l'autre s'entraînent mutuellement si leurs balanciers ont la même longueur. La plupart d'entre nous connaissons l'expérience que l'on fait au lycée : il s'agit d'observer deux diapasons de la même longueur se commander mutuellement – ceci est un exemple d'entraînement. William Condon choisit ce terme pour décrire un processus qui rend la synchronisation possible, et dans lequel un système nerveux central commande un autre, ou dans lequel deux systèmes nerveux centraux se commandent mutuellement (voir chapitre 10).

Euro-américain (peuple). Couramment utilisé pour distinguer un ensemble de caractéristiques culturelles et autres, propres aux peuples américain et européen, des cultures africaines, asiatiques, indiennes, et de celles des populations indigènes d'Amérique du Nord et du Sud.

Hémisphère gauche et hémisphère droit du cerveau. Cette distinction a été vulgarisée, entre autres, par Ornstein. Elle désigne une fonction différenciée et spécialisée des hémisphères droit et gauche du cortex cérébral. En Occident, on considère généralement que l'hémisphère gauche est la région de l'utilisation des mots et des chiffres; cet hémisphère est plus linéaire que l'hémisphère droit qui, lui, a une organisation holistique et spatiale. Il semble que les Japonais ne distinguent pas les fonctions des deux hémisphères de la même manière que le font les Occidentaux.

Hispano-Indien (traduit par : *Latino-Américain*). Individu originaire d'Espagne ou du Portugal, qui a émigré dans le Nouveau Monde, et dans de nombreux cas s'est mélangé aux populations indigènes.

Kinésique. Il s'agit de l'étude des mouvements du corps en tant que processus de communication (conscient ou inconscient, mais souvent inconscient). Raymond Birdwhistell créa ce terme pour distinguer son domaine de recherche de la simple étude des gestes. Kinésique est le terme technique et juste pour désigner le langage du corps.

Modèle d'accomplissement ou d'organisation ouvert ou fermé. Voir Halprin, 1970. Un modèle est un paradigme, un plan, un ensemble de règles ou de procédures pour accomplir une tâche. Une simple liste d'achats ou un programme informatique sont des modèles d'accomplissement. Le programme informatique est un exemple de modèle d'accomplissement fermé – très précisément planifié. Selon ce modèle, l'accomplissement d'une tâche est réussi quand on parvient à l'objectif fixé dans la procédure spécifiée à l'avance. Les programmes de recherche sont, pour la plupart, menés selon un modèle fermé. Un modèle d'accomplissement ouvert est exactement le contraire : l'accomplissement d'une tâche échoue quand on se propose d'agir comme prévu au départ. Les modèles d'accomplissement ouverts sont spontanés. La recherche la plus créatrice et pratiquement toutes les découvertes scientifiques sont l'aboutissement de modèles ouverts, au moins au cours des phases initiales. Et quand rien de nouveau n'apparaît avec l'utilisation d'un modèle ouvert, il y a alors échec. Les modèles d'accomplissement fermés sont précisément programmés, alors que les modèles ouverts sont spontanés, intuitifs et innovateurs (Hall, 1976).

Monochronie et polychronie. Monochronie et polychronie désignent deux types de temps qui s'excluent mutuellement. Dans un système monochrone, un individu ne fait qu'une chose à la fois, selon le mode linéaire si familier aux Occidentaux. Dans un système polychrone, un individu fait au contraire plusieurs choses à la fois. Les horaires sont traités tout à fait différemment; en fait, il est parfois difficile de déterminer si un horaire existe ou non. La polychronie est courante dans les cultures méditerranéennes et latino-américaines.

Niveau de culture primaire. Il existe au moins trois niveaux de culture facilement identifiables : les niveaux primaire, secondaire, et explicite ou manifeste. La culture primaire fondamentale est le type de culture dans lequel les règles sont connues de tous, respectées par tous, mais pratiquement jamais définies. Ces règles sont implicites, considérées comme allant de soi ; il est impossible à un individu moyen de les définir en tant que système, et elles sont généralement non conscientes. Le niveau de culture secondaire, bien que tout à fait conscient, est difficilement accessible pour les étrangers. Le niveau de culture secondaire est aussi uniforme que les autres niveaux, et il lie autant les individus les uns aux autres, peut-être même davantage. C'est ce niveau de culture que les Indiens Pueblo du Nouveau-Mexique préservent de l'influence des Blancs. Mais il peut aussi s'agir de la culture particulière à n'importe quel groupe ou société. La culture tertiaire, manifeste ou explicite, est ce que nous percevons dans chaque individu, et partageons avec lui. C'est la façade que l'on présente au monde entier. Parce que ce niveau est très facilement manipulable, il est le moins stable et le moins fiable quand il s'agit de prendre des décisions. Dans la plupart des sciences humaines et politiques contemporaines, on cherche des stratégies permettant de pénétrer l'écran qui sépare la culture manifeste de la culture secondaire.

Projection (transfert de projection). Le transfert de projection est un processus par lequel une activité ou un produit qui est le résultat d'un processus d'extériorisation-projection (Hall, 1959) – est confondu avec le processus de base ou sous-jacent qui a été étendu. Un exemple classique est celui de la forme écrite du langage que l'on traite communément comme le langage (Hall, 1979). Autrement dit, la carte n'est pas le terrain lui-même.

Proxémie. La proxémie est l'étude de la manière dont les individus utilisent l'espace, dans la mesure où cette utilisation est déterminée par leur culture. La culture influence la structuration et l'utilisation de l'espace : par exemple, la distance que des individus gardent entre eux, ou la conception de maisons et de villes. Voir Hall, 1971.

Signes précurseurs. Cette expression (en anglais : *adumbration*) vient de la littérature et signifie : laisser prévoir. Les processus précurseurs sont apparentés aux chaînes d'actions. Mais on les distingue par le fait qu'il y a une augmentation continue de l'intensité et de la spécificité du message, et par le fait que, dans une situation définie par l'intervention de signes précurseurs, l'individu (ou le groupe) interrompt le processus d'intensification et choisit une chaîne d'actions parmi l'ensemble des chaînes d'actions propres à sa culture. Dans sa forme classique, la diplomatie est la science qui consiste à savoir lire dans les comportements les signes précurseurs. Quand le public est impliqué dans le processus, le paradigme précurseur est très avancé – parfois jusqu'à la guerre. Les experts en processus précurseurs qui agissent avec succès sont suffisamment habiles pour faire passer leur message avant que la « face » et l'ego ne soient engagés. Les processus précurseurs commencent au niveau le plus riche en contexte de la communication; et ce niveau décroît (le message devient plus explicite) à chaque étape. Les processus précurseurs, comme les chaînes d'actions, sont spécifiques à chaque culture.

Société ou organisation sociale. Terme utilisé ici techniquement pour désigner les institutions ou la manière dont elles sont organisées, ou structurées, l'organisation sociale étant considérée comme distincte de la culture. Cette distinction est peut-être un artefact propre à la culture américaine dans la mesure où les anthropologues anglais considèrent la société comme nous, Américains, considérons la culture. Je pense que la société américaine, ou le système social américain, est comparable à un organigramme, alors que la culture est plus proche de ce que les gens font dans cette organisation quand ils exercent leurs fonctions. Cette distinction pourrait à long terme prendre valeur d'une convention ou simplement d'une commodité.

Se synchroniser ou être synchrone. On parle généralement de synchronie dans le domaine cinématographique, quand il s'agit de synchroniser la bande son avec les images d'un film. Ces dernières années, les travaux de chercheurs comme Condon et Birdwhistell ont montré que les êtres humains se synchronisent les uns avec les autres, exactement comme l'ingénieur du son synchronise la bande son d'un film. On fait donc maintenant référence à cet aspect du comportement humain en termes de synchronie.

Bibliographie

Abernathy, William J., et Hayes, Robert, « Managing Our Way to Economic Decline », *Harvard Business Review,* juillet 1980.

Aschoff, Jurgen, « Circadian Rhythms in Man », *Science,* vol. 148, 11 juin 1965.

Ayensu, Edward S., et Whitfield, Philip, *The Rhythms of Life,* New York, Crown Publishers, 1982.

Barnett, Lincoln, *The Universe and Dr. Einstein,* New York, William Sloane Associates, 1950.

Benedict, Ruth, *The Chrysanthemum and the Sword,* Boston, Houghton Mifflin Co., 1946.

– *Zuñi Mythology,* New York, AMS Press, 1969.

Birdwhistell, Raymond, *Introduction to Kinesics,* Louisville, Ky., University of Louisville Press (1952), 1974.

Bohannan, Paul, « Concepts of Time Among the Tiv of Nigeria », *Southwestern Journal of Anthropology,* vol. 9, n° 3, automne 1953.

Boyd, Doug, *Rolling Thunder,* New York, Dell Publishing Co., 1974.

Brazelton, Thomas Berry, *On Becoming a Family : The Growth of Attachment,* New York, Delacorte Press, 1981.

Brodey, Warren, « The Clock Manifeste », *in* Roland Fischer, ed., *Interdisciplinary Papers of Time. Proceedings of the New York Academy of Science, Annual Meeting, 1966,* New York, New York Academy of Science, 1967.

Brown, Frank A., « Living Clocks », *Science,* vol. 130, 4 décembre 1959.

Bruneau, Thomas J., « The Time Dimension in Intercultural Communication », *Communication Yearbook 3,* Dan Nimo, ed., New Brunswick, N.J., Transaction Books, 1979.

Capra, Fritjof, *The Tao of Physics,* New York, Bantam Books, 1977.

Carrington, Patricia, *Freedom in Meditation,* Garden City, N.Y., Anchor Books/Doubleday, 1977.

Chapple, Eliot, *Culture and Biological Man,* New York, Holt, Rinehart & Winston, 1970.

Church, Margaret, *Time and Reality; Studies in Contemporary Fiction,* Chapel Hill, N.C., University of North Carolina Press, 1963.

Collier, John, *Alaskan Eskimo Education : A Film Analysis of Cultural*

Confrontation in the Schools, New York, Holt, Rinehart & Winston, 1973.
- *Visual Anthropology : Photography as a Research Method,* New York, Holt, Rinehart & Winston, 1967.
Colton, Harold S., *Hopi Kachina Dolls,* Albuquerque, N.M., University of New Mexico Press, 1949.
Condon, William S., « An Analysis of Behavioral Organization », *Sign Language Studies,* 13, 1978.
- « Method of Micro-Analysis of Sound Films of Behavior », *Behavior Research Methods and Instrumentation,* vol. 2, 1970.
- « Multiple Response to Sound in Dysfunctional Children », *Journal of Autism and Childhood Schizophrenia,* vol. 5, 1975.
- « Neonatal Entrainment and Enculturation », *in* M. Bullowa, ed., *Before Speech : The Beginning of Interpersonal Communication,* New York, Cambridge University Press, 1979.
- « A Primary Phase in the Organization of Infant Responding Behavior », *in* H. R. Schaffer, ed., *Studies in Mother-Infant Interaction,* New York, Academic Press, 1977.
Condon, William S., et Brosin, H. W., « Micro Linguistic-Kinesic Events in Schizophrenic Behavior », *in* D. V. S. Sankar, ed., *Schizophrenia : Current Concepts and Research,* Hicksville, N.Y., PJD Publications, 1969.
Condon, William S., et Ogston, W. D., « A Method of Studying Animal Behavior », *Journal of Auditory Research,* vol. 7, 1967b.
- « A Segmentation of Behavior », *Journal of Psychiatric Research,* vol. 5, 1967a.
- « Sound Film Analysis of Normal and Pathological Behavior Patterns », *Journal of Nervous and Mental Disease,* vol. 143, 1966.
- « Speech and Body Motion Synchrony of Speaker-Hearer », *in* D. L. Horton et J. J. Jenkins, eds., *Perception of Language,* Columbus, Ohio, Charles E. Merrill Press, 1971.
Condon, William S., et Sander, L. W., « Neonate Movement Is Synchronized with Adult Speech : Interactional Participation and Language Acquisition », *Science,* vol. 183, 1974a.
- « Synchrony Demonstrated Between Movements of the Neonate and Adult Speech », *Child Development,* vol. 45, 1974b.
Conklin, J. C., *Folk Classification,* New Haven, Conn., Yale University Press, 1972.
Conklin, J. C. et Saito, Mitsuko, *Intercultural Encounters with Japan,* Tokyo, Simul Press, 1974.
Danielli, Mary, « The Anthropology of the Mandala », *The Quaterly Bulletin of Theoretical Biology,* vol. 7, n° 2, 1974.
Dean, Terrence, et Kennedy, Allan, *Corporate Cultures,* Reading, Mass., Addison-Wesley Publishing Co., 1982.
De Grazia, S., *Of Time, Work and Leisure,* New York, Twentieth Century Fund, 1962.

De Long, Alton, « Phenomenological Space-Time : Toward an Experimental Relativity », *Science,* vol. 213, 7 août 1981.
- « Spatial Scale and Perceived Time-Frames : Preliminary Notes on Space-Time in Behavioral and Conceptual Systems », Knoxville, Tenn., sans date.
- « The Use of Scale Models in Spatial-Behavioral Research », *Man-Environment Systems,* vol. 6, 1976.
De Long, Alton, et Lubar, J.F., *Scale and Neurological Function, Summary,* Knoxville, Tenn., University of Tennessee Press, 1978.
Dewey, John, *Art as Experience,* New York, G. P. Putnam's Sons, 1934, 1959.
Doob, Leonard, « Time : Cultural and Social Aspects », *in* T. Carlstein, D. Parkes et N. Thrift, ed., *Making Sense of Time,* vol. 1, Londres, Edward Arnold, 1978.
Dürckheim, Karlfried, Graf von, *Hara : The Vital Center of Man,* Londres, George Allen & Unwin, 1962.
Einstein, Albert, *Relativity : The Special and General Theory,* New York, Henry Holt & Company, 1920 (trad. fr. *La Relativité : la théorie de la relativité restreinte et générale, la Relativité et le problème de l'espace,* Paris, Payot, 1972).
Ekman, Paul, *Emotion in the Human Face,* New York, Pergamon Press, 1972.
Eliade, Mircea, *The Sacred and the Profane,* New York, Harcourt, Brace and World, 1959 (tr. fr. *Le Sacré et le Profane,* Paris, Gallimard, 1965).
Englebardt, Stanley L., « The Marvels of Microsurgery », *The Atlantic,* février 1980.
Evans-Pritchard, E. E., *The Nuer,* Oxford, Clarendon Press, 1940 (trad. fr. *les Nuer,* Paris, Gallimard, 1968).
Fallows, James, « American Industry, What Ails It, How to Save It », *The Atlantic,* septembre 1980.
Floyd, Keith, « Of Time and Mind : From Paradox to Paradigm », *in* John White, ed., *Frontiers of Consciousness,* New York, Avon Books, 1974.
Fraser, Julius T., ed., *The Voices of Time,* New York, George Braziller, 1966; Amherst, Mass., University of Massachusetts Press, 1981, 2ᵉ éd.
Frazier, K., « The Anasazi Sun Dagger », *Science 80,* novembre/décembre 1979.
Fromm, Erich, *Man for Himself,* New York, Rinehart & Co, 1947.
Fromm, Erich, Suzuki, D.T. *et al., Zen Buddhism and Psychoanalysis,* New York, Harper & Brothers, 1960.
Fuentes, Carlos, Honnold Lecture, donnée au Knox College, Galesburg, Ill., Knox Alumnus 7, 15 octobre 1981.
Gardner, Howard, « Thinking : Composing Symphonies and Dinner Parties », *Psychology Today,* vol. 13, nᵒ 1, avril 1980.

Gatewood, J. B., et Rosenwein, R., « Interactional Synchrony : Genuine or Spurious? A Critique of Recent Research », *Journal of Nonverbal Behavior*, vol. 6, n° 1, 1981.

Gedda, Luigi, et Brenci, Gianni, *Chronogénétique : l'hérédité du temps biologique*, Paris, Hermann, 1975.

Gibney, Frank, *Japan, the Fragile Superpower*, New York, New York American Library, 1979.

Hall, Edward T., « Adumbration as a Feature of Intercultural Communication », *American Anthropologist*, vol. 66, n° 6, décembre 1964.

– *Beyond Culture*, Garden City, N.Y., Anchor Press/Doubleday, 1976 (trad. fr. *Au-delà de la culture*, Paris, Seuil, 1979).

– *Handbook for Proxemic Research*, Washington, D. C., Society for the Anthropology of Visual Communication, 1974.

– *The Hidden Dimension*, Garden City, N.Y., Doubleday & Company, 1966 (trad. fr. *la Dimension cachée*, Paris, Seuil, 1971).

– « *The Silent Language*, Garden City, N.Y., Doubleday & Company, 1959 (trad. fr. *le Langage silencieux*, Paris, Seuil, 1984).

– « A System for the Notation of Proxemic Behavior », *The American Anthropologist*, vol. 65, n° 5, octobre 1963.

Halprin, Lawrence, *The R.S.V.P. Cycles; Creative Processes in the Human Environment*, New York, George Braziller, 1970.

Hardin, Garett, *Exploring New Ethics for Survival : The Voyage of Spaceship « Beagle »*, New York, The Viking Press, 1972.

Hawkins, Gerald S., en collaboration avec John B. White, *Stonehenge Decoded*, Garden City, N.Y., Doubleday & Company, 1965.

Hediger, Heiri, *Studies of the Psychology and Behavior of Captive Animals in Zoos and Circuses*, trad. angl. par Geoffrey Sircom, Londres, Butterworth & Co., 1965.

Hennig, Margaret, et Jardim, Anne, *The Managerial Woman*, Garden City, N.Y., Anchor Press/Doubleday, 1977 (trad. fr. *Carrières de femmes*, Paris, Presses de la Renaissance, 1978).

Herrigel, Eugen, *Le Zen dans l'art chevaleresque du tir à l'arc*, Paris, Dervy-Livres, 1972.

Hoagland, Hudson, « Brain Evolution and the Biology of Belief », *Science*, vol. 33, n° 3, mars 1977.

Hockett, Charles F., *A Course in Modern Linguistics*, New York, The Macmillan Company, 1958.

Hockett, Charles F., et Asher, R., « The Human Revolution », *Current Anthropology*, vol. 5, n° 3, 1964.

Hoffman, Yoel, *Every End Exposed : The 100 Koans of Master Kidō*, Brookline, Mass., Autumn Press, 1977.

Howard, N. E., *Territory and Bird Life*, Londres, John Murray, 1920.

Isozaki, Arata, *MA : Space-Time in Japan*, catalogue de l'exposition du Cooper-Hewitt Museum consacrée à *MA*, New York, 1979.

James, H. C., *Pages from Hopi History*, Tucson, Ariz., University of Arizona Press, 1974.

Jung, Carl Gustav, *Ma vie : souvenirs, rêves et pensées,* Paris, Gallimard, 1978.
– « Synchronicity : An Acausal Connecting Principle » *in The Structure and Dynamics of the Psyche,* Bollingen Series XX, vol. 8, Princeton, N.J., Princeton University Press, 1969, 2ᵉ éd.
Jung, Carl Gustav, et Pauli, Wolfgang, *The Interpretation of Nature and the Psyche,* New York, Pantheon Books, 1955.
Kabotie, Fred, *Fred Kabotie, Hopi Indian Artist,* Flagstaff, Ariz., Museum of Northern Arizona, 1977.
Kardner, Abraham, *The Psychological Frontiers of Society,* New York, Columbia University Press, 1945.
Kasamatsu, Akira, et Hirai, Tomio, « An Electroencephalographic Study on the Zen Meditation (Zazen) Folio », *Psychiatria neurologia Japonica,* vol. 20, 1966 (Seishin Shinkeigaku Zasshi).
Kato, Hidetoshi, « Mutual Images : Japan and the United States Look at Each Other », *in* Condon et Saito, eds., *Intercultural Encounters with Japan,* Tokyo, Simul Press, 1974.
Kennard, Edward H., *Hopi Kachinas,* New York, J. J. Augustin, 1938.
Kierkegaard, Sören, *Le Concept d'angoisse,* Paris, Gallimard, 1969.
Kilpatrick, Franklin P., ed., *Explorations in Transactional Psychology,* New York, New York University Press, 1961.
Korda, Michael, *Success!,* New York, Random House, 1977.
– *Power : How to Get It, How to Use It,* New York, Random House, 1975; Ballantine Books, 1976.
Korzybski, Count Alfred, *Science and Sanity : An Introduction to Non-Aristotelian Systems and General Semantics,* Lakeville, Conn., International Non-Aristotelian Library Publishing Company, 1948.
Leach, E. R., *Rethinking Anthropology,* Londres, Athlone Press, 1961 (trad. fr. *Critique de l'anthropologie,* Paris, PUF, 1968).
Le Lionnais, François, « Le Temps », *in* Robert Delpire, ed., *Encyclopédie essentielle,* Paris, 1959.
Leonard, George, *The Silent Pulse,* New York, Bantam Books, 1981.
Libassi, Paul T., « Biorhythms : The Big Beat », *The Sciences,* mai 1974.
Lorenz, Konrad, *King Salomon's Ring,* New York, The Thomas Y. Crowell Co., 1952.
– *Tous les chiens, tous les chats,* Paris, Flammarion, 1970.
Luce, Gay G., *Body Time : Physiological Rhythms and Social Stress,* New York, Random House, 1971 (trad. fr. *Le Temps des corps : rythmes biologiques et stress social,* Paris, Hachette, 1972).
Luce, Gay G., et Segal, Julius, *Sleep,* New York, Coward-McCann, 1966.
Mabie, H. W., *In the Forest of Arden,* New York, Dodd, Mead & Co., 1898.
MacLean, Paul D., « Man and His Animal Brains », *Modern Medicine,* vol. 95, 1965, p. 106.

Maraini, Fosco, *Japan : Patterns of Continuity*, Tokyo, Kodansha International, 1979.

Marschack, Alexander, « Ice Age Art », *Explorers Journal*, vol. 59, n° 2, juin 1981.

– *The Roots of Civilization*, New York, McGraw-Hill Book Co., 1972 (trad. fr. *Les Racines de la civilisation : les sources cognitives de l'art, du symbole et de la notation chez les premiers hommes*, Paris, Plon, 1972).

Matsumoto, M., « Haragei » (ms.), 1981.

Mayer, Maurice, *The Clockwork Universe : German Clocks and Automata, 1550-1650*, Neal Watson Academic Publications, New York, 1980.

McDowell, Joseph J., « Interactional Synchrony : A Reappraisal », *Journal of Personal and Social Psychology*, vol. 35, n° 9, 1978.

Mead, Margaret, *New Lives for Old : Cultural Transformation-Manus, 1928-1953*, New York, William Morrow & Co., 1956.

Munro, H. H., « The Unrest Cure », The Chronicles of Clovis, *in The Short Stories of Saki*, New York, The Viking Press, 1946.

Needham, J., « Time and Eastern Man », Royal Anthropological Institute, Occasional Paper, n° 2, 1965.

Nystrom, Christine, « Mass Media : The Hidden Curriculum », Educational Leadership, novembre 1975.

Ornstein, Robert, *On the Experience of Time*, Baltimore, Md., Penguin Books, 1969

– *The Psychology of Consciousness*, New York, Pelican Books, 1975.

Park, David, *The Image of Eternity*, Amherst, Mass., University of Massachusetts Press, 1975.

Piaget, Jean, *Le Développement de la notion de temps chez l'enfant*, Paris, PUF, (1946) 1981, 3e éd.

– *La Représentation du monde chez l'enfant*, Paris, PUF, (1926) 1976, 5e éd.

– « Time Perception in Children » *in* Julius Fraser, *The Voices of Time*, 1981, traduit par Betty Montgomery, ed. par Emily Kirb.

– Piaget, Jean, et Inhelder, Bärbel, *La Représentation de l'espace chez l'enfant*, Paris, PUF, (1947) 1981, 4e éd.

Piers, M. W., « Editorial », Erikson Institute Outrider, n° 18, Chicago, automne 1980.

Pietsch, Paul, *Shufflebrain*, Boston, Houghton Mifflin Co., 1981.

Powers, William T., *Behavior : The Control of Perception*, Chicago, Aldine Publishing Co., 1973.

– « Beyond Behaviorism », *Science*, vol. 179, 26 janvier 1973.

Pribram, Karl H., *Languages of the Brain*, Englewood Cliffs, N.J., Prentice-Hall, 1971.

Priestley, J. B., *Man and Time*, Garden City, N.Y. Doubleday & Company, 1964.

Puthoff, H. E., et Targ, R., « Perceptual Channel for Information Transfer Over Kilometer Distances : Historical Perspective and Recent Research », Proceeding of the IEEE, vol. 64, n° 3, mars 1976, p. 329-354.

Rabi, I. I., « Introduction », *Time*, New York, Time-Life Books, 1966.

Rodriguez, Richard, *Hunger of Memory*, Boston, David R. Godine, 1982.

Scarf, Maggie, *Unfinished Business : Pressure Points in the Lives of Women*, Garden City, N.Y., Doubleday & Co., 1980.

Schafer, R. Murray, *The Tuning of the World*, New York, Alfred A. Knopf, 1977.

Scheflen, Albert E., *Body Language and the Social Order*, Englewood Cliffs, N.J., Prentice-Hall, 1972.

Searles, Harold, *The Non-Human Environment*, New York, International Universities Press, 1956.

Selye, Hans, *The Stress of Life*, N.Y., McGraw-Hill Book Co., 1956 (trad. fr. *Le Stress de la vie : le problème de l'adaptation*, Paris, Gallimard, 1975).

Shaw, George Bernard, *Cashel Byron's Profession*, New York, Harper & Brothers, 1886.

Sheldon, William, et Gruen, S.S., *Varieties of Human Temperament : A Psychology of Constitutional Differences*, New York, Hafner Publishing Co., 1970 (trad. fr. *les Variétés du tempérament : une psychologie des différences constitutionnelles*, Paris, PUF, 1951).

Simmons, Leo W., ed., *Sun Chief : The Autobiography of a Hopi Indian*, New Haven, Conn., Yale University Press, 1942 (trad. fr. *Soleil hopi : l'autobiographie d'un Indien Hopi*, Paris, Plon, 1968).

Skinner, B. F., « Selection by Consequences », *Science*, vol. 213, 31 juillet 1981.

Slovenko, Ralph, « Public Enemy N° 1 to Community and Mental Health : The Automobile », *Bulletin of the American Academy of Psychiatry and Law*, vol. 4, 1976, p. 287.

Sofaer, A., Sinclair, R. M., et Doggett, L. E., « Lunar Markings on Fajada Butte in Chaco Canyon, New Mexico », *in New World Archaeoastronomy*, Cambridge, England, Cambridge University Press, 1982.

Sofaer, A., Zinser, V., et Sinclair, R. M., « A Unique Solar Marking Construct », *Science*, 19 octobre 1979.

Sol, D. R., « Timers in Developing Systems », *Science*, vol. 203, mars 1979.

Suzuki, D.T., *Essays on Zen Buddhism*, Londres, Rider & Co., 1951 (trad. fr. *Essais sur le bouddhisme zen*, Paris, Albin Michel, 1972).

– *Manual of Zen Buddhism*, Londres, Rider & Co., 1950.

– *Zen and Japanese Culture*, Princeton, N.J., Bolingen Foundation, Princeton University Press, 1959.

– *Zen Buddhism*, Garden City, N.Y., Doubleday & Company, 1956.

Suzuki, D. T., et Fromm, Erich, *Zen Buddhism and Psychoanalysis*, New York, Harper & Brothers, 1960.

Tedlock, Barbara, « Songs of the Zuñi Kachina Society : Composition, Rehearsal, and Performance », *in* Charlotte Frisbie, ed., *Southwestern Indian Ritual Drama*, Albuquerque, N.M., University of New Mexico Press, 1980.

– *Time and the Highland Maya*, Albuquerque, N.M., University of New Mexico Press, 1981.

Tsunoda, Tadanobu, *Nihon-jin No No – The Japanese Brain*, Tokyo, 1978.

Unesco, *Cultures and Time : At the Cross Roads of Culture*, Paris, Unesco Press, 1976.

Vogel, Erza, *Japan as Number I*, New York, Harper & Row, 1979.

Von Uexküll, Jacob, « A Stroll Through the Worlds of Animals and Men » *in* C. Schiller, ed., *Instinctive Behavior*, New York, International Universities Press, 1964.

Von Uexküll, Jacob, et Kriszat, Georg, *Streifzüge durch die Umwelten von Tieren und Menschen*, Berlin, J. Springer, 1934.

Watts, Alan, *The Way of Zen*, New York, Pantheon Books, 1957.

Whorf, Benjamin Lee, *Language, Thought and Reality*, New York, John Wiley & Sons, 1956.

– « Science and Linguistics », *The Technology Review*, vol. XLII, n° 6, avril 1940.

Wiener, Norbert, *Cybernetics : or, Control and Communication in the Animal and the Machine*, New York, John Wiley & Sons, 1948.

Yamaoka, Haruo, *Meditation But Enlightenment : The Way of Hara*, Tokyo, Heian International Publishing Co., 1976.

Zerubavel, Eviatar, *Hidden Rhythms*, Chicago, University of Chicago Press, 1981.

Index

Affaires (manières de traiter des), 67, 81-82, 123-124, 125-127, 191, 226-230. Cf. Cultures euro-américaine, française, allemande et japonaise.

Age de bronze, 151, 234.

Apprentissage d'une culture, 261.

Art, 119, 122. Cf. Culture euro-américaine et bouddhisme zen.

Astrologie, 101.

Athlètes (sportifs), 161, 177, 194-195, 257n *.

Au-Delà de la Culture, 108, 136, 196, 201, 249n., 250n., 255n., 256n.

Bateson, Gregory, 208.

Beethoven, Ludwig van, 82, 162-163, 251n.

Benedict, Ruth, *The Chrysanthemum and the Sword*, 110, 253n., 254n.; *Zuñi Mythology*, 32, 249n.

Bergson, Henri, 157.

Bernstein, Leonard, 82, 251n.

Berry, John F. : articles parus dans le *Washington Post*, 255n.

Birdwhistell, Raymond, 208, 265, 267.

Bohannan, Paul : « Concepts of Time Among the Tiv of Nigeria », 13, 96-97, 252n., 259n.

Bowles, Gordon, 192.

Boyd, Doug : *Rolling Thunder*, 217.

Brazelton, Barry, 206.

Brésil, 93.

Brown, Franck A., « Living Clocks », 30, 249n.

Bureaucratie, 41, 59, 62-63, 65, 92, 94, 130-131, 138-139.

Calendrier maya, 98-99.

Capitalisme, 18.

Capra, Fritjof : *The Tao of Physics*, 18.

Carrington, Patricia : *Freedom in Meditation*, 255n.

« CBS Reports », 257n.

Cérémonie, 124-125. Cf. Culture japonaise.

Cerveau, 78, 162, 174, 209-210, 255n., 256n., 257n.; fonctions des hémisphères gauche et droit, 66, 74, 117, 118, 213, 263; fréquences de l'activité électrique du cerveau et fréquences du langage, 209-211. Cf. Rythme.

Chaîne d'actions (définition), 261.

Chapple, Eliot, 223, 259n.

Chimie, 135.

Church, Margaret : *Time and Reality : Studies in Contemporary Fiction*, 255n.

Churchill, Winston, 95.

* n. indique la référence à une note.

275

Mandala, 25-26, 237-238. Cf. Temps.

Mann, Judy : article paru dans le *Washington Post,* 251n.

Maori, 220.

Maraini, Fosco : *Japan : Patterns of Continuity,* 253n.

Marschack, Alexander : archéologue spécialiste de l'âge de pierre, 150, 233, 255n., 259n.

Marxisme, 18.

Matsuda, Takeo : promoteur immobilier japonais, 84-85.

Matsumoto, Michihiro : auteur japonais, 122, 253n.

Mead, Margaret : *People of Manus,* 231, 259n.

Méditation, 31, 171-172.

Michi : concept japonais, 119. Cf. Culture japonaise.

Microchirurgie, 161.

Miller, Arthur : *Death of a Salesman,* 224-225.

Monochronie, 36, 56-71, 93-94, 140-145, 187, 235, 251n.; modèle euro-américain, 59-61; définition, 58, 60-61, 263; exemple d'utilisation japonaise, 69-71; modèle allemand, 136-137; les Espagnols du Nouveau-Mexique et la –, 85-86; avantages et inconvénients, 64-65; importance attachée au travail, 67, 92-94; exemple de publicité télévisée, 64. Cf. Culture euro-américaine, Bureaucratie.

Mozart, Wolfgang Amadeus, 162-163.

Munro, H.H. (Saki), 98.

Musique, 83, 115, 163-164, 197-199, 206, 219-220. Cf. Rythme, Synchronie.

Navajo, 40, 118, 119, 249n.; concept de temps, 40; rapport qu'ils ont au travail (comparai-son avec les Hopi), 42-43; attendre, 155. Cf. Indiens d'Amérique, Temps.

Néanderthal, 149, 255n.

Nemawashi : concept japonais, 115. Cf. Culture japonaise.

Newton, Isaac, 23, 32-33, 34, 167.

Newtonien (modèle de temps –), 13, 33, 157, 253n.

Nine To Five : film avec Lily Tomlin, Jane Fonda et Dolly Parton, 200.

Northwestern University, 185.

Nuer (peuple africain), 13, 96; structure du temps, 96. Cf. Temps.

Ordinateur (informatique), 14-15; traduction par –, 73-74.

Organisation, fermée ou ouverte, modèle d'–, 134, 141, 254n., 263.

Organisation sociale, 265 (définition).

Ornstein, Robert, 18, 249n., 253n.

Palmer, Gabrielle, 252n.

Piaget, Jean, 167-169; 255; développement de l'enfant, 167; temps et espace, 168.

Piers, Maria W., 255n.

Pietsch, Paul : *Shuffelbrain,* 255n.

Plan d'aménagement d'urgence : 47.

Polychronie, 56-71, 86, 135, 140-144, 187, 190, 201-202, 235, 251n.; exemple de – dans la culture arabe, 62-63; définition, 58, 263-264; différence entre Latino-Américains et Euro-Américains, 87-89; modèle français, 135-136; exemple de – en Grèce, 58-59; exemple de – dans la culture latino-américaine, 62; importance accordée aux relations interindividuelles, 66-67, 93-94; avantages et inconvé-

Table

CET OUVRAGE A ÉTÉ COMPOSÉ ET ACHEVÉ D'IMPRIMER
PAR L'IMPRIMERIE FLOCH À MAYENNE
D.L. MARS 1984. N° 6760 (21525)